Cours familier de Li

Volume 07

Alphonse de Lamartine

Alpha Editions

This edition published in 2023

ISBN : 9789357963305

Design and Setting By
Alpha Editions
www.alphaedis.com
Email - info@alphaedis.com

Contents

XXXVIIe ENTRETIEN

LA LITTÉRATURE DES SENS
LA PEINTURE
LÉOPOLD ROBERT.
(2e PARTIE)

I

Nous avons dit, en finissant le dernier Entretien, qu'il y avait un amour d'abord innocent, puis imprudent, puis mortel, mais toujours inspirateur, dans le génie de Léopold Robert, et que le secret de ses tableaux était dans son âme. Racontons ce qu'on sait de ce mystère; cela nous aidera à comprendre le prodigieux effet des peintures de ce jeune homme, dès qu'elles parurent aux regards du public. Il en sortit comme une flamme, parce qu'il avait délayé ses couleurs sur sa palette avec des larmes et avec du feu. Telle inspiration, tel effet; voilà le secret de l'impression qu'on produit dans tous les arts, soit avec la parole écrite, soit avec les notes, soit avec le pinceau; car l'art, au fond, ne vous y trompez pas, ce n'est que la nature.

II

En ce temps-là vivaient, tantôt à Florence, tantôt à Rome, tantôt en Suisse, au bord du lac de Constance, des familles exilées, dont les prodigieuses vicissitudes d'élévation et de chute seront l'étonnement de l'histoire. Elles étaient alors le spectacle de l'Italie: c'étaient des branches de la famille des Bonaparte. Plusieurs de ces branches, détachées du tronc par l'exil de Napoléon à Sainte-Hélène, s'étaient réfugiées en Italie, terre des ruines et patrie de leurs ancêtres. C'était d'abord la mère de Napoléon, *Hécube* de cette race, vivant à l'ombre, avec ses orgueils et ses mémoires d'aïeule, dans le palais du cardinal son frère. C'était Lucien Bonaparte, dont le nom répondait autant à la République qu'à l'Empire, caractère à deux aspects des hommes de deux dates, la République et l'Empire. Il avait dédaigné un trône offert au prix de la répudiation d'une épouse de son choix; il élevait une belle et nombreuse famille de fils et de filles qui portent tous, dans un coin de leur nature, le sceau d'une étrange puissance d'originalité et de volonté. Parent de la femme de Lucien par ma mère, j'ai eu moi-même l'occasion de connaître cette femme, que son mari avait préférée à un sceptre. Ceux de ses enfants que j'ai connus par elle avaient une empreinte de son énergie: Romains, Corses, Toscans, natures granitiques.

III

C'était ensuite Louis Bonaparte, roi volontairement descendu du trône de Hollande, homme né pour être le contraste avec le chef de sa maison, fait pour la vie privée, ambitieux de repos, de mérite littéraire, et non de puissance. Je l'ai connu mystérieusement à Florence, pendant plusieurs années, sans que le public soupçonnât nos rapports, que les convenances politiques de ma situation m'empêchaient d'ébruiter. Je n'allais jamais dans son palais; il venait chez moi, la nuit, dans une voiture sans armoirie, suivi d'un seul valet de chambre qui aidait ses pas infirmes à monter l'escalier de ma villa, hors des murs de Florence. Nous passions de longues soirées, tête à tête, dans des entretiens purement littéraires ou philosophiques qu'il avait la complaisance de rechercher. Je servais les Bourbons; il était Bonaparte: il y avait cette incompatibilité entre nous; mais il était avant tout philosophe et poëte; il me lisait ses compositions; j'oubliais qu'il était roi d'une dynastie que je ne reconnaissais pas: les lettres nivellent tout pendant qu'on en parle. L'entretien terminé, bien avant dans la nuit, je le reconduisais respectueusement jusqu'à sa voiture; il laissait après lui dans ma pensée un parfum d'honnêteté que je crois respirer encore.

IV

C'était la famille de Joseph Bonaparte, ex-roi de Naples et d'Espagne, réfugié en Amérique avec d'opulents débris de ses royautés.

C'était la princesse Borghèse, sœur de Napoléon. Je vivais familièrement avec son beau-frère, le prince Aldobrandini, et je voyais habituellement son mari, le prince Borghèse, le Crassus de l'Italie moderne. Il était né pour jouir et pour faire jouir, non pour gouverner; homme féminin, mari indulgent, prince nul. Il habitait ses palais de Toscane; sa femme habitait son palais et ses villas impériales de Rome. Je ne l'ai jamais connue, mais je l'ai entrevue quelquefois dans ses promenades en voiture sous les pins parasols, à travers les statues, moins belles qu'elle, des jardins Borghèse. C'était dans les dernières années de sa courte vie; elle resplendissait encore des reflets de son soleil couchant, comme une tête de Vénus grecque effleurée, dans un musée, par un dernier rayon du soir. Je ne sais par quel caprice, dans une femme où tout était caprice, jusqu'à la mort, elle menait ordinairement avec elle un pauvre capucin, assis à ses côtés dans sa voiture. Le contraste de ce capuchon de laine brune, de cette tête de l'ascétisme chrétien, à côté de ces cheveux semés de fleurs et de ce visage de beauté mourante après tant d'éclat, faisait monter le sourire aux lèvres ou les larmes aux yeux. Charmante créature qui mourait enfant!

V

C'était la reine Hortense, femme de Louis Bonaparte, qui venait de temps en temps à Rome ou en Toscane voir ses fils, et qui retournait vite à sa solitude de Suisse. J'étais déjà prématurément connu littérairement alors; elle était illustre par son rang, ses malheurs, son goût pour les lettres, son talent pour la musique; elle voulait me voir; elle me fit témoigner le désir de me rencontrer, comme par hasard, dans une allée *des Cascines*, où j'avais l'habitude de me promener à cheval; elle m'assigna plusieurs fois la place et l'heure. J'y manquai toujours; j'avais contre elle les préventions vives d'un partisan de Louis XVIII; j'accusais cette reine d'avoir trempé dans le retour de l'île d'Elbe, en 1815. Je me privai d'un grand plaisir pour ne pas faire une infidélité de simple politesse aux rois que je servais.

C'était enfin le prince Napoléon, fils aîné du roi de Hollande et de la reine Hortense, frère du prince, alors inconnu, à qui les versatilités du peuple, les inexpériences de la liberté, les impatiences de la multitude et les péripéties du sort préparaient de loin, dans l'ombre, un second empire.

Ce prince, fils d'Hortense (nous parlons de celui qui n'est plus), était un des hommes que les dons de la nature et les perfectionnements de l'éducation avaient façonnés pour toutes les fortunes. On venait, par un mariage de famille, de lui donner pour épouse sa cousine, la princesse Charlotte, fille aînée de Joseph Bonaparte: cette famille, impériale par le souvenir, proscrite par le présent, ne pouvait guère s'unir qu'avec elle-même. Je n'ai fait qu'entrevoir cette princesse Charlotte, cause innocente ou fatale de la mort de Léopold Robert. J'en dirai peu. Quant à son mari, le prince Napoléon, l'attrait empressé qu'il témoignait pour moi établit entre nous des rapports gênés par la politique, mais bizarres, qui ressemblaient à ces inclinations furtives qu'on s'avoue du regard et qu'on se dissimule des lèvres.

Il avait l'extérieur d'un héros de roman, mais tempéré par la modestie, ce voile du vrai mérite. Sa taille était élégante; sa tête, dégagée de ses épaules minces, semblait s'incliner de peur d'humilier la foule; son œil était limpide, sa bouche ferme; sa physionomie intéressait avant qu'on eût appris son nom; il y avait dans ses traits cette dignité qui survit aux éclipses du sort. Il n'y avait pas de mère qui n'eût désiré l'avoir pour époux de sa fille, pas d'homme qui n'eût voulu en faire son ami. Je n'ai connu que le duc d'Orléans, en France, qui représentât si bien l'espérance d'une dynastie; mais le duc d'Orléans avait trop d'intention dans l'attitude: on voyait qu'il posait involontairement pour un trône populaire. Le prince Napoléon ne posait pas, il primait et il charmait. S'il n'avait été Bonaparte je l'aurais aimé avec plus de liberté.

VI

Nous nous rencontrions souvent à la cour: les convenances politiques ne nous permettaient pas de nous voir ailleurs; même à la cour, et confondus par le mouvement du salon dans les mêmes groupes, nous ne pouvions pas, sans éveiller les ombrages de la diplomatie, nous adresser directement la parole. Il avait donc été convenu entre nous, par l'intermédiaire d'un ami commun, que nos conversations seraient à double entente; que nous ne nous regarderions jamais face à face en causant ensemble, mais que nous aurions l'air de nous adresser à un troisième interlocuteur dans la confidence des deux; que chacun de nous paraîtrait adresser à ce tiers complaisant ce que nous avions à nous dire; que nous nous entretiendrions obliquement, par ricochet, et que nos paroles, insaisissables ainsi à la foule, ressembleraient à ces projectiles qu'on dirige d'un côté pour frapper ailleurs. Nous observâmes longtemps, avec une égale adresse, cette convention diplomatique de salon. La conversation y perdait en abandon, mais elle y gagnait en piquant; la gêne inspire, et l'attrait d'esprit que nous éprouvions l'un pour l'autre s'en accrut encore. Il n'espérait pas me ramener à ses opinions de famille; je n'avais rien à flatter en lui que la proscription: il y avait entre nous toute une dynastie.

VII

Un jour cependant, et sans avoir concerté la rencontre, nous nous trouvâmes inopinément rapprochés par un de ces accidents de voyage qui ont l'air de préméditation et qui sont des hasards.

C'était dans une chaude semaine du mois de juillet, en Italie. Nous allions chercher, ma jeune femme et moi, les sites pittoresques et la fraîcheur des eaux et des bois dans les hautes gorges du groupe des Apennins, à *Vallombrose* et aux *Camaldules*, deux célèbres abbayes presque inaccessibles, comme la Grande-Chartreuse de Grenoble.

Après avoir passé là quelques-uns de ces jours qui ressemblent à des haltes du temps où la vie cesse de fuir, dans les vastes cellules, dans les longs corridors frais, au bord des bassins glacés et sous les sapins aux murmures lyriques de Vallombrose, nous redescendîmes dans la profonde vallée qui sépare de la Toscane habitée cette oasis de paix, et nous reprîmes à cheval la route d'une autre oasis encore plus enfoncée dans le ciel au delà des nuages: les *Camaldules*.

La saison était caniculaire, malgré les haleines du torrent presque desséché dont nous suivions les bords, et qui montrait ses blocs roulés à nu dans son lit, comme Job montrait ses os à Dieu dans sa nudité sur sa couche. La réverbération du soleil contre les parois de marbre de la vallée incendiait l'air respirable; nous cherchâmes, vers le milieu du jour, un abri sous un vaste *caroubier*, espèce d'oranger sauvage et gigantesque qui affecte la régularité immobile de l'oranger taillé par la main de l'homme, qui porte des fèves succulentes pour les chevaux du désert, et qui verse, de son dôme touffu et toujours vert, une ombre imperméable au soleil de midi.

Nous nous oubliâmes trop longtemps, sur la foi de nos guides, dans cette sieste sous l'arbre. Quand nous remontâmes sur nos vigoureux petits chevaux de Corse, pour gravir le plateau rocheux qui monte aux Camaldules, la nuit en descendait à grandes ombres.

Avant d'atteindre la cime du plateau, et de tourner à gauche dans la gorge sombre de pâturages, de torrents, de grands bois qui servent d'avenues à l'abbaye, la nuit était faite; on ne voyait plus le chemin sous les pas de son cheval; quelques rares lueurs, à travers les branches d'arbres, indiquaient seules une ou deux chaumières éparses, châlets des pasteurs de l'Apennin plaqués sur les flancs de la montagne, à notre gauche; à droite, le murmure d'un torrent invisible et profondément encaissé montait comme une terreur dans la nuit.

VIII

Après avoir suivi longtemps à tâtons le sentier ténébreux qui mène à l'abbaye, nos guides arrêtèrent nos chevaux; ils sonnèrent aux grilles pour demander l'hospitalité habituelle aux pèlerins et aux voyageurs. On leur répondit rudement des fenêtres que l'heure était indue, qu'on n'ouvrait plus à de nouveaux hôtes, et que d'ailleurs le monastère était plein de visiteurs arrivés avant nous. Les guides eurent beau répliquer qu'ils conduisaient le ministre de France et sa famille, que nous avions des lettres du tout-puissant ministre d'État *Fossombroni*, qui nous recommandait au prieur, les fenêtres se refermèrent, les lueurs des flambeaux s'éteignirent dans le monastère, et il nous fallut reprendre, pour trouver un abri, le sentier par lequel nous étions venus.

IX

Pendant que nous vaguions ainsi, à la froide rosée de la nuit, de châlet en châlet, sans qu'une porte voulût s'ouvrir à la voix des guides, les frissons qui sortaient des sapins et des cascades nous saisissaient; la faim et le sommeil, après une journée de marche, faisaient transir et grelotter les femmes; une nuit sans foyer, sans toit et sans nourriture, sur une couche d'herbe humide de neige, au sommet de l'Apennin, alarmait ma tendresse pour des santés chères et délicates. Je commençais à maudire ma curiosité, quand un bruit de pas, à travers le feuillage, sous les arbres sur notre droite, appela notre attention.

C'était un pâtre d'un châlet voisin qui accourait, envoyé vers nous par deux étrangers abrités, comme nous cherchions à nous abriter nous-mêmes, sous son toit de feuilles. Ces deux jeunes et aimables étrangers, nous dit le pâtre, étaient le prince Napoléon et la princesse Charlotte, sa femme, arrivés un peu avant nous au monastère, et, comme nous, repoussés du seuil par l'affluence des pèlerins aux Camaldules. Ils venaient d'apprendre que le ministre de France et sa suite avaient été renvoyés comme eux, sans égards, des portes du couvent, et qu'ils cherchaient en vain un toit de berger pour y reposer leur tête. Bien que le châlet où ils nous avaient devancés fût étroit, ils nous en offraient avec empressement la moitié. Le prince avait chargé son envoyé d'ajouter de sa part que, si nous avions quelque scrupule à loger ainsi les représentants de deux dynasties opposées dans la même chaumière, nous serions libres de ne pas nous voir, et qu'il se retirerait avec la princesse dans la partie séparée du châlet où les montagnards gardent le foin des vaches pour l'hiver.

Nous acceptâmes, avec les expressions d'une vive reconnaissance, l'obligeante proposition; seulement nous insistâmes pour que rien ne fût dérangé à l'établissement nocturne dans le châlet intérieur, et nous ne consentîmes à accepter que le logement du fenil. Nos hôtes ajoutèrent, à cette exquise politesse, l'envoi de la moitié de leur souper; mais les frontières furent fidèlement respectées de part et d'autre, et, malgré le désir de nous voir plus intimement à cette hauteur, au-dessus des petites convenances diplomatiques, nous ne franchîmes, ni l'un ni l'autre, la palissade de branches de châtaignier qui séparait le fenil du châlet.

X

Nous passâmes une nuit délicieuse, sous les couvertures de nos mules, étendus sur le foin embaumé par les fleurs du thé de montagnes, au bruissement des feuilles de sapin et des châtaigniers, qui faisaient chanter, sur des modes différents, les brises de la nuit. Le torrent des Camaldules grondait dans le fond de son ravin, comme un mouvement convulsif de la terre qui fait mieux goûter l'immobile sérénité du ciel; les aigles jetaient des cris sur leurs rochers au lever de la lune et de chaque grande étoile qu'ils prenaient pour l'aurore. Une bande blanche et jaune à l'horizon de la mer Adriatique annonça le jour. Le prince et la princesse, qui voulaient poursuivre leur voyage plus loin que nous, sortirent, couverts de leur manteau, du châlet, au premier crépuscule du matin. Nous les saluâmes respectueusement du geste par la fenêtre sans vitres du fenil, et nous nous séparâmes pour ne plus nous revoir.

La princesse Charlotte, jeune, mince, grêle, flexible comme un roseau qui n'a pas encore ses nœuds, était plus semblable à un enfant qu'à une jeune femme. On n'entrevoyait sa puissance d'attraction future qu'à l'extrême finesse de sa physionomie et à la profondeur précoce de son regard; la passion encore absente pouvait un jour se répandre de là sur les traits pour tout animer. C'était un visage qui ne charmait pas au premier regard, mais qui saisissait l'œil et qui forçait à y revenir. La beauté de son mari jetait encore une ombre de plus sur elle. À cette époque, cette femme était quelque chose de fragile qui pouvait se consolider ou se briser, selon le sort. Telle était cette princesse; elle devait tuer un jour, bien involontairement, le jeune peintre qui aurait pu devenir le Raphaël de son siècle et qui ne fut que Léopold.

J'ai passé souvent bien des heures, au palais Barberini de Rome, à contempler cette naïve et opulente figure de la belle *Fornarina*, dont l'attrait consuma Raphaël. Quelle différence entre ces deux visages! Mais l'amour se cache sous la laideur comme sous la beauté: ce n'est pas le regard qui aime, c'est le cœur.

XI

C'est dans cette famille des Bonaparte, réfugiés pour la plupart à Rome, et protégeant les arts afin de prolonger au moins ses règnes éphémères sur les peuples, en régnant sur les talents, que Léopold Robert passait ses soirées à Rome: on lui avait commandé quelques tableaux. Son génie, encore énigmatique, jouissait d'être compris par anticipation sur sa gloire. Être compris, pour un artiste, poëte, peintre, musicien, statuaire, c'est être obligé. L'admiration, voilà le salaire des grandes âmes! Léopold fréquentait surtout le palais de la princesse Charlotte; cette jeune femme s'essayait sous sa direction à dessiner, à peindre, à graver les œuvres du maître; l'intimité des occupations amena l'intimité des cœurs. Léopold Robert, timide d'abord, encouragé ensuite, familier enfin, devint l'habitué de ce salon. Le sauvage montagnard du Jura oublia une distance qu'on s'étudiait à effacer par tant d'égards. Il se plaisait là où il plaisait lui-même; il n'avait rien de séduisant, ni dans les traits du visage, ni dans les grâces de l'entretien, excepté son génie, mais il était attachant par son dévouement modeste et exclusif à ses amis. Silencieux, réservé, susceptible, comme toutes les délicates natures, il intéressait vivement par son silence même. On aime à ouvrir ce qui est fermé; le prince et la princesse lisaient seuls dans l'âme de Robert; cette âme était un abîme de mystères du beau qui ne sortaient qu'un à un, non de ses lèvres, mais de ses pinceaux. C'était une faveur que d'y lire avant le public: voir éclore les œuvres de génie, c'est presque participer à la jouissance de les enfanter.

Léopold Robert avait renoncé à tout, même à la pauvre Thérésina, son premier amour[1], sans se rendre compte à lui-même du vrai motif de son inconstance. On lui parlait en vain de mariage avec quelque jeune fille de son pays, dont la chaste affection aurait animé l'isolement de son atelier: il écartait toutes ces perspectives de sa pensée; il cherchait (comme on le voit dans ses lettres) tous les sophismes de situation pour se justifier à lui-même sa vie solitaire.

XII

Une si vive imagination ne pouvait cependant se sevrer si jeune d'amour. Il était évident que son cœur était assez rempli d'un rêve pour ne pas sentir le vide de toute affection domestique. La douce intimité dans laquelle il vivait avec le prince et la princesse suffisait à son existence; lui-même paraissait nécessaire à leur bonheur. Ces trois personnes de rangs si différents, mais également exilées dans la patrie des arts, associaient leurs talents comme leurs cœurs. Le prince composait de grands paysages historiques avec les pages de la nature que la mer, les montagnes, les ruines déroulaient sous ses yeux; Léopold Robert y jetait des groupes humains et pittoresques qui les animaient de leurs scènes; la princesse Charlotte les gravait sous l'inspiration du jeune maître. Rien n'était plus innocent que ces rapports du professeur à l'élève; mais cette innocence même cachait un piége à Léopold Robert: ce piége, c'était la perfide *habitude*, qui fait germer, sans qu'on s'en aperçoive, les premières racines d'un sentiment innomé dans les cœurs: si le danger était connu on le fuirait; on s'y expose parce qu'on ne le voit pas. L'histoire célèbre d'Héloïse et d'Abeilard, mille autres histoires domestiques aussi fatales attestent le danger de ces rapprochements trop habituels entre une élève innocente et un maître imprévoyant; le péril pour tous les deux naît précisément de l'ignorance du péril. Quelques écrivains, selon nous trop austères, ont paru reprocher amèrement à la princesse Charlotte trop de complaisance à laisser naître cet amour dans le cœur de son maître et de son ami; rien ne justifie à nos yeux ce reproche: elle était trop exclusivement attachée au prince son mari, un des hommes les plus séduisants de l'Italie, pour songer seulement à la nature des sentiments qu'elle pouvait inspirer à un pauvre artiste, fils d'un châlet du Jura et enfoui dans les ruines de Rome. D'ailleurs, nous l'avons dit, la physionomie ingrate et le caractère concentré du jeune artiste ne laissaient ni prévoir en lui, ni éclater hors de lui, des sentiments contre lesquels la princesse aurait pu avoir à se défendre. Elle fit une victime sans préméditation; pas une goutte de ce sang ne doit rejaillir sur sa mémoire. Ses lettres, après la mort de Robert, ont la candeur de l'étonnement et de la douleur, mais aucun remords ne s'y mêle aux profonds regrets. C'est une sœur qui pleure un frère; ce n'est nullement une amante qui s'accuse de la mort d'une victime.

Ce sentiment, confus et non analysé dans l'âme de Robert, se révèle cependant, dans ses grands ouvrages à cette époque de sa vie intérieure, par deux symptômes de l'art qui sont en même temps deux symptômes de la passion. Ces deux symptômes sont la grande poésie et la grande mélancolie de ses œuvres.

C'est en effet à ces jours heureux de sa jeunesse que se reportent la conception et la lente exécution de son tableau qu'on peut appeler le portrait de l'Italie: *les Moissonneurs.*

XIII

Qu'est-ce que *les Moissonneurs?*

En contemplant bien ce magnifique tableau, et en entrant, par tous les pores, dans la pensée du peintre, c'est la poésie du bonheur, c'est l'idéal de la paix des champs, c'est l'infini dans la calme jouissance de la nature, c'est l'idylle de l'humanité, dans son premier Éden, devant le Créateur: idylle transposée aujourd'hui sous le soleil, dans ce monde de travail et de sueur, mais pleine encore de toute la félicité que cette terre corrompue peut offrir à l'homme.

Telle est évidemment, selon nous, la pensée du tableau: c'est un hymne, c'est un *Évohé,* c'est un cantique peint en formes et en couleurs sur la toile! Toute la toile chante, nous le répétons. De Théocrite, de Virgile dans ses églogues, de Gesner, ce compatriote de Robert, nous le demandons au spectateur, qui est-ce qui a le mieux chanté? qui est-ce qui a été le plus poëte de ces poëtes ou de ce peintre? Nous ne craignons pas de répondre: C'est le peintre, c'est Robert, c'est le grand lyrique des *Moissonneurs.*

XIV

Asseyez-vous avec nous devant cette incomparable page, et regardez la scène, et puis retournez-vous et regardez en vous-mêmes: que sentez-vous? Je vais vous le dire.

À l'âge de quinze à vingt ans, à cette époque de l'existence où l'horizon de la vie est tout voilé d'une brume chaude qui noie et qui colore les contours secs de toutes choses; à ce moment où la vie, commencée sans qu'on en aperçoive le terme, paraît longue comme l'infini; à cette heure où cette vie n'a pas dit encore son dernier mot à l'adolescent qu'elle caresse; à cette minute où l'amour, qui n'est au fond que l'éternité de la vie, déborde du cœur dans les sens et des sens dans le cœur, comme un océan de cette vie qui baigne tous les objets et qui les transfigure; à cette période de votre jeunesse, disons-nous, avez-vous jamais voyagé en Italie, en rêvant, éveillé, la félicité d'Éden sous le ciel d'été de la campagne de Naples ou de Rome? Vous souvenez-vous des impressions que vous a fait éprouver l'heure de midi, un jour de canicule, à l'ombre d'un caroubier ou d'un pan d'aqueduc romain entre les Abruzzes? Si vous ne vous en souvenez pas, je vais m'en souvenir pour vous: écoutez, et reconnaissez vos impressions physiques et morales dans les miennes. Je suis ivre d'Italie depuis que j'ai respiré son atmosphère.

XV

La plaine est grise comme une cendre d'herbes brûlées par le soleil; autour de vous une vapeur ambiante sort des pierres et rampe presque visible sur le sol; de légers nuages de poussière rose s'élèvent et retombent çà et là sous les pieds de l'alouette qui secoue en partant la tige des pavots saupoudrés de terre; le silence du sommeil, à l'heure de la sieste, pèse sur l'espace; on entend seulement, de loin en loin, le frôlement métallique de l'épi contre l'épi, quand la brise de mer effleure en passant les grands champs de blé; les ombres crues de l'aqueduc se replient, comme pour fuir la chaleur du milieu du jour, sous les arcades.

Les montagnes de Tivoli, de Frascati, d'Albano, du Soracte, s'élèvent, grandies par le mirage de la vapeur diurne, et semblent danser derrière vous dans le firmament; l'horizon de la mer ne se distingue de l'horizon du ciel que par un ruban d'azur foncé qui indique au pêcheur le premier frisson du vent qui se lève; une ou deux voiles commencent à palpiter dans le lointain; la lumière qui descend de la voûte céleste, qui rejaillit des montagnes, qui flotte sur les vagues, qui se répercute du sol au mur de l'aqueduc et de l'aqueduc au sol, vous immerge dans un éblouissement tiède, où vous croyez voir, sentir, respirer le jour sans ombre et sans fin; il vous semble nager en Dieu, la lumière des pensées.

Votre âme se transfigure en rayons et se répand, comme cette pluie de feu, dans toute l'étendue; vous n'êtes plus ici ou là; vous êtes partout, vous contractez l'ubiquité de cette lumière: elle est si transparente que vous croyez lire jusqu'au fond du firmament, comme on voit dans une eau claire, à l'ombre d'un cap, jusqu'aux grains de sable de la plage. Une silencieuse contemplation qui flotte sur tout, qui ne s'attache à rien, s'empare de vous, semblable à un sommeil imparfait où l'on se sent rêver, mais où on sait qu'on rêve.

XVI

Cependant le soleil, qui marche toujours, a dépassé les arcs de l'aqueduc et penche vers les montagnes; un souffle fait voler çà et là le duvet des chardons qui floconnent à vos pieds; de temps en temps le gémissement d'un chariot rustique résonne sur la route; la cigale, cette guitare de la terre chaude, grince dans le sillon. On voit se dessiner sur la ligne de la mer les profils de quelques vieilles glaneuses qui portent une gerbe sur leurs têtes, ou de quelques belles jeunes filles balançant à la cadence de leur pas, sur leurs épaules, une urne étrusque contenant l'eau pour les lieurs de blé mûr; leur ombre lapidaire les suit sur la route comme un pli de leur lourde robe. Les sons de la musette de Calabre, sur laquelle les *pifferari* préludent dans le lointain aux danses du soir, grondent en approchant de la plaine. Une indescriptible impression de bien-être, de paix, d'existence, de sécurité, de plénitude des sens et du cœur, pénètre l'âme avec les rayons, avec l'air, avec le son, avec l'horizon sans bornes de la campagne de Rome; on se sent noyé dans la béatitude du soleil d'été; la vie surabondante écume et murmure, comme une cascade de *Terni*, dans la poitrine; on craindrait de troubler par une parole, par le bruit même d'une respiration, l'extase qui vous soulève d'ici-bas on ne sait où; on se tait, et ce silence est l'hymne inarticulé de la saison où l'homme fructifie avec l'herbe des champs.

XVII

C'est là l'impression qui avait évidemment saisi Léopold Robert, homme des champs lui-même, dans ses haltes fréquentes sous le chêne ou sous le rocher de *Sonnino*, pendant ses excursions pittoresques avec la sauvage et tendre Thérésina. C'est cette félicité de l'humanité naïve, laborieuse, opulente de peu, qu'il avait rêvée, qu'il avait vue, et qu'il voulait reproduire en un groupe, comme une image complète du bonheur terrestre, comme l'hymne sans mots de la création.

Il pouvait prendre cette image de l'extase humaine sous mille aspects, sous mille formes, dans mille attitudes et dans mille scènes plus élevées du drame de la vie: les palais, les temples, les bosquets, les bords des fontaines lui offraient ces images de la félicité ou de la volupté, dans les champs de victoire, dans les triomphes des guerriers ou des orateurs sauveurs de la patrie et idoles des peuples, dans les actes de foi et de culte qui unissent les hommes à Dieu par la piété, cette plénitude de l'âme; par les langueurs de l'amour heureux, dans les jardins d'Armide et d'Alcine, où le Tasse et l'Arioste enlacent leurs héros dans les bras de beautés ivres de regards. Tout cela lui parut ou trop abstrait, ou trop conventionnel, ou trop mystique, ou trop sensuel: il conçoit, plus près de terre, une félicité rurale et domestique plus accessible à l'universalité de l'espèce humaine, félicité fondée non sur les chimères d'esprit ou de cœur, mais sur les instincts innés de l'homme et sur les réalités péniblement douces de la vie. La famille, l'amour, le travail, l'enfance, la jeunesse, la maturité, la sainte vieillesse, la récolte après la moisson, la mort dans l'espérance, après la vie dans la sueur. En un mot, sa félicité ce n'est pas l'Éden c'est la terre. Regardez! voilà le groupe.

XVIII

C'est l'été; le ciel est pur; on ne le voit qu'à sa clarté; il revêt tout de sa lumière, dans laquelle il se noie et se confond lui-même; l'air, on ne le voit pas non plus, mais on le sent: il est chaud, mais déjà trempé de ces premières moiteurs d'un beau soir qui se mêlent, sur le front, avec la sueur de la journée de l'homme, pour la rafraîchir et pour l'embaumer; on distingue l'heure, non-seulement aux lourdes ombres qui s'allongent derrière les roues du char et derrière les épaules des jeunes filles, mais on la discerne plus visiblement encore aux deux ou trois légers nuages qui flottent très-loin dans le ciel et qui se teignent, seulement par le haut, des lueurs répercutées du soleil. Quelques lignes indécises des Abruzzes s'articulent à peine dans l'horizon, derrière le groupe animé.

Une longue plaine basse, vers laquelle le char va descendre, s'incline vers la mer et se relève à gauche par le cap Circé. On est sur un plateau intermédiaire entre l'Abruzze et la grande mer.

À l'extrémité du plateau, qui commence à incliner vers les marais Pontins, une mer d'épis prélude à une mer de vagues: pas un arbre à l'horizon; rien que la glèbe nue et chaude sous le soleil, la terre cultivée et non ombragée, la terre féconde, la terre nourricière, *Alma parens!* Admirez la profonde réflexion du peintre, qui pouvait être tenté par un beau chêne aux bras tortueux ou par quelques fraîches fleurs de lotus endormies sur le lit des eaux. Non, rien pour l'agrément, tout pour l'idée, tout pour l'homme, tout pour le travail. Quel rigorisme de conception! et cependant quel charme! Qui songerait à regretter l'arbre ou la source, une fois qu'on a porté ses regards sur le groupe humain?

Or voici le groupe.

XIX

Un char robuste à deux roues massives, un char de moisson dans la campagne de Rome, vient, à vide de gerbes, chercher aux champs les meules du jour. Le char se présente au spectateur la pointe du timon en avant; il est traîné ou plutôt il était traîné tout à l'heure par une paire de buffles robustes, attelés au timon par une longue tringle de bois arrondi qui passe par-dessus le timon; ce joug y est fixé par le milieu au moyen d'une chaîne, en anneaux luisants de fer, qu'on voit briller et qu'on croit entendre cliqueter au branle du front des buffles. Des cordes de chanvre redoublées relient le joug aux cornes épatées des deux animaux domestiques. Un large collier, en lames de cuivre, pend sous leur poitrail, luxe du riche laboureur plutôt qu'une nécessité de l'attelage.

Les deux larges têtes des buffles, dans lesquelles on distingue l'obéissance affectionnée dans l'indépendance naturelle, tendent vers le marais leurs naseaux relevés; on voit qu'ils aspirent de là l'air salin et marin de leurs mares habituelles, dans le marais au delà du champ qu'on moissonne; leurs yeux sont doux et résignés. Des poils d'un noir fauve se rebroussent sur leurs larges fronts; leurs lourdes paupières clignottent pour écarter les mouches par le mouvement de leurs cils; une écume sanglante, mêlée de poussière, suinte autour de leurs bouches et de leurs naseaux. On aime ces deux colosses apprivoisés qui souffrent l'ardeur du jour et qui semblent jouir de souffrir pour l'homme. Ils sentent leur dignité et font corps avec la famille humaine.

XX

Un jeune homme, d'une beauté apollonienne sous le costume d'un bouvier des Abruzzes, est debout entre les deux têtes de buffles: c'est le fils de la maison; il tient renversée la baguette armée de l'aiguillon, comme on tiendrait un sceptre: il pèse en arrière, de tout son poids, sur le timon pour arrêter le char sur sa pente; un de ses coudes pose avec confiance sur le cou d'un des buffles; son autre coude s'étend nonchalamment sur le joug.

Son attitude rappelle, sans les imiter, les attitudes les plus naturelles et les plus articulées des figures de Phidias, dans les bas-reliefs du Parthénon. Le costume de ce jeune homme même, quoique conforme à celui des paysans des montagnes de Rome, paraît aussi antique et aussi sculptural que s'il était copié sur une médaille d'Athènes ou d'Argos. Il en est de même de tous les costumes d'hommes, de femmes, d'enfants, de pêcheurs, de bergers, de laboureurs, de mendiants, dans les tableaux de Léopold Robert. On voit que le costume, cet écueil de tous les peintres modernes, et l'homme sont sortis du même jet de son imagination pittoresque; ses figures naissent toutes vêtues; il a l'inspiration du haillon comme du soulier, de la guêtre, du manteau. Mérite prodigieux qu'on n'a pas assez remarqué dans ses œuvres, le choix et l'ajustement de ses costumes sont tellement adaptés aux figures qu'on ne s'aperçoit pas si ces vestes, ces chemises, ces pourpoints, ces chausses sont coupés par un tailleur ou drapés par un statuaire. Il n'a pas eu besoin de dénaturer le costume moderne pour peindre des hommes et des femmes d'hier en habits antiques; son œil groupe la toile, le drap, le cuir, comme il groupe les personnages; en restant vrai il transfigure tout en beau: le vulgaire devient idéal sous sa touche.

L'expression de ce bel adolescent qui gouverne les bœufs est fière, pensive et mâle; son front est encadré dans des boucles épaisses de cheveux noirs; ses cheveux sont surmontés d'une calotte brune; il penche l'oreille d'un côté pour écouter la *zampogna* des *pifferari*; il regarde, de l'autre côté, un groupe de trois femmes de différents âges qui marchent près des roues pour ramasser les épis tombés du char. Il nous a semblé reconnaître, dans le visage d'une de ces jeunes femmes, le portrait un peu idéalisé de la princesse Charlotte.

XXI

Un homme d'un âge plus mûr, quoique jeune encore, est assis, les jambes pendantes, sur la croupe du second buffle: c'est le gendre du père de famille; sa femme est derrière lui, debout sur le plancher du chariot; adossée aux ridelles, elle tient entre ses mains un petit enfant de trois mois, emmaillotté comme une chrysalide.

La figure de cette *sposa*, toute majestueuse et maternelle, rappelle la chaste matrone impassible aux légèretés de la jeunesse; elle a quelque chose de saint et de froid qui imite une Madone de pierre dans sa niche sur le chemin.

Elle écoute cependant aussi la *zampogna*, mais comme un souvenir de ses jeunes années, ou plutôt elle la fait écouter à son enfant, dont le sourire est toute sa joie.

Au fond du char, le vieillard maître du champ, et père, beau-père ou aïeul de toute cette famille, gouverne. Assis sur une botte de foin des buffles, il témoigne de son rang et de son autorité en posant avec une impérieuse douceur la main sur le bras d'un serviteur qui replie, à l'ordre de son maître, les toiles étendues tout à l'heure sur le char pour le garantir contre le soleil. Nous ne connaissons pas, dans toute la sculpture antique, ni dans toute la peinture moderne, de groupe pastoral plus simple et plus classique à la fois que ces buffles, ce bouvier, ce gendre, cette jeune femme, ce vieillard, ce serviteur, ces glaneuses, dans leurs attitudes, dans leurs perspectives, dans leurs contrastes, dans leurs expressions différentes et concordantes sur le char et autour du char de la moisson. C'est un poëme plus qu'un tableau. Le poëme expose, mais il faut qu'il chante. Il va chanter.

XXII

À gauche du timon, deux *pfifferari*, joueurs de cornemuse des Calabres, dansent lourdement aux sons de leur musette devant les buffles, comme pour célébrer la bienvenue du maître de la maison sur son champ; leurs pas pesants et malhabiles touchent au grotesque sans dépasser le sourire; l'ivresse de la récolte respire dans leurs pieds; leurs coudes pressent l'outre musicale pleine d'air modulé; l'ébriété est dans leurs épaules, dans leurs genoux.

L'un d'eux recourbe sur sa tête, en la tenant par la pointe et par le manche, la mince faucille avec laquelle il va faucher les épis mûrs; c'est le délire du travail heureux, le *Te Deum* de la vie domestique. On sent que le peintre fut paysan comme nous, dans le champ paternel de la Chaux-de-Fonds: nous ne sommes bien inspirés que par nos souvenirs. Moi aussi j'ai chanté l'épisode des *Laboureurs* dans mon poëme domestique de *Jocelyn*; mais combien mon encre est pâle à coté de cette palette!

XXIII

Un peu au-dessous des deux joueurs de musette dansants on aperçoit les têtes de quelques moissonneuses courbées sur le sillon. La première et la plus rapprochée du char se relève aux sons de la *zampogna*, et tourne aux trois quarts son visage du côté du groupe.

Ce visage est un des plus ravissants qui soient jamais sortis d'une toile. La belle moissonneuse de Léopold Robert compte dix-neuf ans; la délicatesse et la force de cette saison de la vie se marient, dans un harmonieux ensemble, sur ses traits; elle regarde avec un demi-sourire de distraction et de raillerie les grotesques gambades des danseurs maladroits de l'Abruzze; mais son œil large, ouvert et tendu par une arrière-pensée, lance au-dessus d'eux un regard chargé de rêverie vers le bel adolescent qui retient les buffles; on voit qu'elle a l'espérance d'être bientôt la fiancée de cet Antinoüs rustique et de monter à son tour sur le char comme fille du maître du champ. Il ne manquait à ce drame rural que l'amour: le voilà! Il sort, tout voilé, mais tout brûlant, du regard de la belle moissonneuse et de l'attitude langoureuse, pensive et fière, du toucheur de buffles. Évidemment cette tête est un portrait encore. Est-ce la princesse? Est-ce Thérésina? Qui sait si ce n'est pas l'une et l'autre, fondues et transfigurées en une seule réminiscence?

XXIV

C'est là tout le tableau; c'est-à-dire ce sont là tous les personnages; mais l'expression profonde, variée, naïve, et pourtant auguste, de toutes ces figures; mais les attitudes, ces physionomies du corps; mais les costumes, ces draperies de la statue animée de l'homme et de la femme; mais le geste, cette langue du silence; mais l'ombre, cette contre-épreuve de la réalité des personnages; mais le jour, cet élément de la couleur; mais l'horizon, cet infini de la toile; mais l'air, cet élément impalpable qu'en ne doit voir qu'on ne le voyant pas, quelle plume pourrait donner l'impression d'un tel pinceau? Tout est inspiration dans la conception, et tout est réflexion dans l'exécution. Le groupe monte du sol au sommet du char en concentrant le regard et l'intérêt sur toutes les figures en particulier, puis en reportant cet intérêt de chacune à toutes et de toutes à chacune, en sorte que la beauté de l'une contraste et concourt avec la beauté de l'ensemble, et qu'il en résulte un rejaillissement général de splendeur et de félicité qui produit en un instant l'enthousiasme. On ne peut trouver qu'un mot pour exprimer l'impression des *Moissonneurs*: Raphaël a fait la *transfiguration* d'un Dieu, les *Moissonneurs* sont la *transfiguration* de la terre.

XXV

Le succès fut soudain, universel, immense; Rome l'acclama tout entière dans l'atelier; Paris l'acclama avec la même unanimité involontaire dans le Louvre; ce ne fut qu'un cri. Ce cri, évidence du génie, fut bien, comme à l'ordinaire, suivi de ce murmure sourd de l'étonnement et de l'envie, qu'est la basse continue des acclamations humaines; mais la critique fut submergée dans l'enthousiasme: le graveur vendit en peu de mois pour plus d'un million d'estampes[2]. Jamais aucun livre ne se répandit à un si grand nombre d'exemplaires dans la circulation de l'Europe; jamais poëte ou écrivain ne communiqua sa pensée à plus d'âmes à la fois dans le monde. Avions-nous tort, en commençant, de ranger la peinture dans la catégorie des littératures? Quelle imprimerie a multiplié une idée plus que cette gravure de Mercuri? Quel poëte a soupiré comme ce peintre?

XXVI

C'est surtout dans les yeux et dans le cœur de ses amis, le prince et la princesse Bonaparte, qu'il savoura sa gloire. La gloire est un *isoloir* qui sépare l'artiste de son humble berceau, qui l'élève dans la sphère des abstractions, qui confond tous les rangs à une hauteur où il n'y a plus de mesure humaine pour discerner les distances; la gloire seule est au-dessus des distinctions sociales, parce qu'elle est la distinction divine, l'ennoblissement par la nature, le sacre d'en haut.

Léopold Robert dut jouir, avec plus de délices encore que d'orgueil, de ce rapprochement par la gloire avec ceux qu'il aimait d'en bas et qu'il pouvait dès lors aimer de plain-pied.

Cependant il éprouva le besoin, à la voix de ses amis et de ses protecteurs en France, de venir à Paris étudier son succès afin de le dépasser encore. L'histoire doit conserver les noms de ces rares patrons du génie de Robert: M. Marcotte, M. Paturle, M. de Lécluse, sans lesquels le génie lui-même ne serait qu'une éclatante mendicité. Ces hommes de cœur et de goût furent la Providence de sa fortune et de sa renommée: que son nom rayonne sur eux, ce n'est que justice; leur opulence et leur amitié ont rayonné longtemps sur son obscurité; la postérité doit reconnaissance à ceux qui furent les nourriciers de ses grands artistes.

XXVII

Léopold s'achemina donc vers Paris à l'appel de ces amis, mais déjà triste; la gloire a ses mélancolies comme la religion, comme l'amour: plus on monte, plus l'on voit de profondeur sous ses pieds; plus on possède, plus on sent le néant de ce qu'on atteint. D'ailleurs, ce qu'il aimait au fond, sans peut-être se l'avouer, il ne le possédait pas, il ne pouvait se flatter de le posséder jamais.

Il s'achemina lentement, très-lentement, vers Paris; la chaîne d'amitié qui le retenait en Italie était lourde; il accompagna à Florence le prince et la princesse qui fuyaient Rome. La révolution de 1830 venait d'éclater en France et de triompher en trois jours. À chaque secousse de la liberté en France on sent trembler par sympathie le sol antique de l'Italie indépendante, hélas! de cœur. Les États romains s'agitaient: les populations les plus vivaces habitent ces montagnes.

Le prince Napoléon était dans une pénible perplexité d'esprit: d'un côté sa famille et lui devaient une généreuse hospitalité au pape; reconnaître l'asile qu'ils avaient reçu par une participation aux insurrections contre leur hôte, c'était une ingratitude; d'un autre côté, agrandir la révolution française, incomplète, selon eux, en France, où elle venait de couronner un autre Bourbon, la fomenter, la servir, la transformer en révolution générale en Italie, c'était ouvrir des perspectives à leur dynastie napoléonienne ici ou là; c'était de plus acquérir des titres de popularité héroïque dans cette ancienne patrie de leur famille, redevenue la patrie de leur exil.

Enfin ils étaient jeunes, et les révolutions sont l'instinct de la jeunesse, parce qu'elles pressent le pas du temps et parce qu'elles arrachent violemment à l'avenir le mot du destin. L'impatience, dans l'âme vraiment italienne du fils aîné de la reine Hortense, l'emporta sur la convenance de sa situation envers le pape; il se laissa entraîner à la voix des patriotes romains, ses amis; il marcha en volontaire avec eux contre les troupes du pape. Le feu de l'insurrection s'amortit avant de s'être propagé jusqu'à Rome: l'Italie se lève, mais ne se tient pas assez longtemps debout. Les fatigues d'une campagne d'hiver, les agitations d'un esprit qui ne savait pas bien où était le devoir, les fièvres contractées dans les campements nocturnes au milieu des régions insalubres de la *malaria*, emportèrent en peu de jours le prince. Il mourut sans gloire, quoique né pour la gloire: il se pressa trop de la saisir là où il crut apercevoir son ombre; le Ciel lui devait peut-être une meilleure occasion, et une meilleure mort. L'impatience est le défaut, mais aussi la vertu de la jeunesse. Il fut jeune; la mort l'en punit: c'était une grande dureté du destin.

XXVIII

Pendant que le prince mourait dans une bourgade des montagnes de Rome insurgées, la princesse Charlotte était restée à Florence, chez sa mère mourante. Léopold Robert donnait aux deux femmes les soins de l'amitié.

Léopold Robert, quoique républicain de patrie et plébéien de naissance, n'aimait pas les révolutions.—«Je ne les trouve bonnes,» écrit-il à cette époque à son ami, M. Marcotte, «que quand elles sont faites par la plus grande masse, quand personne n'est sacrifié, et quand elles satisfont tout le monde. Je suis bien aise d'être à Florence, où tous les habitants aiment trop leur tranquillité et leur prince pour remuer!»

Un pareil révolutionnaire était peu à compter parmi les patriotes d'Italie, car toute révolution est un déplacement, et tout déplacement dérange quelque chose ou quelqu'un dans le monde. Une révolution voulue et faite par tout le monde n'est plus une révolution; c'est un progrès dans l'ordre. Mais le peintre raisonnait en politique comme Platon: c'est le défaut des artistes.

XXIX

La perte de son ami causa une profonde douleur à Robert; cette douleur même le rendit plus empressé à consoler le deuil de la princesse. Sa mère et elle ne voyaient que lui, dans les premiers moments, à Florence. Voici en quels termes il en écrit à son correspondant le plus intime de Paris, M. Marcotte.

«Florence, 1831.

Je vois tous les jours ici les Bonaparte. Je connaissais particulièrement ce pauvre prince Napoléon; sa femme et sa belle-mère, qui sont naturellement très-affligées, m'engagent tant à y aller que chaque jour j'y vais un moment. Je les connaissais de vieille date. Elles sont extrêmement simples et accueillantes. Mais figurez-vous la situation de cette jeune veuve qui vient de faire une perte si cruelle! La mère est infirme et ne peut vivre longtemps; la fille est menacée de se voir bientôt seule au monde, ce qui rend sa position si intéressante. Vous me demandez pourquoi ce jeune prince Napoléon se trouvait avec les insurgés. C'est une de ces destinées qu'on peut dire malheureuses. Homme charmant, réunissant toutes les qualités, estimé de tous, aimant l'étude et fort instruit. Quand la fatalité amena ici son jeune frère, qui avait été renvoyé de Rome comme suspect, ces deux jeunes gens, ayant appris que leur mère (la reine Hortense) partait de Rome pour venir les rejoindre à Florence, à cause des troubles de la Romagne, voulurent aller au-devant d'elle; ils furent reçus à Perugia, à Foligno, à Spoleto, à Terni, avec de si vives démonstrations de joie, on leur fit tant d'instances pour se joindre aux insurgés et pour leur prêter l'appui d'un grand nom, qu'ils se laissèrent entraîner, Napoléon par faiblesse. Quand je le vis à Terni, je m'aperçus combien il était préoccupé de la position où il mettait sa famille; il m'en parla beaucoup, mais enfin le sort était jeté. Il a succombé à l'agitation d'une vie trop rude pour lui, accoutumé au calme et au repos; on ne sait pas bien encore par quelle mort; on parle de fièvre, de duel, de poison; pour moi, je crois sa mort naturelle. Sa veuve est dans les larmes; je n'ose encore la revoir.»

Quelques jours après il s'excuse, dans une lettre du 16 mai 1831, d'avoir suspendu son voyage vers Paris. On devine à ses expressions quel intérêt tendre l'attache presque à son insu à ce séjour. «Que vous dirai-je, sinon que Florence m'est chère par plus d'un motif, et que je pensais bien peu à y trouver des *empêchements si forts* pour la quitter. Croyez cependant que ce n'est rien d'indigne d'un honnête homme qui me lie ici, et, sans vous donner pour le moment d'autres détails, conservez-moi toute votre estime! Le scrupule parle dans la réticence.»

XXX

Le secret est maintenant dévoilé par la mort: il aimait; peut-être se flattait-il d'être aimé un jour!

L'isolement et les malheurs de cette jeune et intéressante princesse, poursuivie par la politique et par le sort, et jetée par ses adversités mêmes dans une intimité plus fraternelle avec ce seul ami de ses meilleurs jours, avaient changé la douce amitié de Rome en une irrémédiable passion. Cette flamme qui avait couvé sept ans dans le cœur du jeune homme, amortie par le devoir et par le respect, venait d'éclater sous la main même de la mort.

Dès qu'il s'en aperçut il eut le courage de s'enfuir jusqu'à Paris. Il y resta peu et il n'y jouit de rien. Il attrista ses amis par sa mélancolie, écrite sur ses traits. Il repartit soudainement pour Neuchâtel; il chercha quelques souvenirs de ses jours obscurs dans sa famille, à la Chaux-de-Fonds. Il ne s'arrêta de nouveau qu'à Florence. «J'y ai retrouvé, dit-il, la princesse Charlotte; sa mère et elle ne sortent pas du tout. Leur société m'est très-agréable, parce qu'elle est douce, naturelle, simple, droite de cœur, vraie et franche. Je voudrais travailler à mon tableau des *Saisons*, mais il y a une épine dans ma vie qui me pique; il faut que je m'éloigne; peut-être à distance la sentirai-je moins!» L'épine, c'était le regard de Charlotte.

Les lettres de Robert à cette époque sont pleines d'inspirations mystiques vers *cette autre vie* où l'on sera réuni à ce qui est digne d'être aimé dans ce bas monde. Il dessine son tombeau d'artiste, symbole des sombres pressentiments qui travaillaient son âme. Il s'enfuit de Florence à Venise pour exécuter ce tombeau. Qu'est-ce qui le décida cette fois à se détacher d'un séjour et d'une société intime qui le possédaient par tous les liens mystérieux de l'âme? On l'ignore; peut-être une jalousie maladive qu'il n'osait s'avouer à lui-même, mais dont la suite des événements a révélé quelques symptômes dans la vie de la princesse comme dans les lettres de Robert.

XXXI

À Venise, le secret de son amour lui échappe dans quelques-unes de ses lettres à son ami d'Argenteuil, M. Marcotte.

«Quant à des sentiments autres que ceux de l'estime et d'une vive amitié de la part de la princesse, je crois qu'ils n'existent pas. Ne serait-ce pas d'ailleurs une grande folie à moi de m'abandonner à un attrait toujours combattu par la raison? Car, enfin, quelle illusion puis-je me faire, cher ami? Cette liaison, je vous le répète, ne peut que m'élever l'âme et me donner le désir de me maintenir dans le sentier de la vertu. Quel avantage n'y a-t-il pas dans ces attachements qui donnent de l'intérêt à la vie et qui retrempent l'énergie du cœur?...»—«Elle part pour l'Angleterre,» écrit-il en novembre de la même année, «elle laisse sa mère malade pour aller secourir son père infirme, à qui l'on ne permet pas de passer la mer. J'en éprouve une peine mortelle, et c'est le jour des Morts que j'ai appris cette triste nouvelle. Sans être superstitieux, il y a des coïncidences qui frappent, quoique la raison les écarte; il me semble que je suis encore plus seul depuis hier!.... Tant que j'ai conservé l'espoir de la revoir, je croyais mes sentiments pour elle très-naturels; à présent ils me possèdent trop. Tenez, voilà cette page que je vais vous confier et qui vous fera connaître cette inclination que vous avez soupçonnée et que je voulais me dérober à moi-même.»

Nous n'avons pas la page, mais, dans plusieurs lettres consécutives, il s'étudie en homme scrupuleux à justifier la princesse, non-seulement de toute faiblesse, mais même de toute séduction volontaire avec lui... «Moi, moi seul, dit-il, je suis la cause d'un malheur que j'aurais dû renfermer en moi seul. Ne pensez pas qu'un autre que moi en soit coupable ou qu'elle ait le moindre reproche à se faire envers moi ou envers le monde.»

«Mon ami! écrit-il encore trois mois avant sa mort, cet attachement ne me rend pas malheureux autant que vous le pouvez penser, et, vous le dirai-je? toute remplie qu'en soit mon âme, je trouve cet état moins pénible que le vide du cœur. Je ne puis penser à Florence sans émotion; la raison, le devoir, le caractère de mon attachement peut-être ne permettent pas à une tristesse violente de s'emparer de moi; c'est seulement une mélancolie qui ne peut nuire à mes travaux. Une inclination qui n'a pour objet que les sens tourmente et abaisse; celle qui ne s'attache qu'à la beauté de l'âme, à la bonté du cœur, aux charmes de l'esprit, ne peut qu'élever. Vertu, candeur, simplicité, tout est en elle! Je ne romprai jamais des relations qui me sont si chères..... J'aime mieux que le temps amortisse une inclination que vous croyez trop passionnée et qu'il la transforme en amitié. Je dirai plus: je n'aurais point fait mon tableau (*Les Pêcheurs*) si mon cœur n'eût été nourri de cette tendresse. Elle m'a donné une énergie, une inspiration, un ressort que je n'aurais pas eus sans elle... Quant à la religion, si elle condamne les passions qui conduisent au vice, défend-elle les penchants qui en éloignent?»

XXXII

Ce tableau des *Pêcheurs*, c'était sa vie et c'était sa mort; il y peignait ses pressentiments et son dernier soupir. Aussi ce tableau fut-il son chef-d'œuvre. Jetons-y un long et dernier regard.

Les Moissonneurs avaient été l'apothéose de la félicité humaine; *les Pêcheurs* sont l'agonie de la terre, le *Dies iræ* de l'art, le prélude de mort du génie frappé au cœur, l'angoisse des cruelles séparations.

Le ciel bas et brumeux de Venise en automne, le silence des grèves interrompu seulement par le bruit des pierres de ses quais qui tombent une à une dans l'eau morte de ses lagunes, étaient un site et un séjour admirablement choisis d'instinct pour la conception et pour l'exécution d'une telle œuvre. L'œuvre, la voici.

La scène se groupe sur un quai de Venise, en face de la mer; une grande barque pontée de pêcheurs est à l'ancre sur le bord du quai. On passe du quai au navire par une planche qui sert de pont pour le chargement. Le mât se dresse dans le ciel; la vergue, lourde de voile à demi déroulée, se hisse sur le mât; un matelot, chargé d'un paquet de filets, passe sur la planche et jette son fardeau sur le pont. Au delà du navire on voit se dérouler une mer terne et indécise entre le calme et la tempête; le ciel est gris; un gros nuage noir à gauche renferme des *grains* sinistres dans ses flancs; de légers flocons de nuages, détachés et effilés en charpie sur la droite, annoncent que le vent souffle déjà impétueux dans les hautes régions de l'atmosphère, quoiqu'on ne le sente pas encore en bas. Quelques voiles lointaines rentrent au port en dansant sur les premières lames, comme des mouettes fouettées par l'ouragan de la haute mer. Les présages sont douteux; la saison même n'est pas propice, l'heure ne l'est pas davantage; on reconnaît le soir aux grandes ombres qui traînent sur la terre et aux reflets pâles d'un soleil couchant sur le sommet des édifices. Une branche de vigne à demi défeuillée, et dont les dernières feuilles, rougies par la gelée, pendent mortes le long d'un mur de clôture, pronostique l'hiver, qui double les périls du flot. Les pêcheurs sont réunis sur l'extrême bord du quai, un pied sur la terre, prêts à mettre l'autre sur le pont du navire. C'est là que se déroule tout le drame muet du tableau.

XXXIII

La première figure qui attire le regard, au sommet du groupe, est celle du père de famille, maître de la barque, roi de l'équipage. Il est déjà vêtu de sa capote de laine de pêcheur; d'une main il s'appuie sur le trident et le harpon, instruments de pêche; de l'autre il montre, par un geste inquiet, le nuage qui plombe dans le lointain sur la mer; il sonde l'horizon d'un regard plein de pressentiments.

À sa gauche est un vieillard, compagnon résigné et insoucieux de la fortune du navire, qui apporte sur son épaule les diverses provisions de la navigation.

Devant lui, deux petits enfants, dont il est l'aïeul vont faire leur première campagne sur les flots. L'un des deux enfants, vêtu d'une capote à capuchon qui retombe sur son visage mouillé des larmes de sa mère, s'appuie sur l'épaule de son frère, en cherchant la main de son camarade pour y enlacer ses doigts: l'autre, plus jeune encore, mais d'un visage plus réfléchi, tourne et élève son joli visage vers la figure de son grand-père; il semble lire dans les yeux du chef de la famille les terreurs de la prochaine nuit.

Ce groupe, qui fait contraster la mort et l'enfance, est digne, par l'expression des figures et par la naïveté des poses, de Corrége, ce poëte des enfants.

XXXIV

En face de ce groupe, et plus rapprochés du navire, sont deux hommes de mer dans la vigueur de l'âge et de la rude profession. L'un est accroupi sur un tas de voiles; il regarde obliquement le bord qu'on va quitter, sans savoir s'il le reverra jamais; l'autre, debout, en beau costume dalmate, s'appuie d'une main sur une borne du quai, et tient de l'autre la boussole, prête à être encastrée dans l'*habitacle*; on voit que c'est le pilote de la barque et vraisemblablement le gendre du pêcheur. Il détourne ses regards du quai et les plonge dans le lointain pour ne pas voir sa jeune épouse et son nouveau-né, qui sont debout aussi sur une marche du quai, assistant à l'embarquement en silence.

Entre le quai et le bord, un bel adolescent, au geste d'Achille, déroule et jette héroïquement sur la barque les lourds filets qui ruissellent en mailles et en cordages sur ses pieds. Ces trois figures sont d'une mâle beauté qui rappelle aussi l'antique; quelques critiques les trouvent trop belles; ils accusent l'expression de leur physionomie et leur attitude de trop de majesté pour des hommes de leur profession. Mais ces critiques de Paris ne sont jamais allés en Italie ou en Grèce; ils auraient vu partout des physionomies et des poses héroïques, dans des groupes de pasteurs ou de matelots. Cette terre est majestueuse de naissance; la nature humaine y porte la couronne, une empreinte de dignité et de noblesse qu'aucune profession ne fait déroger. Voyez Homère: est-ce que Nausicaa n'est pas princesse en lavant ses robes à la fontaine? Est-ce que le conducteur de bœufs, de porcs ou de mules, n'y tient pas le fouet ou l'aiguillon comme les rois y tiennent le sceptre? Les regards de tous ces hommes, admirablement groupés dans leurs attitudes diverses, ont l'unité du même sentiment: l'attention sombre à l'horizon menaçant; la préoccupation muette du vent qui va sortir du nuage. Une transe courageuse, mais prévoyante, jette le même frisson sur tous ces visages, à l'exception du jeune adolescent; celui-là n'a sur la figure que la mâle fierté de son métier et la présomption de son ignorance. Le danger, pour lui, n'existe pas. On le regarde, on l'admire; il suffit.

XXXV

Mais à deux pas de l'adolescent sont sa mère et sa sœur; le pathétique commence là avec la femme et l'enfant: la mère, vieillie par la maladie plus que par l'âge, est languissamment assise sur une des marches du quai des Esclavons, adossée au mur d'une masure qui est sans doute la sienne; son bâton, qui échappe à sa main affaissée, atteste qu'elle est infirme et qu'elle s'est traînée avec effort jusque-là, pour voir une dernière fois l'embarquement de son mari et de ses jeunes enfants; elle les recommande à Dieu de ses lèvres pâles et balbutiantes. Son regard est attaché sur le mari et sur les enfants. L'adieu est déjà dit; ces chers parents ont le pied sur le pont de la barque; la mer les ramènera-t-elle? la retrouveront-ils quand ils reviendront? Problème touchant qui se pose sur tous les visages! Pour elle, le problème semble déjà résolu; elle n'a plus qu'un souffle de vie, ce souffle est dans son cœur. Une larme monte aux yeux quand on la regarde.

XXXVI

À côté d'elle, mais debout, est une toute jeune femme, sa fille sans aucun doute; elle tient sur son bras un petit enfant nouveau-né, sur la tête duquel elle incline et elle presse son front, comme si cette tendre pression s'adressait à son mari qui s'embarque.

Son mari est un de ces deux beaux et vigoureux marins, tout pensifs, qui se préparent au départ; elle ne les regarde déjà plus, car elle ne verrait plus à travers ses larmes; ses joues sont pâles et fanées de sa douleur; mais cette douleur est calme et belle comme l'habitude de la résignation dans une profession qui vit de périls mortels. Son attitude et son pauvre costume de *contadine* de Chioggia rappellent les madones de *Perugin* ou de *Sasso-Ferato*; mais la divinité ici n'est que dans la tristesse: c'est la figure du pressentiment; on voit, dans la mère malade, le tombeau; on voit, dans la jeune femme et dans l'enfant, la future indigence. Nul doute, cependant, qu'une réminiscence de la princesse Charlotte ne se retrouve dans le charmant visage de la jeune mère. La main ne peut pas s'abstraire du cœur; quand le modèle est sans cesse dans l'âme, il se reproduit à notre insu dans le tableau.

XXXVII

Léopold Robert travaillait au tableau des *Pêcheurs* avec patience et assiduité, comme au monument de sa vie, tantôt ardent à l'œuvre, tantôt découragé et laissant tomber ses pinceaux. Enfermé avec le seul compagnon de sa vie, son frère Aurèle Robert, dans le grenier d'un palais de Venise qui lui servait d'atelier, il retouchait et modifiait infatigablement ses figures. Il finit par leur donner à toutes cette impression de terreur tragique ou de douleur anticipée qui en fait un drame pathétique, intelligible au premier regard, et indélébile dans le souvenir une fois qu'on l'a regardé.

On voit dans ses lettres, à cette époque, qu'il tremble également de l'achever ou de le laisser imparfait. C'est son adieu au monde ou c'est le chef-d'œuvre qu'il veut faire acclamer par l'univers, pour que l'excès de sa gloire lui mérite l'excès du bonheur dans la possession de ce qu'il aime. Il rêvait évidemment, pendant ce travail à Venise, ce que le Tasse avait rêvé à Ferrare pendant qu'il composait le huitième chant de *la Jérusalem*, de légitimer, à force de renommée, ses prétentions à la main d'une autre Éléonore.

Son secret, concentré dans son cœur, s'y envenimait par le silence; tantôt il songeait à revenir à Florence, après avoir fini son tableau, tantôt à fuir plus loin encore de l'idole qui le retenait et qui le repoussait tour à tour. Une correspondance fréquente, et dont on ne connaît pas les termes, existait entre la princesse et lui. Son frère Aurèle, cependant, voyait quelquefois les lettres, brûlées depuis; si l'on en croit ce témoin consciencieux et véridique, ces lettres n'exprimaient que l'amitié la plus vive, mais la plus irréprochable. L'homme souvent traduit mal le cœur de la femme; souvent aussi l'expression, sous une plume de femme, dépasse la pensée, quand elle écrit à celui par qui elle se sent aimée; il y a une politesse tendre du cœur qui flatte et qui prolonge l'illusion d'un ami. On laisse trop croire, de peur de trop détromper. Si c'est une faute, c'est la faute de la bonté.

«Les lettres de la princesse que j'ai vues, dit le frère de Léopold, étaient empreintes d'un intérêt constant, qui pouvait provenir seulement de l'estime pour le talent et pour le caractère de Léopold. Il aurait fallu des yeux plus clairvoyants que les miens pour y découvrir d'autres sentiments, car il y régnait une réserve d'expressions toute platonique... Peut-être, ajoute-t-il, est-ce là ce qui a fait durer l'illusion. Si le génie ne se croit pas égal au rang, pourquoi s'approche-t-il de ce qui est au-dessus de lui (par les convenances de ce monde)?»

Ces expressions du frère et du confident du grand artiste ne laissent aucun doute sur la cause de sa mort; on ignore seulement quelle en fut l'occasion immédiate et déterminante. Des révélations subséquentes, et que le double respect de deux tombes ne permet pas d'approfondir, laissent seulement entrevoir dans ce mystère une vague probabilité.

La princesse n'avait donné qu'une tendre amitié au fidèle artiste. Un jeune et héroïque étranger, d'un grand nom, exilé comme elle de sa patrie et errant en Italie, comme elle, après l'ombre de la liberté, avait son amour. Cet amour se dénoua bientôt après par une catastrophe dont elle fut la victime. Elle n'en avait pas fait la confidence encore à son ami de Venise. On conçoit tout ce qu'il devait en coûter à cette femme, qui recevait de Léopold plus qu'elle ne pouvait rendre, de lui faire un pareil aveu; cet aveu ne se fait jamais que par l'événement à un ami jeune et passionné, qui regarde toujours comme dérobé à son espérance ce qu'on a donné de tendresse à un autre.

Peut-être y eut-il un jour, une heure, une lettre de la princesse à Léopold, où cet aveu s'échappa, par devoir ou par nécessité, de sa plume. Peut-être une rumeur publique, venue de Florence et mentionnée par hasard dans une conversation devant lui, un soir à Venise, lui apporta-t-elle la fatale révélation. On n'a pas lu la dernière lettre, on n'a pas su avec quel indiscret étranger Léopold s'était entretenu, ce jour-là, sur le quai de Venise. Tout est resté mystère, conjecture, énigme, dont un seul homme a le mot, l'illustre étranger aimé d'une femme morte, et qui ne peut, sans sacrilége, trahir sa vie et sa mort! Léopold Robert semble avoir pris soin lui-même, peu de moments avant sa fin, de prévenir toute interprétation offensante à l'honneur de la princesse. «Je ne veux pas quitter ce sujet (sa tristesse),» écrit-il à M. Marcotte, «sans vous faire une prière... c'est de ne faire aucune supposition qui puisse être désavantageuse à une personne dont les qualités et les mérites appellent non-seulement la considération, mais l'attachement de tous ceux qui l'approchent. D'ailleurs mes sentiments pour elle sont nobles et purs, et, quand ils auront plus de calme, ils me feront trouver un bien dans ce qui m'a tant agité...»

Il cherchait ce bien et cet apaisement dans la religion et dans la prière; la Bible de sa mère était sans cesse dans ses mains; il y trouvait des souvenirs; il n'y puisa pas assez la résignation et la force; il ne trouva pas non plus en lui-même la mâle et tendre impassibilité de Michel-Ange, qui, voyant dans son cercueil, couvert de fleurs, passer le visage adoré de Vittoria Colonna, s'écria:

QUE NE L'AI-JE DU MOINS BAISEE AU FRONT!... Mais Michel-Ange était un héros; Léopold Robert n'était qu'un homme; et puis, ne se console-t-on pas plus virilement de la mort que de l'indifférence de celle dont on se flattait d'être aimé?....

XXXVIII

Quoiqu'il en soit, le 20 mars 1835, après avoir entendu dans la soirée de la veille le *Requiem* de Mozart, chanté, à sa prière, par deux Allemands musiciens de sa connaissance; après avoir donné quelques coups de pinceau à son tableau et après avoir lu en silence quelques versets de sa Bible, il était monté à son atelier, où son frère, en entrant, le trouva sans vie au pied de son chevalet. Il s'était frappé à la gorge d'un seul coup qui avait tranché sa destinée, son amour, sa gloire: malade, comme il l'avait dit une fois lui-même, DE LA MALADIE DE CEUX QUI ONT ASPIRÉ TROP HAUT!...

Il dort dans la patrie de *Canova*, avec lequel il eut tant de ressemblance par le sentiment du beau, ce vrai but de l'art. Son corps est indiqué au passant par une simple pierre où ses amis ont gravé son nom. Il repose dans la petite île de Saint-Christophe, parmi les lagunes de Venise. La mer qu'il peignit de là, dans ses *Pêcheurs*, se déroule terne et brumeuse autour de l'îlot. Était-ce une prévision de sa destinée? Son tombeau était dans son horizon, sa tristesse était dans les physionomies de ses figures; le navire sur lequel cette famille va s'embarquer ressemble à un catafalque, au sommet duquel la vergue et le mât figurent une croix funèbre sur la sépulture des vagues!

Que les voyageurs sympathiques à la mélancolie de l'âme et à la maladie mortelle du génie (trop aspirer) aillent penser et prier sur ce petit tertre de sable qui recouvre sa tombe. Son âme n'était pas responsable de sa main; la nature ne l'avait pas doué ou il n'avait pas exercé en lui la force nécessaire à ces grands hommes, destinés à lutter avec ce qu'on nomme l'idéal; l'idéal fait plus de victimes qu'on ne pense: c'est la maladie des grandes imaginations qui ont un faible cœur. Où Michel-Ange aurait survécu, Léopold Robert succomba. Plaignons-le, ne l'accusons pas. Sa mort ne fut pas une délibération de sa raison, mais un accès de défaillance qui *anéantit* sa raison. Il y a des organisations qui n'ont pas la trempe de leur volonté; la vie les tue par leur puissance même de trop sentir. Nous ne l'excusons pas, à Dieu ne plaise! Nous l'interprétons.

XXXIX

Tel fut Léopold Robert. Quand on mesure par la pensée tout ce qu'il y a de sensibilité dans ses deux œuvres capitales: *les Moissonneurs* et *les Pêcheurs* de l'Adriatique; quand on le voit passer, comme par une gamme prodigieuse, des impressions humaines de l'excès de vie, de jeunesse, d'amour, de bonheur, dans le char des *Moissonneurs*, à l'excès de mélancolie et d'abattement dans la barque des *Pêcheurs*; quand on parcourt la distance morale qu'il y a de la figure de la fiancée couronnée d'épis et de pavots, dansant devant les bœufs du tableau de la *Madonna dell' Arco*, à la figure de la jeune épouse transie des frissons du départ, pressant son nourrisson dans ses bras, ou à la figure de la femme âgée et mourante, voyant partir pour la première fois ses deux petits-fils et voyant partir, pour la dernière fois aussi, le mari vieilli de ses beaux jours, qu'elle ne verra plus revenir, on comprend tout ce qu'a dû sentir, dans la moelle de ses nerfs, le peintre capable d'avoir exprimé ainsi les deux pôles extrêmes de la sensibilité humaine: l'excès de la félicité, l'excès de la douleur. Une telle puissance de sentir était, pour Robert, une impuissance de vivre. Notre faculté de souffrir est en raison de notre faculté de sentir: tel meurt d'un événement dont tel autre sourit; en lui la note avait brisé le clavier.

XL

Le succès des *Pêcheurs* de l'Adriatique, qui arrivait à Paris le jour ou l'âme de Robert s'envolait rejoindre ailleurs l'âme de Titien et de Raphaël, ne fut pas un succès, mais un triomphe. La couronne d'enthousiasme, comme celle du Tasse, ne décora qu'un tombeau; les gravures, à millions d'exemplaires, cette édition des tableaux, répandit, du palais à la chaumière, l'œuvre posthume de Léopold. Depuis ce jour on n'a pas cessé de s'extasier sur ces deux pendants de la joie et de la tristesse, *les Moissonneurs* et *les Pêcheurs*. La critique, qui constate la gloire comme l'ombre constate le corps quand il y a du soleil en haut, n'a pas cessé non plus de protester contre notre enthousiasme à nous ignorants; mais l'ignorance aura le dernier mot, car elle est l'instinct des sens et de l'âme. L'âme et les sens ne se trompent pas, tandis que la critique se trompe et que l'envie blasphème au lieu de juger.

Léopold Robert survivra, parce qu'il est, comme le tendre et pieux Scheffer, qui vient de mourir, un novateur, un initiateur, un inventeur d'un nouveau genre de peinture: la peinture d'expression, la peinture spiritualiste, la peinture qui vient de l'âme, qui s'adresse à l'âme, qui émeut l'âme presque sans passer par les sens. C'est un défaut, disent les savants; cette peinture n'est qu'une sorte de gravure, cette peinture fait penser et sentir, mais elle ne fait pas assez voir; elle n'accentue pas assez les objets; elle ne colorie pas assez la nature; elle ne sculpte pas assez les figures sur la toile, par le jeu savant et puissant des jours et des ombres, pour faire saillir en relief les objets de la surface plane du tableau; elle n'étonne pas comme Michel-Ange; elle n'illumine pas comme Raphaël; elle n'éblouit pas comme Titien; elle n'éclabousse pas comme Rubens; oui, mais elle rappelle Van Dyck, ce traducteur de l'âme sur les traits presque incolores de la physionomie.

XLI

Tout cela est vrai! Nous ne voulons pas louer un genre par ses défauts, ni donner à deux grands peintres quelques qualités de métier qui peuvent leur manquer. Sans doute il y a eu et il y a, aujourd'hui surtout, en France, où une génération de grands peintres prépare un second siècle de Léon X, en deçà des Alpes, il y a des peintres qui peignent, comme Géricault, ou dessinent, comme Michel-Ange, avec le crayon fougueux et infaillible qui calque les formes du Créateur, qui sculpte la charpente des os et des muscles du corps humain; il y en a qui ont ravi à Titien le coloris, à Raphaël la grâce, à Rubens l'éblouissement et l'empâtement profond, délayés dans des rayons par leurs pinceaux ruisselants; il y en a qui font nager, comme *Huet*, leurs paysages, sévèrement réfléchis par un œil pensif, dans les lumières sereines de *Claude Lorrain* ou dans les ombres transparentes de *Poussin*; il y en a qui pétrissent, comme *Delacroix*, en pâtes splendides, les teintes de l'arc-en-ciel sur leurs palettes; il y en a qui, comme *Gudin*, font onduler la lumière et étinceler l'écume sur les vagues remuées par le souffle de leurs lèvres; il y en a, comme *Meyssonnier*, qui donnent aux scènes et aux intérieurs de la vie domestique l'intérêt, la réalité, le pittoresque et le classique de la peinture héroïque; il y en a qui, comme mademoiselle *Rosa Bonheur*, transportent avec une vigueur masculine, sur la grande toile, les pastorales de Théocrite, les chevaux de charrette ou les taureaux fumants dans le sillon retourné par le soc luisant; il y en a qui, comme les deux *Lehmann*, dont le plus jeune, dans sa Graziella écoutant le livre qu'on lui lit à la lueur du crépuscule, sur la terrasse de l'île de Procida, au bord de la mer, semblent avoir retrouvé sur leur palette l'âme mélodieuse de Léopold Robert. Mais y en a-t-il qui, avec tout leur art, quoique techniquement très-supérieurs à Léopold Robert, fassent penser et parler la toile, la langue, l'âme, en termes aussi expressifs et aussi pathétiques que l'*écrivain* des *Moissonneurs* et des *Pêcheurs*? Y en a-t-il qui donnent en quelques traits de pinceau une émotion si profonde et si durable au cœur? En un mot, y en a-t-il qui sentent plus et qui exprimeraient mieux? Or peindre n'est-ce pas exprimer? Que me font le dessin et la couleur si vous ne me faites pas penser et sentir? Un rayon de soleil sur la plaque du photographe dessine mieux encore que votre crayon, et un arc-en-ciel a plus de couleurs que vos palettes.

Mais prenez un enfant, menez-le devant le tableau des *Moissonneurs*, demandez-lui ce que disent ces deux têtes de buffles attelés au timon.—Ils disent, répondra l'enfant, la fatigue du jour qui se repose et l'obéissance des animaux heureuse d'obéir au jeune bouvier qui caresse de sa main distraite leurs rudes poils entre leurs cornes sur leurs fronts. C'est l'association volontaire de l'animal domestique et de l'homme, l'amour entre deux.—Que disent ces deux joueurs de cornemuse, par leurs gestes et par le mouvement gauche et aviné de leurs pieds poudreux? Ils disent l'ivresse de la moisson qui commence, et la joie de la terre qui fait bondir les pieds de l'homme à la réception des dons de Dieu.—Que dit le visage de cette jeune et belle moissonneuse, regardant de loin les musiciens des Abruzzes? Elle dit que les pas grotesques des danseurs la font sourire en dedans, mais qu'elle pense au jour prochain de ses noces avec le fils du maître du champ qui gouverne les buffles, jour où elle formera elle-même, avec ses compagnes, aux sons de la même *zampogna*, des pas plus légers et plus gracieux.—Et que dit le toucheur de buffles? Il dit qu'il est fier et content de son attelage, qu'il a le consentement de son père à sa prochaine union avec la belle Coupeuse des gerbes voisines, et qu'il défie avec assurance le destin de lui ravir sa jeunesse et son bonheur.—Et que dit la jeune mère, debout sur le char, son nouveau-né dans les bras? Elle dit qu'elle méprise désormais ces musiques, ces danses, ces joies folles de la jeunesse, qu'elle a recueilli toute sa pensée dans la tendresse sévère de son mari, assis sur le buffle, et tout son avenir dans ce nourrisson pressé sur son sein.—Et ce vieillard, maître du champ, accoudé sur les sacs, regardant avec une affectueuse indifférence les musiciens, les danseurs, la moisson, le soleil couchant, que dit-il? Il dit que son soleil, à lui, baisse aussi, que sa famille est établie et prospère, que ses champs sont riches de gerbes, que ses cheveux blancs, qui s'échappent de son chapeau sur ses tempes amaigries et pâles, lui annoncent la fin des labours et des moissons ici-bas, et que l'automne de la terre lui prédit sa propre automne.

XLII

Passons à l'autre tableau: *les Pêcheurs de l'Adriatique*, et continuons d'interroger l'enfant sur la signification si différente de ces visages attristés, par ce nuage, sur ce départ.—Que dit le maître de la barque? Il dit que le coup de vent est là-bas sous ce nuage lointain, qu'il montre du geste à l'équipage, et qu'il faut s'attendre à de rudes lames en pleine mer.—Que disent les deux têtes de ces deux petits enfants sous leur capuchon? Elles disent qu'elles affrontent pour la première fois la mer, qu'elles sont toutes tièdes encore des baisers de leur aïeule malade, qu'elles frissonnent au vent froid de la vague salée, et qu'il faut bien écouter et bien regarder le père, leur seule et tendre providence sur les flots pendant la manœuvre.

—Et que disent ces deux mâles, mais sombres visages de pilote et de chef d'équipage, adossés à la barque et détournant leurs regards du quai, d'où les femmes regardent l'embarquement? Elles disent que la résolution et le péril visible luttent dans leurs pensées, muettes sur leurs lèvres, et qu'il y a à l'horizon un point noir d'où la mort peut tomber avec le vent.—Et que dit le visage du jeune fils qui déplie si majestueusement les filets, sans rien regarder ni sur terre ni sur mer? Il dit l'orgueil de son premier embarquement pour une grande traversée et la présomption de la jeunesse qui ne peut pas croire à la mort.—Et que dit la jeune mariée, debout, son nouveau-né dans le pli de son manteau sur ses bras? Elle dit que son cœur n'est déjà plus dans sa poitrine, mais qu'il est déjà sur la barque, à demi mort, au milieu de la bourrasque, avec son mari qui la quitte pour la première fois.—Et que dit la femme malade, assise sur la marche du quai, auprès du cep de vigne défeuillé par le vent de mer? Elle ne dit plus rien; elle est déjà morte, morte d'angoisse autant que de maladie, sans avoir revu ni son mari, compagnon encore robuste de sa longue vie, ni ces deux petits garçons, ces derniers-nés lancés à la mer avant l'âge.—Et que dit l'ensemble de toutes ces figures et de toutes ces physionomies répercutées les unes sur les autres? Il dit l'agonie sur la terre et le naufrage sur la mer, l'angoisse de la mort partout, l'éternelle séparation.

XLIII

Or combien n'a-t-il pas fallu de réflexion, de sensibilité, de création mentale et manuelle, au peintre de ces deux grandes scènes de la vie humaine, pour avoir conçu, reproduit, exprimé tant de sentiments divers dans les physionomies de tant de personnages, si heureusement ou si douloureusement impressionnés? Combien n'a-t-il pas fallu de génie expressif pour traduire tant d'âme et tant de nuances d'âme sur les traits de ces visages? et, ajoutons, sur des traits toujours beaux; car, dans Léopold Robert comme dans la statuaire grecque, l'expression n'enlève jamais rien au *beau*, cette première condition de l'idéal dans l'art.

Et comment distinguerez-vous, dans des œuvres si fortement empreintes de pensées et si communicatives de sentiment, comment distinguerez-vous, disons-nous, la peinture de la littérature, le dessinateur du poëte, le peintre du philosophe, le tableau du livre? Est-ce que l'un ne vous parle pas aussi clairement et aussi éloquemment que l'autre? Est-ce que la toile ne vaut pas la page? Est-ce que le pinceau ne rivalise pas avec la plume? Est-ce qu'il y a plus de langage dans un mot écrit que dans un trait peint? Est-ce que Michel-Ange n'est pas aussi foudroyant que Bossuet? Est-ce que Raphaël n'est pas aussi lyrique dans *la Transfiguration* qu'*Isaïe*? Est-ce que Scheffer n'est pas aussi mystique que saint Augustin? Est-ce que Léopold Robert n'est pas aussi pathétique que Bernardin de Saint-Pierre dans son naufrage de Virginie? Est-ce qu'en sortant d'une galerie du Louvre ou du Vatican vous ne vous sentez pas l'âme aussi remuée qu'en fermant les plus beaux livres d'une bibliothèque?

S'il en est ainsi, pourquoi donc vous étonneriez-vous que j'aie fait entrer, pour la première fois, la musique et la peinture, et bientôt la statuaire, dans un cours de littérature?

Et pourquoi n'aurais-je pas choisi, pour cette innovation, un des plus littéraires des peintres de ce temps, Léopold Robert? Car c'est véritablement pour moi celui dont le crayon se rapproche le plus de la plume, le plus pensif et le plus senti, avec Scheffer, de tous ceux qui ont écrit leur âme avec des formes et des couleurs sur une toile. Ce ne sera pas un peintre si vous voulez, dirai-je à ces critiques, mais ce sera le plus lyrique, le plus pathétique, le plus dramatique, le plus idéal des écrivains à l'huile! Et si vous doutez de son talent, regardez sa vie et regardez sa mort; il a vécu de ses rêves, il a peint du sang de son cœur, il est mort de son génie. Blâmons son acte; plaignons sa défaillance; mais aimons son âme. Tout est infini en Dieu, même le pardon!

Lamartine.

XXXVIIIᵉ ENTRETIEN

LITTÉRATURE DRAMATIQUE DE L'ALLEMAGNE.
LE DRAME DE FAUST
PAR GOETHE.

I

Pour bien comprendre une littérature il faut d'abord bien comprendre un peuple; car la littérature d'un peuple, ce n'est pas seulement son génie, c'est son caractère.

La race allemande est une branche de la famille orientale. Sa langue l'atteste non-seulement par son antique construction et par sa primitive fécondité, mais elle l'atteste plus encore par ses étymologies, qui la rattachent évidemment à la vieille langue sacrée des Indes, le *sanscrit*. Creusez le mot, vous trouvez l'Inde à sa racine.

L'histoire, qui perd tant de choses sur la route des siècles, a complétement perdu les traces de cette filiation de la race allemande avec les Indes; mais la langue est un témoin qu'on ne peut récuser.

Le caractère allemand est un autre témoin de cette parenté éloignée de l'Allemagne avec les Indes. Le peuple allemand est rêveur et mystique comme l'enfant dépaysé du Gange; il s'enivre de sa propre imagination, il aime le surnaturel, il se délecte dans les traditions populaires, il ressasse éternellement les vieilles légendes, il a la pensée pleine de héros qui n'ont jamais existé; le monde visible occupe moins de place pour lui que le monde invisible; il converse la moitié de sa vie avec des fantômes: l'Allemagne est la terre des hallucinations.

Cette disposition somnolente et rêveuse de l'Allemagne la rend prompte à l'idée, lente à l'action; penser lui suffit, peu lui importe de conclure, encore moins d'agir; aussi la lenteur un peu lourde de l'Allemagne est-elle passée en proverbe. Il n'y a rien de si paresseux que le bien-être; le *kef* des Orientaux, cet état des sens où l'âme contemplative se détache du corps pour planer dans l'espace imaginaire, est l'état naturel de l'Allemagne. Pourquoi s'agiterait-elle? Elle n'est pas où elle est; elle vit dans la région des chimères; elle est bien.

Cette paresse pensive du génie de l'Allemagne se retrouve jusque dans sa constitution politique. Cette constitution est illogique, gênante, nationalement impuissante; l'Allemagne la déplore, mais elle ne la modifie pas. Déchirée plus que constituée en empires, en royautés, en féodalités ecclésiastiques, en principautés, en municipalités ou en républiques souveraines, cette terre manque essentiellement d'unité; elle est constamment en diètes ou en délibérations avec elle-même. Pendant qu'elle délibère on la frappe à la tête ou au cœur; avant qu'elle ait réuni ses contingents on est au centre de ses provinces, à Mayence, à Francfort, à Vienne, en Saxe, à Munich, à Berlin. Quoique très-belliqueuse de courage, elle est, de toutes les races, la plus ouverte aux invasions; on la frappe à tous les membres sans que la tête le sente; avant qu'elle ait porté la main à la blessure elle est conquise; mais aussi elle ne meurt d'aucune de ces blessures, parce que sa vie nationale est partout et que son patriotisme, qui enfante des armées sur des champs de défaites, est immortel. Il est heureux peut-être pour l'Europe que le caractère de l'Allemagne se refuse ainsi à l'unité; car, si l'Allemagne était une, l'Europe serait peut-être vassale de la Germanie.

II

La littérature allemande a toutes les qualités et tous les défauts de ce caractère national des Germains; elle est lente et contemplative comme cette race; elle a mis treize cents ans à se développer en littérature digne d'être étudiée, et, malgré ces treize cents ans de vieillesse, elle a encore aujourd'hui les balbutiements, la naïveté, disons le mot, la puérilité d'une première enfance. Ce n'est pas le génie cependant qui manque aux Allemands, fortes têtes de la famille européenne, c'est l'emploi de leur génie; ils jouent avec leur imagination comme des enfants avec leurs jouets. Au lieu de lui demander ces œuvres sérieuses que l'Italie, la France, l'Angleterre font produire à leurs grands hommes de lettres, les Allemands rêvent, et nous pensons. Le Rhin et le Danube sont des *Léthés* qui semblent ne rouler que des songes.

III

Nous remonterons incessamment avec vous ce cours lent de la pensée allemande par ses œuvres, depuis nos jours, c'est-à-dire depuis Klopstock, Schiller, Goethe, ces poëtes culminants du dix-huitième siècle, jusqu'à l'année 1152 du douzième siècle, où parut l'*Iliade* des Germains, le poëme barbare et sublime des *Nibelungen*. Aujourd'hui, selon notre habitude de ne caractériser les littérateurs que par leur chef-d'œuvre, nous allons vous introduire dans le théâtre allemand par l'analyse du *Faust* de Goethe, drame qui contient, dans l'imagination d'un poëte aussi philosophe que Voltaire, aussi mélodieux que Racine, aussi observateur que Molière, aussi mystique que Dante, tout le génie de la littérature allemande et tout le caractère du peuple allemand.

L'auteur de ce drame de *Faust*, Goethe, presque notre contemporain, est incontestablement à nos yeux le plus grand génie de la race allemande. Étudions un moment l'homme avant d'étudier l'œuvre: l'homme dans Goethe n'est pas moins caractéristique que l'œuvre.

IV

Un de ces hommes d'élite littéraire, mais trop modestes, qui font pendant toute une vie d'études le travail pour ainsi dire souterrain de la pensée de leur siècle, hommes de silence qui ne demandent rien au bruit, tout au mérite, M. Blaze de Bury, écrivain de l'école ascétique, renfermé comme dans les cloîtres studieux de la religion littéraire, a publié, il y a douze ans, une complète étude sur le génie de Goethe et une incomparable traduction du drame de *Faust*; nous nous en servirons, comme on se sert, dans les ténèbres d'une langue inconnue, d'une lumière empruntée qui fait rejaillir de tous les mots les couleurs mêmes de cette langue, ou comme on se sert, dans un souterrain, d'un écho qui répercute le bruit de tous les pas de ceux qui vous devancent dans sa nuit. En marchant à sa lueur et sur sa trace nous retrouverons Goethe tout entier.

V

Avant de dire quelques mots à notre tour de la vie de Goethe, voyons d'abord en lui l'homme extérieur. L'homme est dans ses œuvres, sans doute, mais il est aussi dans ses traits: la nature moule le visage sur l'âme. Prenons la figure de Goethe à cette époque fugitive où la fleur de la jeunesse éclate encore sur les traits, mais où le fruit de la pensée ou du sentiment commence à se former et à s'entrevoir sous cette jeunesse qui s'effeuille. Nous avons de ce grand homme d'excellents portraits à tous les âges.

Le voilà à vingt-six ans. Sa taille est élevée; sa stature est mince et souple; ses membres, un peu longs comme dans toutes les natures nobles, sont rattachés au buste par des jointures presque sans saillie; ses épaules, gracieusement abaissées, se confondent avec les bras et laissent s'élancer entre elles un cou svelte qui porte légèrement sa tête sans paraître en sentir le poids; cette tête, veloutée de cheveux très-fins, est d'un élégant ovale; le front, siége de la pensée, la laisse transpercer à travers une peau féminine; la voûte du front descend par une ligne presque perpendiculaire sur les yeux; un léger sillon, signe de la puissance et de l'habitude de la réflexion, s'y creuse à peine entre les deux sourcils très-relevés et très-arqués, semblables à des sourcils de jeune fille grecque; les yeux sont bleus, le regard doux, quoique un peu tendu par l'observation instinctive dans l'homme qui doit beaucoup peindre; le nez droit, un peu renflé aux narines comme celui de l'Apollon antique: il jette une ombre sur la lèvre supérieure; la bouche entière, parfaitement modelée, a l'expression d'un homme qui sourit intérieurement à des images toujours agréables; le menton, cet organe de la force morale, a beaucoup de fermeté, sans roideur; une fossette le divise en deux lobes pour en tempérer la sévérité. Toute la physionomie exprime la beauté apollonienne en elle-même, et hors d'elle-même l'amour et la jouissance de la beauté. L'intelligence heureuse s'y joue sans paraître s'y briser sur aucun point, comme la lumière s'y joue sans se heurter à aucun angle. C'est le portrait vivant de la facilité dans la toute-puissance. La terre est déjà un ciel pour ces figures de prédestinés de l'amour, du bonheur et du génie sans obstacles. Je ne vois guère que Raphaël, dans les portraits de son adolescence, qui puisse lutter avec cette sévérité rayonnante d'un visage humain; mais Raphaël devait mourir jeune, et Goethe devait mourir vieux, après avoir passé sans se flétrir par tous les âges et en empruntant successivement au contraire tous les genres de beauté à chacun des âges de la vie.

Remontons maintenant à son berceau, et suivons-le de là, de destinée en destinée et de chefs-d'œuvre en chefs-d'œuvre, jusqu'à l'apothéose; car la tombe pour lui n'a été qu'une apothéose: ce n'est pas un homme comme nous, c'est un immortel.

VI

«Le 28 août 1749,» dit-il lui-même dans son mémorial domestique, «je vins au monde à Francfort-sur-le-Mein, pendant que l'horloge sonnait midi.»

Il était né dans une ville libre; heureusement né, ni trop haut, où l'on est facilement corrompu par l'orgueil de la naissance, ni trop bas, où l'on est facilement avili par la servilité d'une condition inférieure; il était né à ce degré précis de l'échelle sociale où l'on voit juste autant d'hommes au-dessus de soi qu'au-dessous, et où l'on participe, par égale portion, de la dignité des classes aristocratiques et de l'activité des classes plébéiennes; heureux milieu qui est le vrai point d'optique de la vie humaine.

Son père était le premier magistrat élu de la bourgeoisie de Francfort; la maison gothique et sombre qu'il habitait dans une rue déserte de Francfort rappelait, par sa vétusté, par ses escaliers tournants, par ses vestibules fermés de grilles de fer sur la rue, et par ses fenêtres sans symétrie, échelonnées sur la façade, la demeure forte du gentilhomme allemand, interdite aux séditions du peuple comme aux assauts de la féodalité. Francfort était la Florence de l'Allemagne, moins les Médicis; ville où le négoce ne dérogeait pas à la noblesse, et où les arts illustraient les métiers.

L'enfance de Goethe, sur laquelle il s'appesantit trop dans ses Mémoires, à l'exemple de Jean-Jacques Rousseau dans ses *Confessions*, ne mérite pas d'être regardée avant l'âge où les sensations deviennent des idées. On trouve les premières prédispositions de l'enfant à la rêverie, maladie féconde des grandes imaginations, dans la description de la chambre haute où son père lui faisait étudier ses leçons. Qui de nous ne se reconnaît pas dans cette peinture de l'enfant captif au dernier échelon de quelque cage paternelle?

«Au second étage de notre maison, dit-il, il y avait une chambre dont les fenêtres étaient couvertes de plantes, afin de remplacer un véritable jardin que nous ne possédions pas. La vue donnait sur les jardins de nos voisins et sur une plaine fertile, qu'on découvrait par-dessus les murs de la ville. C'est dans cette chambre qu'en été je venais apprendre mes leçons, contempler un orage, admirer le coucher du soleil et soupirer après la campagne. J'y voyais aussi nos voisins se promener dans leurs jardins, arroser leurs fleurs, regarder jouer leurs enfants, et se livrer avec des amis à toutes sortes d'amusements. Plus d'une fois le bruit d'une boule qu'on lançait et des quilles qu'elle faisait tomber arrivait sourdement jusqu'à moi. Tout ceci éveillait dans mon jeune cœur d'incertains désirs et un besoin de solitude tellement en harmonie avec mes dispositions à la gravité rêveuse et aux vagues pressentiments que je ne tardai pas à en être visiblement influencé. Au reste, notre maison, si pleine de recoins obscurs, était très-propre à entretenir de semblables penchants. Pour comble de malheur on croyait alors que, pour guérir les enfants de la crainte du surnaturel, il fallait les accoutumer de bonne heure à l'envisager sans effroi. Dans cette conviction on nous força à coucher seuls, et lorsque, ne pouvant plus maîtriser nos terreurs, nous nous échappions du lit pour nous glisser dans la compagnie des valets et des servantes, notre père, enveloppé dans sa robe de chambre mise à l'envers, et, par conséquent, suffisamment déguisé pour nous, nous barrait le passage et nous faisait retourner sur nos pas. Le résultat de ce procédé est facile à comprendre. Le moyen de se débarrasser de la peur quand on se trouve entre deux situations également propres à l'exciter! Ma mère, dont l'affabilité et la bonne humeur ne se démentaient jamais, et qui aurait voulu voir tout le monde dans les mêmes dispositions d'esprit, eut recours à un moyen plus aimable et qui lui réussit à merveille: celui d'entre nous qui n'avait pas eu peur la nuit recevait, le matin, une ample distribution de friandises. Bientôt nous vainquîmes complétement nos terreurs, parce que nous trouvâmes notre intérêt à le faire.

«Mon père avait suspendu, dans la salle d'entrée, une collection de vues de Rome, gravée par quelques habiles prédécesseurs de Piranese, qui avaient une entente merveilleuse de l'architecture et de la perspective. Grâce à ces gravures, je contemplais chaque jour la place du Peuple, le Colisée, la place et l'église de Saint-Pierre. Ces divers points de Rome m'impressionnèrent si vivement que, malgré son laconisme habituel, mon père se plut souvent à me les expliquer. Il avait, au reste, une grande prédilection pour tout ce qui tenait à l'Italie, et il employait une partie de son temps à composer et à revoir la relation du voyage qu'il avait fait en ce pays, et d'où il avait rapporté une collection de marbres et de curiosités naturelles.»

VII

C'est par ces fenêtres que la mélancolie entrait dans les sens et dans l'âme du poëte futur. C'est ainsi qu'elle entrait plus tard dans la mienne, par les fenêtres au couchant de ma chambre dans la maison de mon père, ouvrant sur des toits éclaboussés d'une morne lumière et attristés encore par le roucoulement de pigeons blancs qui bordaient les tuiles de la rue voisine.

La poésie y entra aussi malgré le père de Goethe; il répugnait, comme beaucoup de vieillards, à ces innovations du génie; elles dérangent les vieilles admirations dans l'esprit à compartiments des hommes qui ont fait leurs provisions d'idées pour leur vie, et qui s'impatientent quand on les force d'y ajouter ou d'en retrancher quelque chose.

Les dix premiers chants du poëme épique de *la Messiade*, par Klopstock, venaient de paraître; l'Allemagne s'étonnait et frémissait d'enthousiasme à cette poésie sérieuse comme une religion, où le drame du Calvaire se déroule entre le ciel et l'enfer et où l'enfer lui-même laisse entrer le rayon de la miséricorde.

Un vieil ami du père de Goethe apporta un jour ces pages à la maison et voulut les lire; le père s'indigna au premier vers de cette poésie qui prenait au sérieux sa mission jusque-là futile en Allemagne; il rejeta avec fureur le livre sur le parquet et pria son ami de ne jamais lui prononcer le nom de Klopstock. L'ami contristé s'éloigna; mais la mère, encore jeune, de Goethe l'arrêta, à l'insu de son mari, dans l'antichambre, lui redemanda le volume et le lut en secret comme un objet d'édification de ses enfants. Les enfants furent ravis et retinrent les passages les plus pathétiques dans leur mémoire.

Quelques jours après, pendant que le père de Goethe se faisait raser dans le salon, Goethe et sa sœur se récitaient l'un à l'autre, au coin du feu, à demi-voix, les amours d'Abbadonna et de Satan. Tout à coup la jeune fille, oubliant dans son enthousiasme l'aversion de son père pour ce livre, jette pathétiquement ses bras au cou de son frère en déclamant à haute voix, et avec des larmes, l'apostrophe de l'amante de Satan. À ce geste, à ces accents, à ces larmes, le barbier, croyant à un accès de démence de la jeune fille, laisse tomber son bassin rempli d'eau de savon dans la poitrine du père; le père se lève, indigné d'être poursuivi jusque dans la mémoire de ses enfants par la poésie de son aversion, il s'emporte contre sa famille et proscrit plus sévèrement le livre de sa maison.

VIII

Après les premières études faites sous l'œil de son père, le talent poétique se révéla dans le jeune adolescent par le premier amour, ce révélateur du beau dans tous les cœurs nés pour aimer. Des jeunes gens de son âge, mais d'une condition très-inférieure à la sienne, l'entraînèrent dans des compagnies suspectes des faubourgs de Francfort. C'est dans une de ces tavernes, fréquentées par ces jeunes corrupteurs de son adolescence, qu'une jeune fille angélique, pureté morale dépaysée dans la boue, lui apparut pour la première fois et lui fit sentir la beauté de la vertu en contraste avec les vices. Cette jeune fille se nommait *Gretchen*, abréviation familière du nom de Marguerite; elle fut évidemment pour Goethe le type de ces deux figures de *Marguerite* et de *Mignon*, figures de femmes dégradées par la condition, divinisées par la nature, qui devinrent les plus touchantes créations de son génie. Les premières impressions sont les vraies muses de notre âme.

Cette jeune fille servait à boire, dans la maison de sa tante, à ses cousins, jeunes débauchés amis de Goethe. La première fois qu'il la vit rayonner comme une étoile du firmament au-dessus de cette lie, Goethe rougit de lui-même et de ses amis. Il ne continua à les fréquenter que pour la revoir. La scène de la première entrevue de Goethe avec *Gretchen* est biblique par sa naïveté; lisez-la de sa main:

«Quand le vin commença à manquer sur la table, un des jeunes gens appela la servante, et je vis entrer une jeune fille d'une beauté éblouissante, et d'une modestie d'attitude et d'expression qui contrastait avec le lieu où nous étions.

«Elle nous salua avec une grâce timide.

«—La servante est malade, dit-elle; elle vient de se coucher; que lui voulez-vous?

«—Nous n'avons plus de vin, dit un des jeunes buveurs; tu serais bien aimable si tu voulais aller nous en chercher.

«La jeune fille prit quelques flacons vides et sortit; je la suivis des yeux avec admiration. Un joli bonnet noir à la mode allemande s'adaptait étroitement à sa petite tête, qu'un col long et mince attachait gracieusement à une nuque souple et à des épaules d'une forme statuaire. Tout en elle était accompli, et je jouissais tranquillement du charme de sa personne en la regardant s'en aller, car, lorsqu'elle était devant moi, mon imagination était fascinée par ses yeux si purs et si calmes et par sa bouche si délicate. Je fis des reproches à mes amis de ce qu'ils avaient fait sortir cette enfant si tard dans la soirée. Ils se moquèrent de moi, en me disant qu'elle n'avait que la rue à traverser pour aller chez le marchand de vin. *Gretchen*, c'était le nom de cette jeune fille, revint en effet au bout de quelques minutes. On la fit asseoir à la table de ses cousins; elle trempa ses lèvres dans un verre de vin à notre santé; puis elle se retira en recommandant à ses cousins de ne pas faire trop de bruit, parce que sa tante, leur mère, allait se mettre au lit.

«Depuis cet instant l'image de Gretchen me poursuivit partout; n'osant aller chez elle, je me rendis à l'église de sa paroisse; j'eus le bonheur de la voir. Les cantiques du culte protestant ne me parurent pas trop longs cette fois, car, tandis que tout le monde chantait, je m'enivrais du bonheur de regarder cette adorable jeune fille. Je sortis immédiatement derrière elle; je n'eus cependant pas le courage de lui parler, je me bornai à la saluer; elle me répondit par un léger signe de tête.»

IX

À une seconde réunion dans la même maison, les deux cousins de Gretchen prièrent Goethe d'écrire des vers amoureux au nom d'une jeune fille à un jeune homme qu'ils voulaient tromper par cette feinte déclaration d'amour.

«Je cherchai à leur complaire en écrivant ces vers; mais, m'impatientant contre moi-même, je jetai la plume. Cela ne va pas! m'écriai-je.

—«Tant mieux! dit Gretchen à demi-voix; vous ne devriez pas vous mêler de cette tromperie. Et, quittant son rouet, elle vint s'asseoir près de moi.

«Mes cousins, me dit-elle, ne sont au fond ni méchants ni vicieux, mais l'amour du divertissement les entraîne quelquefois à des plaisanteries dangereuses. Je suis entièrement dans leur dépendance, et cependant j'ai refusé de copier votre déclaration d'amour. Comment donc un jeune homme riche et indépendant comme vous l'êtes peut-il se prêter à une mauvaise plaisanterie qui finira mal?

«Elle lut mes vers. C'est bien joli, dit-elle; c'est dommage qu'on ne puisse pas en faire un usage sérieux.

—«Vous avez raison, lui dis-je; mais supposez un moment qu'un jeune homme qui vous adore mette cette déclaration de tendresse sous votre main en vous conjurant de la signer de votre nom; que feriez-vous?

«Elle rougit, sourit, réfléchit un moment, prit la plume, et écrivit sans rien dire son nom au bas des vers.

«Je me levai tout hors de moi, et j'allais la serrer dans mes bras; mais elle me repoussa doucement.

—«Point de familiarité légère, me dit-elle: c'est trop vil; mais de l'amour innocent, si vous en êtes capable. Maintenant partez avant que mes cousins reviennent du jardin.

«Je n'avais pas la force de me retirer; elle prit, pour m'y décider, une de mes mains entre les siennes. Mes larmes étaient près de couler, je crus voir ses yeux se mouiller. J'appuyai mon front un instant sur ses mains et je m'enfuis précipitamment. Jamais encore je ne m'étais senti si troublé!...»

X

Quelques jours après, les deux cousins, ses amis, l'invitèrent de nouveau à se divertir avec eux à leur table. À la fin du souper ils lui demandèrent un conte pour leur abréger la veillée; il y consentit.

«Jusque-là, dit-il, *Gretchen* n'avait pas cessé de filer au rouet dans l'embrasure de la fenêtre. À ce moment elle se leva, vint s'asseoir au bout de la table, y appuya ses deux bras enlacés sur lesquels elle posa ses deux mains, attitude qui lui seyait admirablement, et qu'elle conservait quelquefois pendant plusieurs heures sans faire d'autre mouvement que quelques légers signes de tête provoqués par ce qu'elle voyait, entendait autour d'elle, ou par ce qu'elle pensait en elle-même.»

XI

Ces amours pures, tantôt contrariées, tantôt servies par des circonstances d'un intérêt touchant dans le récit de Goethe, finirent, comme toutes les fleurs folles de la vie, par un coup de vent qui en disperse les illusions et les parsème sur le sol: le jeune Goethe, réprimandé par ses parents et compromis par ses mauvaises relations avec les cousins de Gretchen, fut envoyé à Strasbourg pour y achever ses études de droit. Là il connut le philosophe allemand Herder, neuve, vaste et forte pensée dont M. Quinet, nature allemande dans un talent français, a donné pour la première fois à la France la traduction, le sens et le commentaire.

La fréquentation de Herder mûrit de bonne heure le génie aussi philosophique que poétique de Goethe. Un second épisode d'amour pastoral avec Frédérica, la fille d'un pasteur protestant de village, sur les bords du Rhin, entremêla des songes dorés de la jeunesse les graves occupations de l'étudiant de Francfort. Cet amour, peint avec les couleurs du *Vicaire de Wakefield*, ne fut qu'une distraction attachante pour Goethe et causa la mort de la pauvre Frédérique.

Rappelé dans sa famille par son père, Goethe, chez qui l'imagination dominait le sentiment, s'attacha passionnément à sa sœur, âme ardente et souffrante, qui s'attacha elle-même à ce frère comme si elle eût vécu en lui plus qu'en elle-même.

Il alla, après quelques mois de séjour chez son père, se mêler à Leipzig à tout le mouvement des études, des littératures et des factions scolastiques de la haute Allemagne. Il y connut tout ce qui illustrait alors l'Allemagne dans les lettres; il commença lui-même à s'y faire connaître comme un jeune écrivain et comme un futur poëte d'un immense avenir.

C'était le moment où la vieille littérature naïve de la Germanie se greffait, sous l'influence du grand Frédéric, sur la philosophie et à la littérature de la France. Voltaire était le missionnaire de cette poésie et de cette philosophie chez les Allemands. Le monde germanique et le monde français luttaient dans les universités, dans les livres et sur les théâtres. Goethe, avec cette impartialité éclectique qui est la force du génie original et qui prend son point d'appui en soi-même, méprisa ces vaines controverses et écrivit sous la seule inspiration de sa nature. Cette nature était allemande par le terroir, grecque par la beauté, française par l'indépendance des préjugés des lieux et des temps.

XII

Son premier essai, qui tient plus de J.-J. Rousseau que de Voltaire, fut le livre de *Werther*.

Ce livre, dont l'exagération sentimentale et maladive ressemble aujourd'hui à un accès de folie du cœur, a été cependant l'origine et le type de toute une littérature européenne qui a bouleversé pendant plus d'un demi-siècle les imaginations jeunes et fortes de l'Occident. La *Corinne* de Mme de Staël, le *René* de M. de Chateaubriant, le *Lara* de lord Byron, les mélancolies de nos propres poésies françaises depuis André Chénier jusqu'à nos poëtes d'aujourd'hui, à l'exception de Béranger et de M. de Musset, poëtes de réaction et d'ironie contre le sérieux des âmes, toutes ces œuvres sont de la famille de Werther. Quant à moi, je ne m'en cache pas, Werther a été une maladie mentale de mon adolescence poétique; il a donné sa note aux *Méditations poétiques* et à *Jocelin*; seulement la grande religiosité qui manquait à Goethe, et qui surabonde en moi, a fait monter mes chants de jeunesse au ciel au lieu de les faire résonner comme une pelletée de terre sur une bière dans le sépulcre d'un suicide.

XIII

Il y a toujours une réalité sous une fiction dans l'œuvre, quelle qu'elle soit, d'un homme de génie. Goethe raconte lui-même l'origine de ce roman, qui commence par une idylle et qui finit par un coup de feu.

Goethe, d'une beauté déjà olympienne et d'une célébrité déjà entrevue, était à Wetzlar.

Le jeune *Jérusalem*, fils d'un prédicateur renommé de l'Allemagne, y vivait en même temps et dans les mêmes sociétés. *Jérusalem* était épris d'une passion violente pour la femme future d'un de ses amis (la Charlotte du livre): Charlotte était fiancée à un employé de la chancellerie impériale de Wetzlar. Elle était orpheline. Goethe, introduit chez elle par Jérusalem, adorait dans Charlotte l'image angélique et naïve de la maternité dans les soins qu'elle avait de ses petits frères et de ses petites sœurs; elle était leur unique providence.

Goethe, Charlotte et son fiancé ne formaient qu'un cœur. On ne savait lequel des trois occupait la meilleure place dans l'affection innocente et confiante des deux autres. «Bientôt cependant, dit Goethe, je devins inquiet et rêveur; il me sembla que j'avais trouvé tout ce qui manquait à mon bonheur dans la fiancée d'un autre. Charlotte aimait à m'avoir pour compagnon de ses promenades; le fiancé se joignait à nous toutes les fois que son emploi le lui permettait. Nous contractâmes ainsi l'habitude de vivre constamment ensemble; c'était ensemble que nous parcourions les champs encore humides de rosée, que nous écoutions l'hymne de l'alouette et le gai rappel de la caille. Quand la chaleur du jour nous accablait, quand des orages d'été éclataient sur nos têtes, nous nous rapprochions les uns des autres, et, sous influence de ce constant amour mutuel, tous les petits chagrins de famille disparaissaient.»

Goethe, obligé de s'éloigner un moment, trouva Charlotte refroidie pour lui à son retour; il s'éloigna pour plus longtemps, et il apprit, sur les bords du Rhin, le suicide du jeune *Jérusalem*. Il en attribua, peut-être imaginairement, la cause au même sentiment qu'il avait ressenti pour Charlotte et au désespoir qu'avait éprouvé Jérusalem en contemplant le bonheur paisible de cette jeune femme unie à son fiancé.

XIV

Goethe alors conçut *Werther*, et personnifia ses propres sentiments dans ce personnage fantastique. Il écrivit en quatre semaines de solitude et de fièvre cette maladie du cœur et cette catastrophe de la mort qui devinrent, à l'apparition de ce livre étrange, le manuel de l'Allemagne et bientôt après de l'Europe tout entière. Nos temps n'ont pas d'exemple d'une commotion pareille imprimée par quelques pages à l'imagination du monde. Pourquoi? On ne saurait le dire aujourd'hui, si ce n'est parce qu'un miasme de cette maladie morale du suicide par malaise de vivre était répandu dans l'air du siècle, et que ce miasme, concentré dans quelques pages d'un homme de génie, acquérait tout à coup une puissance irrésistible de corrompre l'imagination, d'énerver l'âme et de tuer des milliers de vies!

De nombreux suicides suivirent en effet ici la lecture de ce livre. Le siècle était malade; il sentait qu'il portait en lui sa propre mort prochaine par la foi mourante dans son âme et par les révolutions couvées sous ses institutions; il tendait à devancer par des morts volontaires l'effet de ces germes morbifiques qu'il portait dans ses veines. Un livre à succès n'est jamais qu'une de ces deux choses: l'explosion dans une seule âme d'une disposition presque universelle quoique encore latente du temps, ou bien la prophétie d'une vérité à venir qui n'éclaire encore qu'une tête supérieure à l'humanité. Dans le premier cas le livre n'attend pas son succès une heure: il est l'étincelle sur la poudre des imaginations; dans le second cas il paraît comme s'il n'avait pas paru, et il attend son public pendant des années ou pendant des siècles.

Werther, comme le *Génie du Christianisme*, n'attendit pas son succès une heure: l'électricité ne court pas plus vite d'un pôle à l'autre; le monde entier des jeunes gens, des amants, des femmes, des malades de cœur, se jeta sur ce livre.

Ce livre était plein cependant de puérilités qui touchaient au ridicule, de naïvetés qui touchaient à la niaiserie, de germanismes de mœurs qui touchaient à la caricature; c'est vrai, mais le feu y était. Quand le feu est dans un livre, peu importe qu'il brûle de la paille, des haillons ou des immondices;

c'est toujours la flamme; elle ne s'entache pas de ses impurs aliments; elle brûle, elle brille, elle éblouit, et le monde est fasciné.

XV

Il fut fasciné par *Werther*; mais, par un phénomène moral très-connu chez les grands artistes comme Goethe, pendant que le livre incendiait le monde l'auteur resta froid. Son imagination seule s'était échauffée en le composant; son cœur était resté tiède et dans ce parfait équilibre qui permet à l'écrivain de juger son ouvrage. C'est là la particulière puissance du génie de Goethe, puissance qui le fit accuser d'insensibilité. Plus tard il se séparait en deux parts en écrivant ses poëmes et ses romans; l'une de ces deux parts regardait penser et écrire l'autre, afin de pouvoir la diriger et la juger. Le suprême et impassible bon sens siégeait ainsi dans sa tête au-dessus de la féconde imagination, comme dans l'œuvre de la Providence l'homme travaillait et le dieu regardait.

On a fait un reproche à Goethe de cette impassibilité artistique; si le reproche s'adressait à l'homme, il pouvait être fondé; s'il s'adressait à l'artiste, il était absurde. Qu'est-ce qu'un artiste qui ne dominerait pas sa propre inspiration? Ce serait un fou. Qu'on ait regretté dans Goethe, homme, l'absence de cette sensibilité qui fait aimer et souffrir, nous le concevons; mais qu'on ait reproché à Goethe, artiste, son impassibilité presque divine, nous ne le concevons pas; l'impassibilité n'est-elle pas le signe de la force? Vous lui voudriez une faiblesse, il ne vous présente qu'une toute-puissance. Vous ne le comprendrez jamais: c'est un Phidias qui ne sent pas dans sa chair les coups que son ciseau donne au bloc de marbre dont il fait un dieu!

XVI

Presque en même temps qu'il écrivait *Werther* pour les masses, il écrivait, pour l'élite, son premier drame, *Goetz de Berlichengen*. C'était un drame national pour l'Allemagne, puisé dans les sources historiques du monde chevaleresque et féodal. Ce drame imprimé rallia à ce jeune homme la sérieuse admiration de toute la patrie allemande. Du fond de la sombre maison de son père, à Francfort, le nom de Goethe, porté à la foule par *Werther*, porté à l'élite et aux universités par *Goetz de Berlichengen*, grandit, comme l'aloès, en un soleil. Les hautes sociétés de Francfort recherchèrent ce beau jeune homme, obscur de près dans leur bourgeoisie, rayonnant au loin sur toute l'Europe. Une jeune fille, belle, riche, séduisante, mais capricieuse, nommée *Lilli*, lui donna le désir d'un mariage d'amour et de raison réunis en elle. Ainsi que cela a lieu en Allemagne, ces amours, favorisés par les deux familles, allèrent jusqu'aux plus douces intimités et jusqu'aux plus saintes promesses; quelques caprices d'humeur de *Lilli*, quelques impatiences de Goethe rompirent tout. Il voyagea pour se consoler en Italie et en Sicile. Son voyage, qu'il a imprimé dans ses Mémoires, n'a qu'un seul intérêt, l'enthousiasme d'un homme du Nord pour le soleil, l'ivresse de la nature respirée sur place dans les parfums de Naples et de Palerme. L'homme sensuel y éclate partout, l'homme sensible nulle part. À peine quelques frissons d'amour à la brise tiède du midi, à l'aspect d'une blonde Milanaise à Rome, d'une brune Espagnole à Naples, rappellent-ils que le voyageur est jeune, beau, poëte; ces frissons ne vont pas jusqu'à l'âme: c'est de la jeunesse, ce n'est pas de la tendresse; ce cœur d'artiste pose toujours devant lui-même; les passions ne sont que ses études. Aussi ne vieillit-il pas, bien qu'il touche à sa quarantième année: il est comme ces statues de marbre de la galerie du Vatican, qui prennent des siècles sans prendre une ride! Goethe est un homme de marbre aussi; il émeut son siècle, il ne s'émeut pas.

XVII

Après ce voyage à Naples et en Sicile, voyage qu'il faut faire quand on veut chanter, car tout y chante dans la nature, mer, ciel, montagnes, atmosphère et impressions, Goethe s'arrêta quelques années à Rome. C'est là qu'il partagea son temps, comme l'horloge partage les heures, entre des sociétés douces, des promenades philosophiques, des études variées et universelles, telles que la peinture, la chimie, la philosophie, la poésie, la prose. Il se prête à tout, ne se donne à rien; il ressemble à un de ces philosophes scythes de l'école d'Anacharsis, qui prenait un portique d'Athènes pour une habitation, et qui suivait tantôt les leçons de Platon, tantôt les ateliers de Zeuxis ou de Phidias. Il envoyait de là à ses amis d'Allemagne les drames, les romans, les poëmes, les élégies qui tombaient de sa plume, selon la saison, au vent des sept collines.

Herman et Dorothée, pastiche admirable d'*Homère*, poëme qui a la simplicité des scènes de *Nausicaa*; le *Comte d'Egmont*, tragédie moderne; enfin *Faust*, moitié drame, moitié poëme, toujours rêve, mais rêve du génie, selon nous le plus vaste, le plus haut, le plus universel de ses chefs-d'œuvre. Il employa douze ans à le composer; il y résuma, comme dans un poëme séculaire, toute la passion, toute la foi, tout le scepticisme, toute la beauté morale et toute la laideur infernale de l'humanité. C'est le poëme d'un Manichéen; c'est le ciel et l'enfer dans un même cadre; c'est le drame du bon et du mauvais principe dont la nature porte malgré elle l'empreinte sur toutes ses surfaces. C'est la médaille à l'endroit et à l'envers de l'humanité, l'une portant l'effigie du bien, l'autre l'effigie du mal, sans que le monde, incertain, puisse dire: J'appartiens à ce dieu: ou, Je suis la victime de ce démon.

L'esprit humain n'avait jamais osé, même dans l'antiquité, concevoir un pareil drame. Il faudrait convoquer la terre, le ciel et l'enfer à y assister.

XVIII

Ce drame de *Faust*, le voici.

Mais d'abord hâtons-nous de vous dire que l'invention n'en appartient pas à Goethe, pas plus que l'invention d'*Ahasverus*, l'homme immortel, n'appartient aux innombrables poëtes qui ont chanté ce songe universel de l'expiation par la vie; pas plus que l'invention de *don Juan*, cette moquerie incarnée de la vertu, de l'amour dans la fidélité de don Juan, ce vampire de la femme, n'appartient à l'Espagne ou à la France.

Faust est une vieille tradition populaire de la vieille Allemagne, tradition si populaire que le docteur *Faust*, ce type de l'homme vendu au diable, joue un rôle dans les marionnettes comme épouvantail des petits enfants. De tout temps et en tout pays l'homme aspire plus haut que sa nature bornée ici-bas, immortelle ailleurs; de tout temps, disons-nous, l'homme, ambitieux d'infini, s'est cassé la tête contre les murs de sa prison terrestre; il a voulu être dieu, au moins pour un temps, au moins ici-bas, et, pour conquérir cette puissance surhumaine, il l'a empruntée tantôt à Dieu par la prière, tantôt au diable, cette parodie malfaisante de la Divinité. Ne pouvant faire un pacte avec le souverain Bien, il a tenté d'en faire un avec le souverain Mal, et il a dit au démon: Donne-moi la terre, je te donnerai mon âme.

De ce pacte imaginaire, que les peuples enfants ont cru quelquefois réalisé, sont nées les légendes innombrables qui ont épouvanté le moyen âge et amusé plus tard les âges suivants. C'est un magnifique thème pour une imagination à la fois passionnée et métaphysique.

Oui, ce sujet est le plus beau de tous pour une âme forte; nous comprenons qu'il ait tenté Goethe: combien de fois ne nous a-t-il pas tenté nous-mêmes! Mais nous avons craint de paraître impie envers le Créateur en prenant la création en flagrant délit de méchanceté ou de ridicule: le vase même mal façonné, même brisé, doit respecter le potier. Goethe n'était pas retenu par ce scrupule, parce qu'il était mille fois plus poëte que nous et mille fois moins respectueux envers l'œuvre divine, dont les imperfections apparentes sont d'ineffables perfections.

XIX

Quoi qu'il en soit, Goethe eut ce bonheur de trouver son drame tout conçu dans l'esprit des peuples et tout popularisé dans l'oreille même des enfants que la lanterne magique des poëtes de rue familiarisait dès le berceau avec le docteur Faust et le diable. Il ne lui manquait que ce personnage ironique, la pire forme du diable, riant du bien et jouissant du mal, Méphistophélès. Mais nous nous trompons, ce personnage même ne lui manquait plus, car un poëte anglais, *Marlow*, l'avait déjà inventé dans un premier drame de Faust sous le nom de *Méphistophélis*. Goethe trouva ce caractère satanique tout fait; il n'eut qu'une voyelle à changer dans le nom de cet infernal personnage. Méphistophélès, c'est le diable de nos jours, c'est le Satan civilisé, c'est le démon de bonne compagnie qu'on appelle *ricanement* quand il dénigre l'enthousiasme, *envie* quand il salit la gloire, *libertinage* quand il profane l'amour, *scepticisme* quand il ridiculise la vertu, *force d'âme* quand il nie

Dieu en le respirant par tous les pores. Méphistophélès, c'est un personnage que les jeunes écrivains et les poëtes de ces derniers temps en France ont beaucoup trop fréquenté, et qui donne à leur prose trop ricaneuse ou à leurs vers lestes et ingambes des grâces de mauvais aloi, aussi éloignées de la véritable grâce que le dénigrement est loin de l'enthousiasme. L'Allemand *Heyne*, ce petit-fils de Méphistophélès, croyant et sceptique, religieux et impie, pathétique et ironique, est de cette famille. Mais il y a aussi du *Faust* dans les imprécations de *Job* sur son fumier quand il interpelle son Créateur; il y a du *Faust* dans Pascal quand il prend l'homme dans le creux de la main, comme le fossoyeur d'*Hamlet* quand il pèse sa poussière et qu'il la jette à son néant. Il y a du *Faust* à grande dose dans lord Byron, ce disciple de Goethe, quand il fait ricaner *Manfred* devant un crâne vide. Un disciple de *Heyne*, qui vient de mourir à Paris, a été le spirituel et déplorable modèle de cette jeunesse infatuée de mauvais rire allemand. Méphistophélès inspire bien toujours la perversité; mais il n'inspire le génie qu'à Goethe et à Byron, et aux hommes de leur grande race. L'*Olympio* de Victor Hugo a les tristesses et les amertumes de ce désespéré du doute; il n'a ni la bouffonnerie ni la grimace de ces jeunes saltimbanques de la philosophie et de la poésie; ceux-là dansent sur une corde tendue du ciel à la terre comme les baladins sur leur ficelle tendue entre deux mâts vénitiens. Hugo est un poëte, ceux-là sont des rimeurs. Musset, qui leur est bien supérieur, s'est trop inspiré de *Heyne*, au lieu de s'inspirer de lui-même; il a donné dans ses boutades de scepticisme l'exemple et l'excuse à ses imberbes émules. La poésie est descendue avec lui d'un degré du ciel: paix à sa cendre! Il faudra bien que la poésie y remonte si elle ne veut pas salir sa robe dans la lie des ruisseaux où l'on s'efforce de l'entraîner depuis quelque temps. Un écho de Méphistophélès, ce corrupteur du bien et ce moqueur du beau, se fait entendre de loin dans tous les livres de cette jeune école. *Heyne* lui a donné l'accent allemand à Paris; Byron, l'accent anglais; Musset et ses imitateurs soi-disant légers, l'accent français. Prenons garde! la pire des corruptions, c'est celle qui rit d'elle-même.

Sese ipsum deserere turpissimum est!

Que nous reste-t-il si nous perdons le respect au moins de notre misère? Mais revenons à *Faust*; nous en sommes bien loin, car nous n'en sommes qu'à ses parodistes.

XX

Faust est la tragédie du cœur humain dans le personnage de Marguerite.

Faust est la tragédie de l'esprit humain aux prises avec les deux principes du bien et du mal dans le personnage de *Faust*!

Enfin *Faust* est la tragédie de Dieu et de Satan, le bien et le mal, dans le personnage de *Méphistophélès*.

Marguerite, c'est le bien ou l'amour!

Faust, c'est l'homme ou le doute, l'indécision, la fluctuation, le crime, la chute, le repentir tardif.

Méphistophélès, c'est la propagande perverse du mal par le génie du mal pour corrompre et ruiner l'œuvre de Dieu, l'homme et la femme.

Y eut-il jamais un sujet de drame plus humain et plus surhumain à la fois?

Suivez avec attention l'analyse de ce poëme épique en dialogue, que nous allons feuilleter avec vous. Supposez-vous spectateur, mais spectateur à loisir, spectateur solitaire; non devant une scène bruyante, mais devant votre livre et votre lampe, ayant le temps et le silence nécessaires aux impressions réfléchies, et mesurez l'étendue et la profondeur de cette œuvre incomparable du génie moderne en Allemagne.

XXI

Il est nuit; c'est le jour de la pensée, parce qu'elle s'y recueille et qu'elle y recueille le monde extérieur avec elle.

La scène représente une chambre haute dans un vieux château gothique des siècles de féodalité. Un beau jeune homme, le front déjà pâli par la méditation et les yeux fatigués par la veille, est renversé sur le dossier d'un fauteuil de bois. Il est entouré de volumes sur les sciences occultes, documents scientifiques ou cabalistiques. On voit que, las de la terre, il a tenté d'escalader le ciel par des échelons surnaturels qui se sont brisés sous ses pieds.

«Ah! philosophie, science, théologie; ainsi j'ai tout sondé avec une infatigable obstination, dit-il avec amertume, et maintenant, pauvre insensé, me voilà aussi avancé qu'en commençant, et j'ai appris qu'il n'y a rien à savoir! Aucun scrupule cependant ne m'a entravé; je ne crains ni enfer ni diable; je n'ai ni biens, ni argent, ni honneurs, ni crédit dans le monde: un chien ne voudrait pas de la vie à ce prix-là! C'est pourquoi, à la fin, je me suis précipité dans la magie.... Oh! si, par la force de l'esprit et de la parole, certains arcanes m'étaient enfin révélés! Si je pouvais découvrir ce que contient le monde dans ses entrailles!» (Il regarde le firmament.)

«Oh! que ne jettes-tu un dernier regard sur ma misère, rayon argenté de la lune, toi qui m'as vu tant de fois après minuit veiller sur ce pupitre! Alors c'était sur un monceau de livres et de papiers, ma pauvre amie de là-haut, que tu m'apparaissais.... Hélas! si je pouvais au moins, sur les cimes des montagnes, errer dans ta douce lumière, flotter au bord des grottes profondes avec les esprits incorporels, m'étendre sur les prés avec ton crépuscule, et, libre de toutes les angoisses de la science, me baigner, plein de vie et de santé, dans tes rosées!

«Qu'ai-je pour horizon au lieu de cela? un amas de livres rongés des vers, couverts de poussière; partout autour de moi des télescopes, des boîtes, des instruments de physique ou de chimie vermoulus, héritages de mes ancêtres!

Et cela est un monde! Et l'on appelle cela un monde!»

Après une longue et vaine lamentation sur la vanité de la science pour le bonheur ou même pour la lumière, Faust ouvre négligemment un volume cabalistique; il tombe par hasard sur le signe qui donne à l'homme la toute-puissance sur la nature et la toute-félicité.

«Ciel! s'écrie-t-il, comme tous mes sens viennent de tressaillir à ce signe! Je sens tout à coup la jeune et sainte séve de la vie bouillonner dans mes nerfs et dans mes veines. Suis-je devenu un dieu? Tout m'est révélé clair et facile.»

Ici un hymne magnifique, semblable sans doute à celui qui fit explosion des lèvres de la première créature intelligente, quand le monde entra avec son premier regard dans sa prunelle! Nous ne le reproduisons pas, cet hymne, à cause de son étendue; mais que le lecteur se représente le chant de la joie céleste dans la présence de Dieu.

Puis Faust tourne le feuillet, et tout se voile, tout se trouble, tout se transfigure. «Le ciel se couvre; la lune retire sa lumière; la lampe s'éteint, elle fume; des lueurs de feu rouge tremblent sur mes tempes.»

C'est l'Esprit corrompu de la terre qui s'approche et qui lui apparaît.

XXII

L'Esprit se dévoile dans la flamme de l'enfer.

Un dialogue doublement infernal s'établit entre Faust et l'Apparition. Faust brave courageusement l'horreur que l'Esprit lui inspire; il s'abandonne à lui. L'Esprit lui parle un langage lyrique comme les étoiles du firmament, mystérieux comme les sept sceaux de l'abîme.

Au moment où Faust va lui répondre, un de ses élèves, Wagner, apprenti prédicateur, entre pour le consulter sur l'éloquence.

L'Esprit infernal s'évanouit, et Faust, impatienté, se moque de l'histoire et de la rhétorique comme de mensonges convenus pour amuser les sots.

Faust, après le départ de son disciple, le maudit d'avoir fait ainsi évanouir l'Apparition; il se répand en invectives dignes de Job sur la vanité de la science; il foule aux pieds tous les livres entassés dans la bibliothèque de ses pères.—«Trouverai-je en eux ce qui me manque? dit-il; irai-je feuilleter ces milliers de volumes pour lire que partout les hommes se sont agités de même pour améliorer leur sort et qu'un homme heureux n'a jamais vécu? Et toi, crâne vide, qui parais rire de mes aspirations, ton ricanement veut-il me dire que l'esprit qui l'habitait s'est jadis fourvoyé comme le mien? Tu cherchais la pure lumière, n'est-ce pas? et tu as erré misérablement dans les ténèbres avec la vaine soif de la vérité!... Mystérieuse même en plein jour, la nature ne se laisse pas dépouiller de ses voiles, et, ce qu'elle veut cacher à ton esprit, tous tes efforts ne l'arracheront pas de son sein.»

Il aperçoit une fiole d'opium qui se trouve sur les tablettes de son laboratoire; à l'instant l'ivresse d'un bonheur imaginaire s'empare de ses sens, et il chante des félicités inouïes. «Buvons courageusement, se dit-il; il est temps de franchir ce pas de la vie à la mort, dût-il nous conduire au néant!...

«Sors maintenant de ton antique étui, coupe limpide, coupe de cristal si longtemps oubliée; tu brillais jadis aux fêtes des aïeux, et, lorsque tu passais de main en main, les fronts soucieux se déridaient; c'était le devoir du convive de célébrer en vers la beauté et de te vider d'un seul trait. Tu me rappelles maintes nuits de ma folle jeunesse; cette fois je ne te passerai plus à mon voisin, et mon esprit ne s'exercera plus à vanter l'artiste qui t'a façonnée; en toi repose une liqueur qui donne une rapide ivresse; je l'ai préparée, je l'ai choisie; qu'elle soit pour moi le suprême breuvage! Je la consacre comme une libation solennelle à l'aurore du jour.»

Il porte la coupe à ses lèvres.

À ce moment un chant de voix célestes se fait entendre dans les airs; c'est le matin du jour de Pâques. Le chœur invisible chante en vers et en musique triomphale:

> Christ est ressuscité!
> Paix sur la terre! etc.

La main de Faust s'abaisse; la coupe lui échappe. Les cloches de la cathédrale résonnent et se mêlent à l'angélique mélodie du jour de Pâques dans le ciel et sur la terre.

L'homme endurci s'amollit à ses joies religieuses d'enfance. «Cantiques célestes, s'écrie-t-il, puissants et doux! pourquoi me cherchez-vous dans la poussière? Résonnez aux oreilles de ceux que vous pouvez consoler. J'entends bien le message que vous m'apportez, mais la foi me manque pour y croire! Le miracle n'existe que pour la foi. Je ne puis m'élever vers ces sphères d'où la bonne nouvelle retentit; et cependant, accoutumé d'enfance à cette voix, elle me rappelle à la vie. Autrefois un baiser du divin amour descendait sur moi dans ce recueillement solennel du dimanche; le bruit des cloches remplissait mon âme de pressentiments, et ma prière était une voluptueuse extase; une ardeur sereine, ineffable, me poussait à travers les bois et les champs, et là, seul, je fondais en larmes, et je sentais comme éclore en moi tout un monde. Ce souvenir vivifie mon cœur rajeuni et me détourne de la mort! Ô chantez! sonnez, chantez encore, anges et cloches! Une larme a coulé, la terre m'a reconquis!»

Les chants et les cloches recommencent à se faire entendre:

Christ est ressuscité!...
Etc., etc., etc.

XXIII

Ici le lieu de la scène est changé; la nuit s'est écoulée.

C'est l'heure où le peuple, vieillards, ouvriers, femmes, soldats, jeunes filles, sortent en foule de la porte de la ville pour se répandre en repos, en liberté et en joie, dans la campagne. Les entretiens entrecoupés de tous ces groupes qui passent sont une parfaite imitation des mœurs du peuple; c'est le chœur dans les tragédies antiques. Ces conversations tiennent au sujet, comme on le verra plus tard, par le tableau de la candeur des jeunes filles de la bourgeoisie qui tremblent d'être séduites ou compromises aux yeux de la petite ville si elles se laissent approcher par la mauvaise compagnie. On pressent les périls, les malheurs et la honte de Marguerite, sans doute confondue dans ces groupes timides et charmants. Ce tableau repose les yeux par le contraste de la douce ignorance du peuple, qui ne souffre que du travail, avec les philosophes, qui souffrent de la pensée.

XXIV

Faust paraît à son tour; il se promène avec son disciple Wagner; son cœur se dilate à l'aspect de cet essaim d'heureux peuple au premier sourire du printemps.

«Regarde,» dit-il à Wagner dans des vers semblables à des odes d'*Horace* ou d'*Hafiz*; «voilà le fleuve et le ruisseau délivrés de leur couche de glace, etc. Tourne maintenant, du haut de ces sommets, les regards vers la ville; hors de la sombre porte, toute une foule variée se penche; chacun veut s'ensoleiller aujourd'hui. Ils fêtent la résurrection du Seigneur, et eux-mêmes semblent des ressuscités du fond de leurs demeures, de leurs chambres étroites, de leurs servitudes de négoce ou de métiers, de leurs bouges infects, de leurs rues fangeuses, de la nuit livide, de leurs cathédrales. Regarde un peu comme dans les jardins et les prés cette foule s'extravase, comme la rivière balance mainte barque joyeuse! J'entends déjà la musique des ménétriers dans les villages; c'est le paradis du peuple.»

XXV

Des paysans chantent une ronde joviale et amoureuse. Ils proposent respectueusement à Faust de trinquer avec eux; les services que Faust a rendus à ce peuple pendant une épidémie récente le font acclamer, de groupe en groupe, par le peuple reconnaissant.

«Quelle joie ce doit être pour toi, ô grand homme! lui dit son disciple, de te voir ainsi honoré par cette multitude! Bienheureux celui qui peut faire un si puissant et si salutaire emploi de ses facultés! Le père le montre à son enfant; on s'informe, on s'attroupe, on s'empresse; la musique s'interrompt, la danse s'arrête. Tu passes; ils se rangent en haie, les bonnets volent en l'air. Peu s'en faut qu'ils ne s'agenouillent comme devant l'image de la Divinité!»

Faust déprécie éloquemment ces hommages et se dénigre lui-même. «Regarde plutôt décliner le soleil couchant, le jour expiré!... «Oh! que n'ai-je des ailes pour m'enlever dans les airs et tendre incessamment vers lui? Je verrais dans un éternel crépuscule ce globe dont je n'entendrais pas le bruit à mes pieds.»

Voici la poésie de l'infini devenue mélancolie lyrique; elle dicte à Faust des vers dignes d'être répétés par l'écho des firmaments. Nous souffrons de ne pas les reproduire à votre oreille; mais ces entretiens seraient un volume si je n'abrégeais pas la partie extatique de ce prodigieux poëme pour laisser au drame pathétique l'espace qui lui appartient. Plaignez-moi d'abréger et plaignez-vous vous-mêmes de ne pas tout entendre.

XXVI

L'entretien de Faust et de Wagner est interrompu par un chien barbet, en apparence égaré, qui circule autour d'eux et qui finit par les flatter en rampant à leurs pieds. Wagner s'étonne; Faust soupçonne à demi un esprit déguisé sous la forme caressante de ce charmant animal. Il entre, suivi de Wagner et du chien, par la porte sombre de la ville.

XXVII

La scène change de place; on est de nouveau dans le cabinet d'étude de Faust. Il y est seul avec le mystérieux animal, le chien barbet.

Faust ouvre l'Évangile, le chien s'agite et grogne. «*Au commencement était le Verbe.*—Non, non, se dit-il à lui-même, au commencement était la force! la force, le dieu du monde!» Le chien gémit et hurle à côté de lui.

Ici une imitation de la scène des sorcières de Shakspeare défigure un peu cette belle œuvre. Le chien, aux paroles enchantées de Faust, apparaît tout à coup sous forme humaine derrière le poêle du jeune docteur. Ceci est évidemment de la part de Goethe un sacrifice à la triviale popularité de la tradition puérile de l'Allemagne. Il faut laisser cette scène aux enfants et au peuple infatués de la sorcellerie du moyen âge, et ne voir dans le barbet changé en homme, et en homme cachant un esprit démoniaque sous ses formes humaines, que l'inspiration manichéenne du mal conseillant le mal à tout ce qui respire.

Ceci admis, le rôle du mal, caché sous la forme de Méphistophélès, devient vrai comme le monde réel et pittoresque comme l'incarnation de toute perversité. Goethe, quoique bien peu avancé dans la vie, puisqu'il n'avait que quarante ans quand il composait *Faust*, se montre un observateur consommé de la malice humaine et de la séduction par la passion. S'il avait peu senti par lui-même, il avait tout compris dans les autres. Jamais la force lyrique et la force impassible et analytique de l'observation ne furent plus étrangement réunies dans un même homme. Poursuivons.

XXVIII

À ce moment Méphistophélès apparaît sous le costume d'un étudiant allemand élégamment vêtu, l'épée au côté, le manteau rejeté avec grâce sur l'épaule, le sourire du sceptique sur les lèvres, le ricanement ironique dans l'accent, la physionomie indécise entre l'homme d'esprit moderne et le satyre antique; ses gestes sont saccadés et forcés comme ceux de l'homme qui dit une chose et qui en pense une autre. On dirait que Goethe a fréquenté, dans les tavernes de Francfort, ces êtres dépravés qui masquent à demi le vice sous l'élégance et le crime sous l'hypocrisie. *Faust*, en esprit fort qui a si souvent évoqué les puissances occultes de la nature, n'est nullement étonné; il conserve son sang-froid; il cause familièrement avec l'hôte infernal de sa solitude.

—«Qui es-tu?—Je suis l'Esprit qui *nie tout et toujours*; je lutte contre tout ce qui est pour le vicier ou le détruire, et je ne puis réussir: tout renaît et subsiste malgré moi.»

Ceci est dit en vers d'une métaphysique aussi poétique qu'elle est profonde, mais c'est le sens. On voit combien Goethe, tout esprit sceptique qu'il était, avait compris, jeune, que l'extrême scepticisme était l'extrême forme, la forme satanique de tout mal. Car le scepticisme complet mène au mépris de la création, de soi-même et de Dieu: c'est le suicide par le blasphème, c'est le déicide par le désespoir.

Dans la scène suivante, Méphistophélès, transfiguré en jeune et brillant gentilhomme, pervertit de plus en plus l'esprit malade de Faust. Il lui fait apparaître, tantôt dans ses songes, tantôt dans ses veilles, des esprits secondaires qui jouent avec la création ou qui la raillent.

Après l'avoir ainsi fasciné, il propose à Faust d'être son serviteur ici-bas, pourvu qu'il s'engage à se donner à lui dans l'autre monde. Le pacte, délibéré en dialogue, est conclu et signé.

—«Je te mènerai loin, se dit tout bas Méphistophélès, car tu es une de ces âmes qui ne s'arrêtent jamais dans leur course effrénée vers la science ou vers la puissance!»

XXIX

Un disciple de Faust frappe à la porte. Méphistophélès revêt la robe et la figure du docteur; il reçoit l'étudiant; il répond à ses questions sur la logique, la métaphysique, la jurisprudence, la médecine, en embrouillant tellement la tête du jeune homme de définitions scolastiques et absurdes que Pascal lui-même ne démontrerait pas mieux le néant emphatique de l'esprit humain et la vanité sonore de ce que nous appelons *savoir*. «Mon cher ami, finit-il par dire à l'écolier stupéfait, la théorie est grise et l'arbre de la vie est vert; cueillez ses fruits. Va maintenant, ajoute-t-il à part et à voix basse; crois dans ton orgueil que tu es semblable à Dieu, *qui sait le bien et le mal*; suis ce vieux dicton de ton cousin le serpent. Ta prétendue ressemblance avec Dieu pourra bien t'inquiéter quelque jour!»

Il rentre ensuite auprès de Faust et l'emmène, en brillant équipage, à travers le monde, qui ne le reconnaît plus. La toile tombe.

XXX

Encore un changement de scène; on est transporté dans une taverne de débauchés à Leipzig. Les convives boivent, chantent, se racontent leurs amours.

Méphistophélès entre avec Faust, lie conversation avec ces buveurs; il fait jaillir pour eux tous les vins qu'ils désirent du bois de la table; puis il allume une flamme qui leur brûle les doigts, et s'envole, en se moquant d'eux, hors de la tabagie. «Voilà, mes amis, ce que c'est qu'un miracle!» dit-il en riant.

Les deux personnages, l'un menant l'autre, apparaissent ensuite dans un long sabbat de sorcières, vaine imitation de Shakspeare, puérilité poétique grotesque de détails, qui n'est propre qu'à amuser l'imagination d'enfants ou de la populace dans un conte de fée. Les esprits sérieux se détournent de ces débauches d'imagination, qui ne servent qu'à détruire la belle illusion du drame pathétique dans lequel nous allons enfin entrer.

XXXI

Attention! nous y voici.

On est dans une rue de la ville; Marguerite passe seule et les yeux baissés auprès de Faust.

FAUST.

Ma belle demoiselle, oserais-je vous offrir mon bras et ma protection pour vous conduire où vous allez?

MARGUERITE.

Je ne suis ni demoiselle ni belle, et je n'ai besoin de personne pour me conduire à la maison.

FAUST.

Par le ciel! cette enfant est la beauté accomplie! Je ne vis de ma vie rien de pareil. Si convenable, si modeste, et cependant si entraînante. Le rose de ses lèvres, l'éclat de ses joues! non, jamais je ne saurais l'oublier. La manière dont elle baisse les yeux s'est incrustée à fond dans mon cœur. Et cette robe courte qui laisse entrevoir ses pieds fugitifs! D'honneur, c'est à ravir les yeux et la pensée. (*Survient Méphistophélès.*) Il faut que tu me procures cette charmante jeune fille.

MÉPHISTOPHÉLÈS.

Laquelle?

FAUST.

Celle qui vient de passer à l'instant.

MÉPHISTOPHÉLÈS.

Celle-là? Bon! Elle vient de chez son prêtre, qui lui a donné à bon droit l'absolution; je m'étais glissé derrière le confessionnal. Mais c'est l'innocence même que cette enfant: je n'ai aucun pouvoir sur elle!

Faust insiste avec l'autorité et la véhémence de la passion qui veut être servie et non conseillée: «Quelque chose seulement d'elle, un fichu de son cou, une chose qui l'ait touchée!—Eh bien! dit Méphistophélès, je ferai plus: elle est maintenant sortie de sa demeure, je vais t'introduire dans sa chambre; là tu pourras tout seul te repaître dans l'atmosphère qu'elle habite en paix, atmosphère d'espérance et d'illusion.»

XXXII

La scène change; c'est le soir du même jour. Marguerite, rentrée, est seule dans sa chambre, tresse ses nattes de cheveux et les relève de ses mains enfantines autour de sa tête. Elle rêve à haute voix en se parant. «Je voudrais bien savoir, murmure-t-elle, quel était ce jeune seigneur d'aujourd'hui. Il est bien beau et il doit être de noble race; cela se lit sur son visage; autrement il n'aurait pas été si familier.» (*Elle sort de nouveau.*)

Méphistophélès et Faust paraissent sur le pas de la porte; c'est là une des plus charmantes scènes inventées par le génie divin ou satanique de l'amour, et dont on ne trouve de trace ni dans le drame antique ni dans le moderne. Shakspeare même dans son chef-d'œuvre, *Roméo et Juliette*, n'a pas cette délicieuse invention: la respiration de l'atmosphère aimée dans laquelle respire la personne qu'on aime! la visite au vide animé qui a contenu l'idole de ses yeux. Écoutez:

MÉPHISTOPHÉLÈS, *à Faust intimidé par ce sanctuaire.*

Entre tout doucement; allons! entre!

FAUST, *après un moment de silence.*

Je t'en supplie, laisse-moi tout seul.

MÉPHISTOPHÉLÈS, *furetant dans toute la chambre.*

Toute jeune fille n'a pas cette élégante propreté dans son pauvre asile.

FAUST, *parcourant la chambre d'un regard avide et enthousiasmé, sent son libertinage se changer en respect de l'innocence dans son cœur.*

Oh! salut, doux demi-jour qui règnes dans ce sanctuaire! Empare-toi de mon cœur, douce peine du désir d'amour qui vis altéré de la rosée de l'espérance! Comme tout respire ici la paix, l'ordre et le contentement! Dans cette pauvreté que de richesse! Dans ce réduit sombre, que de félicité! (*En s'approchant du fauteuil de famille.*)

Ô toi qui, dans leur joie ou dans leur douleur, as reçu les aïeux sur tes bras ouverts! combien de fois des groupes d'enfants, les mains tendues, ont dû se suspendre autour de ce trône patriarcal! Ici même, peut-être, ma bien-aimée, reconnaissante envers son divin Christ, enfant aux joues fraîches et saines, est venue pieusement baiser la main amaigrie de l'aïeul. Je sens, jeune fille, ton esprit d'ordre et d'économie murmurer autour de moi; cet esprit d'arrangement nature là ton sexe, qui te souffle comment on étend proprement le tapis sur la table cirée, comment on saupoudre le parquet de sable! Ô douce main, semblable à la main d'une créature céleste, tu fais de cet asile un paradis! (*L'aspect de cette chambre lui inspire des pensées délicieuses, mais toujours pures. Il ne se reconnaît plus; l'air saint qu'il respire le sanctifie à son insu.*) Quelle atmosphère surnaturelle m'enveloppe? Je venais ici pour précipiter par la violence le moment de la possession, et je me perds en songes de respectueux amour. Sommes-nous donc le jouet de chaque impression de l'air? Et si tout à coup elle venait à entrer, comme tu expierais vite l'audace d'avoir profané son asile! comme il serait petit devant toi, comme il rentrerait en terre sous tes pieds, le grand homme!

MÉPHISTOPHÉLÈS.

Vite! je l'aperçois en bas qui monte!

FAUST.

Éloignons-nous; je ne reviendrai jamais!

Mais, avant qu'il s'éloigne, Méphistophélès, habile à préparer de loin la séduction, présente une cassette à Faust.

MÉPHISTOPHÉLÈS.

Voici une cassette passablement lourde; je suis allé la prendre quelque part; glisse-la toujours dans cette armoire, et je te jure que la tête lui tournera. J'ai mis dedans bien des petites choses pour en gagner une autre. Tu sais, un enfant est enfant, un jeu est un jeu.

FAUST, *retenu maintenant par un scrupule, hésite.*

Je ne sais si je dois!...

Poussé par Méphistophélès, il finit par glisser la cassette dans l'armoire.— Ils s'évadent sans être vus.

XXXIII

Marguerite entre, sa lampe à la main. Elle est toute troublée; elle chante pour se rassurer la ballade du roi de *Thulé*, comme Desdémona chante la romance du *Saule*: le chant est un compagnon de l'âme peureuse. «J'étouffe ici!» dit-elle. Elle ouvre machinalement l'armoire pour serrer ses habits de fête; la cassette se rencontre sous sa main. Elle s'étonne, elle se demande comment cette cassette a été déposée là, elle l'ouvre en tremblant: les bijoux la frappent et l'éblouissent. «Je voudrais voir comment ce collier siérait à mon cou.»

Elle s'en pare et va se regarder au petit miroir.

—«Si seulement les boucles d'oreilles étaient à moi? Je suis tout autre ainsi. À quoi te sert donc la beauté, ô jeunesse? Personne ne fait attention à nous; tout va à l'or, tout dépend de l'or! Ah! pauvres, pauvres que nous sommes!...»

XXXIV

La toile tombe sur l'éblouissement et l'hésitation de la pauvre enfant. La toile se relève sur Faust et Méphistophélès qui causent ensemble.

—«Pensez donc, dit Méphistophélès avec humeur; la parure que je m'étais procurée pour *Gretchen*, un prêtre l'a escamotée.» La mère vient à découvrir la chose; aussitôt un frisson la prend, la pauvre femme. Elle a toujours son front plongé dans son livre de prières; elle flaire un à un tous les meubles pour s'assurer si l'objet est saint ou profane; elle sentit donc clairement que l'objet n'apportait pas grande bénédiction dans sa maison. «Mon enfant, s'écria-t-elle, bien mal acquis pèse sur l'âme et brûle le sang. Consacrons ceci à la Mère de Dieu, et la manne du ciel descendra sur nous.» La petite Marguerite fit un peu la moue. «Il ne peut être impie, dit-elle, celui qui a si galamment apporté cette cassette ici.» La mère fait venir un prêtre: il leur promet toutes les joies du paradis et les laisse tout édifiées.—«Et Gretchen? demande Faust.—«Elle est maintenant inquiète, agitée, ne sait ni ce qu'elle veut ni ce qu'elle doit, rêve nuit et jour aux bijoux, et bien plus à celui qui les a apportés!»—Faust supplie Méphistophélès de lui procurer un autre écrin plus riche pour remplacer celui que la mère de Gretchen a enlevé à sa bien-aimée.

XXXV

Le lieu change; on est dans la maison d'une voisine pauvre, à laquelle Marguerite vient raconter naïvement qu'elle a trouvé une seconde cassette pleine de merveilles dans son armoire.

—«Ne va pas le dire cette fois à ta mère,» lui recommande la voisine; «elle la porterait encore en présent à l'église.»

La voisine ajuste la parure au front, au cou, aux doigts de Marguerite.—«Quel dommage, dit la belle enfant, de ne pouvoir ainsi me montrer ni dans la rue ni dans l'église!—Viens me voir souvent, lui dit la voisine; là tu pourras t'en parer en cachette et te promener une petite heure devant le miroir.»

La scène est délicieuse d'enfantillage d'un côté, de bavardage de l'autre.

Méphistophélès l'interrompt en paraissant. Il semble frappé de respect à la vue de Marguerite étincelante de bijoux; il raconte à la voisine que son mari absent est mort à Padoue, laissant un trésor, et comment il peut lui amener un témoin de sa mort, le soir, dans son petit jardin derrière la maison, pourvu que la charmante Marguerite s'y trouve aussi à la nuit tombante. Il obtient ainsi par astuce une entrevue de Marguerite et de Faust. L'innocente jeune fille y consent par obligeance pour la voisine, sans prévoir le piége.

Faust, prévenu par Méphistophélès du rendez-vous promis, s'y rend avec son guide satanique. La scène dans le jardin de la veuve est une délicieuse pastorale de l'Éden, dont Méphistophélès, qui converse avec la veuve, est le serpent sous l'herbe.

XXXVI

Faust se plaint à Marguerite de sa triste condition de voyageur, qui le condamne à ne rien aimer de permanent; il touche de pitié le cœur naïf de la belle enfant.

MARGUERITE.

Oh! moi!.... songez à moi quelquefois un petit moment; j'aurai assez de temps pour me souvenir de vous!

FAUST.

Vous êtes donc beaucoup seule?

MARGUERITE.

Hélas! oui. Notre ménage est petit, encore faut-il s'en occuper; il faut faire le feu, préparer les aliments, balayer, tricoter et coudre, et courir ici et le soir et le matin. Cependant nous pourrions, ma mère et moi, nous donner moins de tracas; mon père a laissé en mourant un joli petit avoir, une maisonnette et un jardin hors de la ville. Mon frère est soldat; ma petite sœur est morte. La pauvre enfant m'a causé bien des peines; pourtant je ne regretterais pas de les reprendre pour elle: la pauvre enfant m'était si chère!

FAUST.

Un ange! si elle te ressemblait.

MARGUERITE.

C'était moi qui l'élevais, et elle m'aimait de tout son cœur. Elle était née après la mort de mon père; le chagrin avait tari le sein de ma mère; vous comprenez qu'elle ne pouvait penser à allaiter le pauvre petit vermisseau. Je l'élevai toute seule avec du lait et de l'eau, au point que c'était mon enfant; dans mes bras, sur mes genoux, elle me souriait, jouait, grandissait.

FAUST.

N'as-tu pas senti alors le bonheur le plus pur?

MARGUERITE.

Oh! oui! Mais il y avait aussi bien des heures pénibles: le berceau était placé la nuit auprès de mon lit; son moindre mouvement me réveillait; il fallait lui donner à boire, la coucher à côté de moi, et, si elle ne se taisait pas vite, se lever du lit et marcher pieds nus à travers la chambre en la berçant; ce qui n'empêchait pas, sitôt le jour venu, d'être au lavoir, au marché, et ainsi de suite, comme je serai demain. Dame! Monsieur, on n'a pas le cœur bien à l'aise, mais on en goûte mieux son repas et son repos.

Ce charmant babillage de jeune fille, qui paraît oiseux peut-être ici au lecteur, a un triple but caché dans l'esprit de l'auteur, qui prépare ainsi son pathétique dans le drame. D'abord il prouve l'innocente et naïve confiance de la jeune fille; puis il annonce au spectateur qu'elle a un frère chéri au service, frère dont la mort accidentelle sera bientôt un crime de son amour pour Faust; puis enfin cette tendresse pour sa petite sœur, qu'elle élève si maternellement au berceau, prépare un contraste terrible avec le crime de délire qui lui fera plus tard sacrifier à la fièvre le propre fruit de ses entrailles. Ce sont les trois coups de pinceau qui paraissent flotter au hasard sur la toile et qui sont trois merveilleuses combinaisons calculées du grand peintre de caractère et de situation!

Pendant cet entretien des deux amants, Méphistophélès s'entretient à l'écart avec la voisine. Il lui fait astucieusement entendre à demi mot que son cœur est tendre et libre, et qu'il pourrait bien, s'il l'osait, se présenter à elle pour finir son dur veuvage. La voisine va au-devant de ces galanteries de Méphistophélès, et sa ruse diabolique a un complice tout stylé dans la vanité de la voisine veuve, intéressée à la séduction de Marguerite pour mieux séduire elle-même le cœur de Méphistophélès. (*Ils passent.*)

Faust et la jeune fille passent à leur tour devant le spectateur en se promenant dans le jardin.

FAUST.

Ainsi tu m'as reconnu, petit ange, dès que j'ai mis le pied dans le jardin?

MARGUERITE.

Ne l'avez-vous pas vu? Je baissais les yeux.

FAUST.

Et tu me pardonnes la liberté que j'ai prise de t'aborder et de te parler l'autre jour, au moment où tu sortais de l'église?

MARGUERITE.

Je me sentais toute troublée; jamais rien de pareil ne m'était arrivé, et personne n'avait rien à dire sur mon compte. Ô mon Dieu! me disais-je, il faut qu'il ait trouvé dans ton air quelque chose de bien hardi et de bien immodeste pour se croire en droit d'aborder ainsi sans inconvenance une jeune fille! Je l'avouerai, cependant, je ne sais quoi s'est remué là (sur son cœur) pour vous. Toujours est-il que j'étais mécontente de moi de n'être pas assez indignée contre vous!

FAUST, *voulant la serrer contre son cœur.*

Chère âme!

MARGUERITE.

Laissez un peu! (*Elle cueille une marguerite du jardin et elle l'effeuille en rêvant.*)— Il m'aime!—Il ne m'aime pas!—Il m'aime! (*Elle jette un cri de joie.*)

FAUST.

Oui, céleste enfant; laisse la voix d'une fleur être pour nous l'oracle de Dieu! Il t'aime! Comprends-tu ce que ce mot veut dire: il t'aime!

(*Il lui prend les deux mains dans les siennes.*)

MARGUERITE.

Je me sens toute tressaillir.

FAUST, *avec un sincère et ardent enthousiasme.*

Oh! ne tremble pas! Que ce regard, que cette étreinte te disent l'inexprimable par les paroles! Se livrer sans réserve l'un à l'autre, s'enivrer d'une félicité qui doit être éternelle, oui, éternelle! car la fin d'un tel bonheur serait le désespoir! Oh! non, non! point de fin! point de fin!

Marguerite serre sa main, se dégage et s'échappe.

Méphistophélès et la veuve repassent en causant tout bas par l'allée du jardin rapprochée du spectateur.

MARTHE (c'est le nom de la voisine).

Voici la nuit.

MÉPHISTOPHÉLÈS.

Oui, nous nous retirons.

MARTHE.

Je vous engagerais bien à rester plus longtemps, mais on est si méchant ici! Et notre jeune couple?

MÉPHISTOPHÉLÈS.

Enfuis là-bas dans l'allée, les joyeux papillons!

MARTHE.

Il en paraît bien épris.

MÉPHISTOPHÉLÈS.

Et elle aussi éprise de lui; c'est le cours du monde.

Ils sortent du jardin. Pendant qu'ils s'éloignent, une scène de badinage amoureux, naïve et tendre, se laisse entrevoir et entendre dans un petit pavillon du fond du jardin entre les deux amants heureux de leurs aveux, affligés de leur séparation. C'est de l'*Albane* à côté d'un *Rembrandt*, la lumière et l'ombre.

XXXVII

La scène suivante se passe quelque temps après sur les plus hautes cimes du Tyrol. Faust, non rassasié, mais ennuyé de son bonheur, est allé se reposer de sa félicité dans la solitude et dans la contemplation extatique de la nature.

Méphistophélès l'y a suivi, comme le doute suit la foi, pour l'empêcher de s'enraciner dans l'âme pieuse.

Ici Goethe s'étend dans ses pensées aussi loin que l'espace et s'élève aussi haut que les étoiles. Sa vraie nature intellectuelle, son panthéisme véritablement indien, c'est-à-dire une divinisation vague de l'œuvre au lieu de l'ouvrier; une immersion les yeux fermés, à tout risque de l'âme, dans le sein de la nature matérielle et intellectuelle, éclatent dans les monologues de Faust comme dans son dialogue avec le génie du doute et du mal. Nous ne vous en donnerons ici que les principales éjaculations. Elles sont les plus beaux éclairs de paroles qui entr'ouvrent aux regards l'âme mystérieuse du grand poëte.

«Esprit sublime!» s'écrie-t-il en s'adressant à je ne sais quelle toute-puissance occulte, qui est peut-être la science, peut-être la foi, peut-être le génie infernal auquel il s'est donné pour disciple, «esprit sublime! tu m'as donné tout ce que je demandais. Ce n'est pas en vain que tu as tourné vers moi ton visage à travers le feu! Tu m'as donné la puissante nature pour royaume, la force de la sentir, la volupté d'en jouir! Tu fais passer en revue devant moi la foule de tout ce qui a vie; tu m'apprends à reconnaître mes frères dans le buisson silencieux, dans l'air, dans les eaux; et lorsque la tempête mugit et gronde dans la forêt, roulant les pins gigantesques, secouant avec fracas leurs branches et déracinant leurs souches; lorsque le bruit de leur chute fait retentir de coups sourds l'écho des montagnes, alors tu me conduis dans l'asile paisible des grottes, et les merveilles de ma propre conscience se révèlent par la réflexion à moi; et la lune pure et sereine monte à mes yeux, apaisant sous ses rayons toutes choses...

«Oh! combien je sens cependant que rien de parfait n'est la part de l'homme! Tu m'as imposé, au milieu de ces délices qui me confondent avec la Divinité, un compagnon dont je ne saurais déjà plus me passer. Froid et superbe, d'un souffle de sa parole il réduit tous tes dons à néant! Il nourrit dans ma poitrine une ardeur insatiable qui me pousse sans cesse vers cette douce image (Marguerite). Ainsi je vais, comme un homme ivre, des désirs à la jouissance, et dans la jouissance je regrette le désir!»

Méphistophélès le raille sur cet enthousiasme vide. «Tu appelles cela,» lui dit-il, «un plaisir surnaturel? S'étendre sur les montagnes dans la nuit et la rosée, embrasser dans ses extases le ciel et la terre, se gonfler jusqu'à se croire un dieu, creuser avec la perplexité du pressentiment la moelle de la terre, sentir se résumer dans sa poitrine l'œuvre entière des six jours, jouir je ne sais de quoi, et conclure l'extase sublime (en ricanant) je n'ose dire comment!»

—«Fi sur toi!» s'écrie avec dégoût Faust indigné de voir profaner par cette ironie Dieu, la nature, la pensée, l'amour.

MÉPHISTOPHÉLÈS.

Ta bien-aimée, en attendant, est dans la sombre ville, et tout lui pèse, tout la chagrine; elle t'aime au delà de sa puissance de sentir; le temps lui paraît lamentablement long; elle s'accoude à sa fenêtre, regarde passer les nuages au-dessus des vieux murs gris de la ville. *Que ne suis-je un petit oiseau?* Ainsi chante-t-elle en elle tout le long du jour, la moitié des nuits!

FAUST.

Serpent, vil serpent!

MÉPHISTOPHÉLÈS.

Peu m'importe, pourvu que je t'enlace.

FAUST.

Sors d'ici, misérable, et ne prononce pas le nom de l'angélique créature, et ne viens pas présenter à ma passion sainte un profane désir!

MÉPHISTOPHÉLÈS.

Qu'en résulterait-il? Elle croit que tu t'es enfui!

FAUST.

Non, je suis de cœur et d'esprit auprès d'elle; je ne puis jamais l'oublier, jamais la perdre. Oui, j'envie le corps du Seigneur quand ses lèvres pieuses y touchent!

MÉPHISTOPHÉLÈS.

Bravo! mon cher. Je vous ai souvent enviés, moi, couple de jumeaux couché parmi les roses!

Faust, qui se sent dominé et entraîné à perdre ce qu'il aime, s'invective lui-même et pleure sur sa victime. Méphistophélès rit et raille.

XXXVIII

La scène se transforme: on voit Marguerite seule dans sa petite chambre, filant au rouet; elle chante une complainte délicieuse et mélancolique sur son propre sort:

Adieu mes jours de paix!
Mon âme est navrée! etc.

Où il n'est pas,
Là est ma tombe! etc.

C'est lui qu'à ma fenêtre
Je cherche à l'horizon! etc.

Et son air noble!
Et sa parole pénétrante!
Et sa main qui presse la mienne!
Ô ciel! Et son baiser! etc.

Adieu mes jours de paix!
Mon âme est navrée! etc.

Après cette apparition et cette complainte mélancolique qui fait lire dans le cœur muet de Marguerite, la scène est transportée de nouveau au jardin de Marthe, la voisine veuve, entremetteuse des entrevues. Écoutez ce dialogue que Goethe a surpris mot à mot entre les lèvres de l'amant et l'oreille de l'amante. Qui ne l'a pas entendu une fois au moins dans sa vie? L'âme pieuse de la femme, être plus divin que nous dans ses aspirations, parce qu'il est moins distrait et plus sensible, s'y retrouve tout entière. Dans quel drame antique, dans quel drame français trouverez-vous une telle scène? Racine lui-même, qu'on appelle tendre, a-t-il soupiré ainsi dans *Esther*? Il y a aussi loin de ces tragédies d'apparat à cette tragédie de l'âme qu'il y a loin de la déclamation théâtrale au sang chaud qui crie en suintant de la blessure secrète du cœur.

MARGUERITE, FAUST, *seuls au jardin.*

MARGUERITE.

Promets-moi, Henri!

FAUST.

Tout ce qui est en ma puissance.

MARGUERITE.

Eh bien! dis-moi, comment te comportes-tu avec la religion? Tu es un bon, un excellent cœur; mais je crois que tu n'en as pas beaucoup.

FAUST.

Laissons cela, mon enfant! Tu sens ma tendresse envers toi; pour ceux que j'aime je donnerais mon sang et ma vie; je ne veux troubler personne dans ses sentiments et sa foi.

MARGUERITE.

Ce n'est pas tout; il faut y croire.

FAUST.

Faut-il?

MARGUERITE.

Ah! si je pouvais quelque chose sur toi! Tu ne respectes pas non plus les saints sacrements.

FAUST.

Je les respecte.

MARGUERITE.

Mais sans les désirer. Depuis longtemps tu n'es pas allé à la messe, à confesse. Crois-tu en Dieu?

FAUST.

Ma douce amie, qui oserait dire: Je crois en Dieu? Interroge les prêtres ou les sages, et leur réponse ne te semblera qu'une raillerie à l'adresse de celui qui leur aura fait cette question.

MARGUERITE.

Ainsi tu n'y crois pas?

FAUST.

Tu me mésentends, ô gracieux visage! Qui oserait nommer Dieu et faire cette profession: Je crois en lui? Quel être sentant pourrait prendre sur lui de dire: Je ne crois pas en lui? Celui qui contient tout, soutient tout, ne contient-il et ne soutient-il pas toi, moi, lui-même? La voûte du firmament ne s'arrondit-elle pas là-haut? Ici-bas, la terre ferme ne s'étend-elle pas? Et les étoiles éternelles ne se montrent-elles pas en nous regardant avec amour? Mon œil ne se plonge-t-il pas dans ton œil, et alors tout n'afflue-t-il pas vers ton cerveau et vers ton cœur? Tout ne flotte-t-il pas dans un éternel mystère, invisible, visible, autour de toi? Remplis-en ton cœur aussi grand qu'il est, et, quand tu nageras dans la plénitude de l'extase, nomme ce sentiment comme tu le voudras: nomme le bonheur! foi! amour! Dieu! je n'ai point de nom pour cela! Le sentiment est tout; le nom n'est que bruit et fumée, obscurcissant la céleste flamme.

MARGUERITE.

Tout cela est bel et bon; le prêtre dit bien à peu près la même chose, mais avec des mots un peu différents.

FAUST.

En tous lieux tous les cœurs que la clarté des cieux illumine parlent ainsi chacun dans sa langue; pourquoi ne le ferais-je pas, moi, dans la mienne?

MARGUERITE.

À l'entendre ainsi, la chose peut paraître raisonnable; cependant j'y trouve encore du louche, car tu n'as point de christianisme.

FAUST.

Chère enfant!

MARGUERITE.

Déjà depuis longtemps je souffre de te voir dans la compagnie....

FAUST.

Que veux-tu dire?

MARGUERITE.

Cet homme que tu as avec toi m'est, au fond de l'âme, odieux. Rien dans ma vie ne m'a enfoncé le trait plus avant que le repoussant visage de cet homme.

FAUST.

Chère mignonne, ne le crains pas.

MARGUERITE.

Son approche me tourne le sang. Je suis cependant bienveillante pour les autres hommes; mais autant je brûle du désir de te regarder, autant l'aspect de cet homme m'inspire une secrète horreur; et c'est ce qui fait que je le tiens pour un coquin! Dieu me pardonne si je lui fais injure!

FAUST.

Il faut bien qu'il y ait aussi de ces oiseaux-là.

MARGUERITE.

Je ne voudrais pas vivre avec son pareil. S'il se montre à la porte, il a toujours l'air si ricaneur et presque fâché. On voit qu'il ne prend aucune part à rien. Il porte écrit sur son front qu'il ne peut aimer personne. Je suis si bien dans tes bras, si libre, si à l'aise! et sa présence me serre le cœur.

FAUST.

Ange plein de pressentiments!

MARGUERITE.

Cela me domine à tel point que, dès qu'il s'approche de nous, je crois en vérité que je ne t'aime plus. Aussi, lorsqu'il est là, je ne saurais prier et j'ai le cœur rongé intérieurement. Il en doit être, Henri, de même pour toi.

FAUST.

C'est de l'antipathie!

MARGUERITE.

Il faut que je te quitte.

FAUST.

Ah! ne pourrai-je jamais passer tranquillement une heure sur ton sein, serrer mon cœur contre ton cœur et confondre mon âme dans la tienne!

MARGUERITE.

Encore si je dormais seule, je laisserais bien volontiers pour toi les verrous ouverts ce soir; mais ma mère a le sommeil léger, et, si elle nous surprenait, j'en mourrais sur la place.

FAUST.

Chère ange, sois sans inquiétude. Tiens! ce flacon: trois gouttes de ce breuvage suffiront pour que la nature s'endorme doucement en un sommeil profond.

MARGUERITE.

Que ne ferais-je point pour toi! J'espère qu'il ne lui en peut résulter aucun mal?

FAUST.

Autrement, cher amour, est-ce que je te le conseillerais?

MARGUERITE.

Quand je te vois, je ne sais quoi me force à vouloir tout ce que tu veux, et j'ai déjà tant fait pour toi qu'il ne me reste plus rien à faire.

(*Entre Méphistophélès.*)

MÉPHISTOPHÉLÈS.

La brebis est-elle partie?

FAUST.

Viens-tu encore d'espionner?

MÉPHISTOPHÉLÈS.

Non, mais j'ai tout saisi fort scrupuleusement. Maître docteur, on vous a fait la leçon, et j'espère que vous en profiterez. Les filles trouvent toutes leur compte à ce qu'on soit pieux et simple, à la vieille mode. «S'il cède sur ce point, pensent-elles, nous en aurons bon marché à notre tour.»

FAUST.

Monstre, ne vois-tu pas combien cette âme fidèle et sincère, toute remplie de sa foi, qui suffit à la rendre heureuse, souffre saintement de se sentir forcée à croire perdu l'homme qu'elle chérit entre tous?

MÉPHISTOPHÉLÈS.

Amoureux insensé et sensible, une petite fille te mène par le nez!

FAUST.

Grotesque ébauche de boue et de feu!

MÉPHISTOPHÉLÈS.

Et la physionomie, comme elle s'y entend à ravir! En ma présence elle se sent toute je ne sais comment; mon masque lui révèle un esprit caché; elle sent, à n'en pas douter, que je suis un génie, peut-être bien aussi le diable. Eh! eh! cette nuit...

FAUST.

Que t'importe?

MÉPHISTOPHÉLÈS.

C'est que j'en ai aussi ma part de joie.

XXXIX

Après cette scène, où l'on pressent deux crimes involontaires dans une imprudence soufflée aux deux amants par le génie qui corrompt tout, jusqu'à l'amour, beaucoup de mois se passent sans qu'on sache ce qui est advenu de Marguerite et de Faust. Une scène biblique d'une simplicité patriarcale ou helvétique révèle au spectateur le fatal secret de la séduction accomplie de Marguerite: la pauvre coupable porte dans son sein une accusation cachée de sa faute.

Voici la scène.

Marguerite est allée, sa cruche à la main, chercher l'eau du ménage à la fontaine; elle y rencontre une jeune fille du voisinage, jaseuse et médisante comme les commères désœuvrées des petites villes. On va voir comment un simple accident de conversation plonge le poignard jusqu'au sang dans le sein de la pauvre séduite.

Le théâtre représente un puits dans une rue déserte. Marguerite, sa cruche posée sur la margelle du puits, la tête basse et les deux mains croisées avec langueur sur sa robe, cause avec Lieichen, jeune fille à la langue affilée.

LIEICHEN, *à Marguerite.*

N'as-tu rien entendu dire de la petite Barbe?

MARGUERITE.

Pas un mot; je vois si peu de monde!

Lieichen alors raconte à Marguerite la chute enfin ébruitée de la petite Barbe, abandonnée par son séducteur, qui s'est enfui sans l'épouser, après avoir abusé de sa tendresse. Marguerite l'écoute les yeux baissés, la rougeur sur les joues, comme si la honte de Barbe était déjà sur son propre front. Elle revient atterrée à la maison, rentre dans sa chambre et arrose machinalement un pot de fleurs placé pieusement par elle devant une image de la sainte Vierge dans une niche au-dessus de son lit.

> Oh! daigne, ô toi dont le cœur a saigné,
> Incliner ton front vers ma douleur! etc.

Ce *Stabat Mater dolorosa* en vers naïfs, dont le contre-coup frappe à chaque verset le cœur de la pauvre fille, produit ici une déchirante impression dans la bouche de cette enfant qui sera bientôt mère d'un fils repoussé par le monde!

> Autrefois, à l'aube naissante,
> En allant cueillir ces bouquets,
> J'arrosais de mes pleurs de déité
> Les pots de fleurs sur ma fenêtre!
> Et maintenant le premier rayon du soleil
> M'a surprise encore éveillée,
> Assise sur mon séant
> Dans ma couche de tristesse!

XL

La scène est transportée dans la rue, la nuit, sous la fenêtre de Marguerite. Un soldat, à demi ivre de douleur plus que de vin, revient de l'armée; il a appris en approchant de la ville la honte de sa sœur chérie, qu'il célébrait partout comme la gloire et la beauté de la famille. Il a noyé son humiliation et sa douleur dans quelques verres de vin; il vient à tâtons chercher le seuil de son enfance et s'assurer si sa sœur n'a pas été calomniée par la malignité des voisins.

En s'approchant de la maison il chante en s'accompagnant d'une mandoline quelques couplets grivois sur les filles qui se laissent séduire. Faust et Méphistophélès se rencontrent au même instant dans la rue, rapportant un écrin plein de bijoux des montagnes à Marguerite. Une querelle s'engage entre le soldat et le séducteur. Le soldat tombe frappé à mort sur le seuil de la maison par l'épée de Faust. Méphistophélès et Faust s'évadent; le peuple s'attroupe. Marguerite descend cependant pour recevoir le dernier soupir de son frère adoré; il la reconnaît avec horreur, l'appelle des noms les plus infâmes en présence de toute la ville, et meurt intrépide en la maudissant.

Arrêtons-nous là pour aujourd'hui, là où le pathétique commence, et réservons pour le prochain entretien les développements d'un drame qui se joue dans l'âme plus encore que sur la scène, et dont on ne peut omettre un détail, parce que chaque détail est un coup de sympathie mille fois plus acéré qu'un coup de poignard.

Il y a assez à réfléchir et à admirer sur cette première moitié de l'œuvre du poëte, qui, en créant Faust et Marguerite, a créé non plus la tragédie des cours, des dieux ou des rois, mais la véritable tragédie du cœur humain!

Lamartine.

(*La suite au mois prochain.*)

XXXIXe ENTRETIEN.

LITTÉRATURE DRAMATIQUE DE L'ALLEMAGNE.
LE DRAME DE FAUST
PAR GOETHE.
(2e PARTIE.)

I

Nous avons interrompu le dernier entretien au moment où l'expiation de l'amour commence pour le cœur de l'infortunée Marguerite, déjà trois fois involontairement coupable, mais restée toujours intéressante comme une victime tombée au piége de l'esprit infernal de Méphistophélès: une fois coupable de faiblesse contre l'amour surnaturel que lui inspirait Faust; une autre fois coupable d'avoir endormi sa mère du sommeil éternel en ne croyant lui donner qu'une goutte de pavot pour assoupir sa surveillance; une troisième fois coupable accidentellement du meurtre de son frère chéri par son amant, par suite de la mauvaise renommée que sa liaison fatale avec un séducteur étranger avait portée jusqu'aux oreilles de ce brave soldat, son frère.

Entrons à fond maintenant dans la pathétique horreur de ce drame, et voyons comment le poëte allemand, qui a joué jusqu'ici avec la riante et naïve imagination, va torturer de la même main les fibres les plus sanglantes du cœur! Théocrite devient Sophocle au besoin; mais nous nous trompons, ni Théocrite n'a de telles puretés virginales au commencement, ni Sophocle n'a de telles mélancolies à la fin. Goethe est Goethe: ne le rabaissons pas ici en le comparant. L'Allemagne lui doit de n'avoir rien à envier à la Grèce ou à Rome. Cet homme olympique montait de la terre au ciel et descendait du ciel à la terre avec la souplesse et la prestance d'un demi-dieu. D'une main il portait le monde antique, de l'autre le monde chrétien. Assistons à la dernière partie de son œuvre, et laissons son divin génie le louer mieux que nous.

II

Quelque temps sans doute après le meurtre de son frère, dont le dernier soupir a été une malédiction, la pauvre Marguerite, déshonorée, mais toujours pieuse, éprouve le besoin de prier, brebis égarée et souillée, au milieu du troupeau du peuple. La scène représente la cathédrale de la petite ville, pendant une solennité à l'église. Belle, humble, inclinée vers le pavé du temple, loin derrière la foule de ses compagnes, elle prie à voix basse. On voit derrière elle l'esprit méphitique et implacable de Méphistophélès, qui, jaloux de ce moment d'oubli et de paix, souffle à la dévote enfant ces infernales inspirations, ces hontes homicides plus fortes que la nature.

«Pauvre Marguerite, lui murmure-t-il à voix basse et en vers mordants comme une poésie corrosive du cœur, où est-il le temps où, l'âme encore parfumée d'innocence, tu osais t'approcher de l'autel? lorsque, dans ce missel aujourd'hui accusateur, tu balbutiais, toute petite, d'une voix tremblante, quelque sainte oraison? Les joies de l'enfance et les joies de Dieu dans un même cœur!

(Une voix tonnante, quoique sourde comme un remords, se fait entendre.)

> Marguerite! Marguerite!
> Où donc la tête? où donc le cœur?
> Viens-tu prier ici pour l'âme de ta mère,
> Que ta faute a mise au cercueil?
> Et quel est ce sang sur le seuil de ta porte?
> Et là, là, plus bas que ton cœur,
> Ne sens-tu pas déjà dans ton sein
> Remuer quelque chose qui en s'agitant
> T'agite aussi toi-même? Fatal pressentiment!

«Hélas! hélas! soupire la pauvre jeune fille, que ne suis-je délivrée des horribles pensées qui m'obsèdent et qui de toutes parts s'élèvent contre moi!»

Le chœur des chantres de la cathédrale, accompagné du mugissement des orgues, entonne le premier verset du chœur du sépulcre:

> *Dies iræ, dies illa,*
> *Solvet sectum in favilla!*

L'infortunée Marguerite prend cet écho du jugement dernier pour l'arrêt de son jugement personnel.

Méphistophélès, agenouillé derrière elle, murmure lui-même à son oreille des menaces directes en vers de la même mesure.

> La colère du Ciel fond sur moi;
> Les trompettes retentissent,
> Les sépulcres se meuvent,
> Et ton cœur, comme un mort dans son cercueil,
> Tressaille dans ton sein.

> MARGUERITE, *épouvantée.*

Oh! que ne fuis-je d'ici?
Cet orgue m'étouffe et me déchire,
Ce chant m'écrase le cœur
Dans le creux secret de mon sein.

Le chœur des orgues, des chantres et des enfants de chœur, chante le verset suivant, qui annonce aux coupables que rien ne restera sans éclater et sans vengeance au dernier jugement.

Ciel! ô ciel! s'écrie Marguerite,
Tout s'écroule sur moi.
Je suis dans un cercle de fer;
La voûte de l'église s'abîme!
De l'air! de l'air! de l'air!

MÉPHISTOPHÉLÈS, *à voix basse.*

Cache-toi!—Le péché, la honte, la faute ne peuvent se couvrir d'un voile éternel!

MARGUERITE, *presque folle.*

Oh! de l'air! de l'air! de la lumière! Malheur à moi!

Le chœur redouble, par un troisième verset, sa terreur; Méphistophélès y ajoute par les menaces infernales qu'il murmure à son oreille; il épouvante sa victime jusqu'au désespoir, cette impénitente finale de ceux qui ne croient plus être pardonnés.

«Oh! voisine, voisine!» s'écrie-t-elle, «un flacon à respirer ou je tombe!»

Elle tombe en effet, évanouie, sur les dalles de l'église.

La toile s'abaisse, au moment de sa chute, sur cette scène, une des plus fantastiques et des plus contondantes que le génie du drame ait jamais conçues.

III

L'acte qui suit est une puérilité savante et poétique intercalée hors de propos par le poëte comme un ballet infernal et vertigineux dans le drame humain.

Méphistophélès soulève un des coins du voile de la nature; il met Faust en communication avec les sorciers, les monstres, les feux follets, les esprits secondaires qui peuplent, invisibles, tous les éléments, et il leur fait chanter des rondes bizarres et sataniques sur les vanités et sur les misères de l'humanité. C'est une superbe débauche d'imagination, de philosophie et de poésie; mais c'est une débauche. Elle interrompt le récit, elle glace le cœur, et elle n'amuse pas l'esprit: temps et talent perdus dans les espaces imaginaires.

Revenons au drame humain.

IV

Il se rouvre dans une vaste plaine sans horizon, sous un ciel gris comme le soir d'automne d'un jour qui va bientôt rentrer dans l'éternité mystérieuse. Méphistophélès cause avec Faust. Le visage décomposé de Faust contraste avec le sourire mal déguisé, mais triomphant, du génie du mal.

FAUST.

Dans le dénûment! elle! dans le désespoir! misérable sur la terre! un moment insensée et maintenant en prison! L'infortunée! la douce créature! en être tombée là! là!

(Se tournant vers Méphistophélès.)

Esprit de trahison, esprit de néant! tu me l'as caché... En prison!... en prison! elle! dans une irréparable honte! abandonnée au jugement humain qui juge et qui n'a point d'âme!... Et pendant ce temps tu m'éloignais, tu me retenais par d'insipides distractions, tu me dérobais son angoisse croissante, et tu la laissais périr sans secours!

MÉPHISTOPHÉLÈS, *froidement.*

Est-elle donc la première?

FAUST.

Chien! exécrable monstre! que ne reprends-tu ta forme de ver de terre pour que je puisse t'écraser du pied! etc., etc.

MÉPHISTOPHÉLÈS.

Qui donc l'a poussée dans l'abîme, moi ou toi?

(Faust l'accable de mépris et d'imprécations.)

MÉPHISTOPHÉLÈS, *en ricanant.*

De quoi te plains-tu? Tu veux voler et tu n'es pas prémuni contre le vertige! As-tu fini?

FAUST.

Sauve-la, ou malheur à toi!... La plus affreuse imprécation sur toi pendant des milliers d'années!

MÉPHISTOPHÉLÈS.

Sauve-la!...—Le puis-je? Encore une fois, qui donc l'a poussée dans cette prison, moi ou toi?

FAUST.

Conduis-moi où elle est; il faut que je la délivre.

MÉPHISTOPHÉLÈS.

Penses-y bien! Pense qu'un meurtre commis par ta main sur ce brave soldat, son frère, est encore là tout présent à l'esprit de la ville où son cadavre est tombé sous tes coups, et, au-dessus de la place où son sang a coulé, plane la vengeance publique qui attend son assassin!

FAUST, *en l'injuriant avec plus de colère.*

Conduis-moi où elle est, te dis-je; il faut qu'elle soit libre!

MÉPHISTOPHÉLÈS.

Cela, je le puis. Je peux assoupir les sens du geôlier; empare-toi de la clef de la prison pendant sa léthargie. Entraîne-la de ta main seule dehors! Je veille, les chevaux sont prêts, je vous enlève! Cela, je le puis.

FAUST.

Promptement, et partons!

MÉPHISTOPHÉLÈS.

Allons! En avant! en avant!

Ils disparaissent et rencontrent en courant dans la nuit vers la ville une horde de sorciers qui s'agitent autour d'un gibet dressé dans l'ombre.

Passons sur ces sorcelleries déplacées dans le sérieux d'un tel drame.

V

Ici la scène est dans le cachot de Marguerite; nous la mutilerions en l'abrégeant. C'est une de ces scènes où l'imagination et le cœur de l'homme ont recréé la nature dans tout son honneur et dans toute sa pitié.—Lisez!

FAUST, *avec un trousseau de clefs et une lampe, devant une petite porte de fer.*

Je suis pénétré d'une épouvante désaccoutumée dès longtemps, pénétré du sentiment de toutes les calamités humaines. C'est ici qu'elle habite, derrière cette muraille humide; et son crime fut une douce illusion! Tu trembles d'aller à elle! tu crains de la revoir! Avance! ton irrésolution hâte sa mort. (*Ouvrant la porte.*) Elle ne se doute pas que son amant épie, qu'il entend gronder les chaînes, la paille qui frémit.

MARGUERITE, *sur son grabat, s'efforçant de se cacher.*

Ah! ah! ils viennent! Affreuse mort!

FAUST, *bas.*

Chut! chut! je viens te délivrer!

MARGUERITE, *se traînant jusqu'à lui.*

Si tu es un homme, alors compatis à ma misère.

FAUST.

Tes cris vont éveiller les gardiens qui dorment!

(*Il saisit les chaînes pour les détacher.*)

MARGUERITE, *à genoux.*

Qui t'a donné, bourreau, cette puissance sur moi? Tu viens déjà me chercher, à minuit! Aie pitié, et laisse-moi vivre. Demain, au point du jour, n'est-ce pas assez tôt? (*Elle se lève.*) Je suis pourtant encore si jeune, si jeune! et déjà mourir! J'étais belle aussi, et ce fut ma perte. Le bien-aimé était près de moi; maintenant il est loin; ma couronne est arrachée, les fleurs dispersées. Ne me saisis pas si violemment! Épargne-moi! Que t'ai-je fait? Ne me laisse pas implorer en vain: je ne t'ai jamais vu de ma vie.

FAUST.

Comment résister à tant de douleur?

MARGUERITE.

Je suis maintenant tout entière en ta puissance. Laisse seulement que j'allaite mon enfant. Je l'ai bercé sur mon cœur toute cette nuit; ils me l'ont pris pour me tourmenter, et ils disent maintenant que je l'ai tué! Jamais plus je ne serai joyeuse. Ils chantent des chansons sur moi: c'est méchant de leur part. Un vieux conte finit ainsi; mais qui leur a dit d'y faire allusion?

FAUST, *se jetant à ses pieds.*

Un amant est à tes genoux; il vient ouvrir la porte à ta captivité lamentable.

MARGUERITE, *faisant de même.*

Oui, oui, à genoux pour invoquer les saints! Vois sous ces marches, sous le seuil, l'enfer bout; le malin, avec des grincements terribles, mène un train!

FAUST, *à voix haute.*

Gretchen! Gretchen!

MARGUERITE, *d'un air attentif.*

C'était la voix du bien-aimé. (*Elle bondit. Les chaînes tombent.*) Où est-il? Je l'ai entendu appeler. Je suis libre! Personne ne me retiendra! Je veux voler à son cou, me reposer sur son sein. Il a appelé Gretchen; il se tenait sur le pas de la porte. Au milieu des hurlements horribles et du fracas de l'enfer, au milieu des éclats de rire des démons, j'ai reconnu sa voix si douce, si aimante.

FAUST.

C'est moi!

MARGUERITE.

C'est toi! Oh! dis-le encore. (*Elle le saisit.*) Lui! lui! Où sont toutes les tortures? où sont les angoisses des cachots, des fers? C'est toi! tu viens me sauver! Je suis sauvée! Oui, voilà bien la rue où je te vis pour la première fois, et le jardin charmant où Marthe et moi nous t'attendions.

FAUST, *l'entraînant.*

Suis-moi! Viens!

MARGUERITE.

Oh! reste! J'aime tant à rester où tu es! (*Elle le caresse.*)

FAUST.

Hâte-toi! Si tu ne te hâtes pas, nous le payerons cher.

MARGUERITE.

Hé quoi! tu ne peux plus m'embrasser? Mon ami, éloigné de moi si peu de temps, et tu as désappris à m'embrasser! D'où me viennent ces angoisses dans tes bras, lorsque, autrefois, tes paroles, tes regards me mettaient tout un ciel dans l'âme et que tu m'embrassais à m'étouffer! Embrasse-moi, autrement je t'embrasse. (*Elle se pend à son cou.*) Oh! Dieu! tes lèvres sont froides; elles sont muettes. Où ton amour est-il resté? Qui me l'a ravi? (*Elle se détourne de lui.*)

FAUST.

Viens, suis-moi, douce amie, prends courage! Je t'aime d'une ardeur infinie! Suis-moi seulement; je ne demande que ça.

MARGUERITE, *les yeux attachés sur lui.*

Est-ce donc bien toi? en es-tu bien sûr?

FAUST.

Oh! oui; mais viens!

MARGUERITE.

Tu brises mes chaînes, tu me reprends dans ton sein! D'où vient que tu n'as pas horreur de moi? et sais-tu, mon ami, qui tu délivres?

FAUST.

Viens, viens! déjà la nuit se fait moins sombre.

MARGUERITE.

J'ai tué ma mère; mon enfant, je l'ai noyé: ne t'était-il pas donné à toi comme à moi? Oui, à toi. C'est toi! je le crois à peine. Donne ta main! Ce n'est pas un songe! Ta main chérie! Ah! mais elle est humide; essuie-la. Il me semble qu'il y a du sang après. Ah! Dieu! qu'as-tu fait? Rengaine cette épée, je t'en conjure.

FAUST.

Ce qui est fait est fait, n'y pensons plus. Veux-tu donc que je meure?

MARGUERITE.

Non; il faut que tu vives, toi! Je veux te nommer les tombes dont je te recommande le soin dès demain. Tu donneras la meilleure à ma mère; mon frère tout auprès d'elle; moi un peu de côté, seulement pas trop loin, et le petit sur mon sein droit. Personne autre ne voudra reposer près de moi. Me serrer à ton côté, c'était un doux, un charmant bonheur, mais je ne le ressentirai plus; il me semble que j'ai besoin de me faire violence pour aller à toi, que tu me repousses loin de toi. Cependant c'est toi, et tu me regardes avec tant de douceur, de tendresse!

FAUST.

Si tu sens que c'est moi, viens donc!

MARGUERITE.

Par là?

FAUST.

À la liberté!

MARGUERITE.

Dehors, c'est le tombeau; la mort guette. Allons! viens d'ici dans le lit de repos éternel, et pas un pas de plus. Tu pars maintenant, Henri? Si je pouvais t'accompagner!

FAUST.

Tu peux; ah! veuille seulement! La porte est ouverte.

MARGUERITE.

Je n'ose sortir. Pour moi il n'y a rien à espérer. Que sert de fuir? Ils sont à nos trousses. C'est si misérable d'être réduit à mendier, et encore avec une mauvaise conscience! si misérable d'errer à l'étranger! Et d'ailleurs je ne leur échapperai pas.

FAUST.

Je reste auprès de toi.

MARGUERITE.

Vite! vite! sauve ton pauvre enfant! Va, suis le chemin le long du ruisseau, au delà du petit pont, dans le bois, à gauche, à l'endroit de la planche, dans l'étang. Prends-le vite! Il cherche à sortir de l'eau; il se débat encore. Sauve! sauve!

FAUST.

Reviens à toi! Un seul pas, et tu es libre.

MARGUERITE.

Si nous avions seulement passé la montagne! Là ma mère est assise sur une pierre. Le froid me saisit à la nuque... Là ma mère est assise sur une pierre et branle la tête; elle ne hoche plus, elle ne cligne plus; la tête lui est lourde; elle a dormi si longtemps! Elle ne veille plus. Elle dormait à souhait pour nos plaisirs. C'étaient d'heureux temps!

FAUST.

Puisque ni mes paroles ni mes instances ne peuvent rien, il faut que je t'emporte d'ici!

MARGUERITE.

Laisse-moi; non, pas de violence! Ne me saisis pas si brutalement! Autrefois n'ai-je pas tout fait pour toi par amour?

FAUST.

Le jour commence à poindre! Ma mie, ma bien-aimée!

MARGUERITE.

Le jour! oui, il fait jour! Le dernier jour pénètre ici! Ce devait être mon jour de noces! Ne dis à personne que tu as été déjà auprès de Gretchen. Oh! ma couronne, c'en est fait! Nous nous reverrons, mais pas à la danse. La foule se presse, on ne l'entend pas. La place, les rues ne la peuvent contenir. La cloche appelle, la baguette est rompue! Comme ils me garrottent et me saisissent! Me voilà déjà enlevée vers l'échafaud. Déjà palpite sur le cou de chacun le tranchant du couteau qui palpite au-dessus du mien. Le monde est muet comme la tombe.

FAUST.

Oh! pourquoi suis-je né?

MÉPHISTOPHÉLÈS, *paraissant à la porte.*

Alerte! ou vous êtes perdus! Désespoir inutile, irrésolution et bavardage! Mes chevaux frémissent! L'aube blanchit l'horizon.

MARGUERITE.

Qu'est-ce qui s'élève de terre? Lui! lui! Chasse-le! Que veut-il dans le saint lieu? Il me veut!

FAUST.

Il faut que tu vives!

MARGUERITE.

Justice de Dieu, je m'abandonne à toi!

MÉPHISTOPHÉLÈS, *à Faust.*

Viens! viens! ou je te plante là avec elle.

MARGUERITE.

Je suis à toi, Père, sauve-moi! Vous, anges, saintes armées, déployez vos bataillons pour me protéger! Henri, tu me fais horreur!

MÉPHISTOPHÉLÈS.

Elle est jugée!

VOIX D'EN HAUT.

Elle est sauvée!

MÉPHISTOPHÉLÈS, *à Faust.*

Viens à moi! (*Il disparaît avec Faust.*)

VOIX DU FOND, *s'affaiblissant.*

Henri! Henri!

VI

Une telle œuvre était plus qu'un homme; c'était tout à la fois l'épopée, le drame, la raison et le surnaturel de l'esprit et du cœur humain. Goethe ne la laissa transpirer que page à page de son portefeuille poétique. Les premières communications qu'il en fit aux grands esprits dont l'Allemagne était si riche alors arrachèrent un cri d'admiration même à ses rivaux, s'il pouvait en avoir.

Je lis dans une des premières lettres de *Schiller*, qui devint plus tard l'ami de Goethe, ce mot qui exprime son impression à l'aspect d'un seul fragment de cette œuvre: «Je désire passionnément lire ce qui n'est pas encore publié de *Faust*, car je vous confesse que ce que j'en ai vu est pour moi le torse d'Hercule.»

Schiller n'avait lu encore, selon toute apparence, que les grandes contemplations métaphysiques de Faust et de Méphistophélès dans les montagnes; s'il avait lu les scènes pastorales, naïves, déchirantes, de la séduction de Marguerite et de ses amours à la fenêtre devant la lune, Schiller aurait ajouté au torse d'Hercule le torse de Vénus. La comparaison était caractéristique; car, après Phidias, aussi divin dans l'expression de la force que dans l'expression de la grâce, il n'y avait eu que Goethe pour créer de la même main, du même ciseau et du même bloc, Faust et Marguerite!

VII

Goethe, par la haute sérénité de son caractère, n'était nullement pressé de jouir. Après avoir terminé *Faust* dans la paisible solitude de son séjour à Rome et en avoir envoyé seulement quelques fragments à ses amis d'Allemagne, il revint à la pure épopée, son premier amour poétique. On peut remarquer, dans ses Mémoires et dans ses correspondances, qu'Homère était à ses yeux le premier et le dernier mot du génie humain, la Bible de l'histoire et de l'imagination. Nous partageons entièrement cette opinion de Goethe sur Homère; il nous paraît non pas plus grand, mais aussi grand que nature, c'est-à-dire un demi-dieu.

On voit dans ces épanchements confidentiels de Goethe qu'il était ramené sans cesse vers les peintures de la vie domestique, si simplement et cependant si poétiquement décrites et chantées dans l'*Odyssée*. L'épisode de *Nausicaa* l'obsède visiblement; il y revient malgré lui dans beaucoup de ses notes de voyage; il rêve de reproduire cette idylle épique dans sa langue moderne et en appliquant aux mœurs bourgeoises de son pays allemand les chastes couleurs de la poésie homérique. C'était un rêve de génie. Ce qui dépopularisait, en effet, la poésie épique dans nos siècles nouveaux, c'était l'absence de réalité dans l'épopée. Des dieux auxquels on a cessé de croire, des héros dont les exploits et les amours sont des fables, des mœurs dont les descriptions nous semblent des inventions étranges du poëte au lieu du portrait ressemblant de la civilisation que nous avons sous les yeux, tout cela intéresse peu le vulgaire des lecteurs; le savant seul s'y plaît, mais la foule se détourne et court aux légendes et aux complaintes des chanteurs de rues; de là un triste abaissement du niveau de l'imagination du peuple. Il est privé de poésie parce que les poëtes lettrés lui chantent des choses au-dessus de sa portée et parce que ses poëtes populaires lui chantent des platitudes ou des cynismes. Cette lacune dans la poésie populaire avait vivement frappé le grand esprit à la fois métaphysique et réaliste de Goethe, comme elle nous frappa vivement nous-même, il y a quelques années, quand nous écrivîmes le poëme domestique et familier de *Jocelyn*. Nous eûmes, sans nous être entendus, et à la différence près du talent, la même pensée née du même temps: faire descendre la poésie des nuages, et l'introduire comme un hôte de tous les jours et de toutes les conditions au foyer domestique de famille, chez le savant comme chez l'ignorant, chez le riche comme chez le pauvre; changer en pain quotidien de toutes les âmes pensantes ou aimantes cette ambroisie poétique jusque-là réservée aux dieux de ce monde.

VIII
HERMAN ET DOROTHÉE.

Goethe ébaucha à Rome la première conception de ce poëme bourgeois, de cette idylle de la petite ville allemande, dans le poëme d'*Herman et Dorothée*, un de ses plus délicieux ouvrages. Il ne le termina que plus tard, et il ajouta alors les principaux détails pathétiques empruntés à l'émigration française des bords du Rhin; ces scènes de déroute dont il avait été témoin pendant la retraite des Prussiens devant Dumouriez, en 1792, avaient fait sur son esprit une forte impression de pitié qu'il reproduisit dans son poëme.

IX

Rien n'est plus simple que le plan de ce poëme épique. Comme tout ce qui est réellement beau, le drame ne comporte aucun artifice de composition. C'est la nature bien peinte, le cœur humain bien compris, la poésie, c'est-à-dire la beauté latente de la vie domestique bien chantée. Cela n'a point pour but d'étonner, mais de charmer et surtout d'édifier l'âme par la reproduction émue des plus doux et des meilleurs sentiments de famille. Qu'il y a loin de là à *Werther*! Il y a aussi loin que du bon sens au délire, que de la maladie mentale à la santé du cœur et de l'esprit.

Lisons ensemble quelques scènes de ce tableau aussi homérique par la forme qu'il est flamand ou allemand par le fond.

Écoutez!

X

L'hôtelier du *Lion d'or*, dans une petite ville d'Allemagne, cause avec sa femme, assis sur un banc de bois au seuil de son auberge. La rue est déserte; la ville entière s'est portée en masse hors des murs, au-devant d'une colonne fugitive d'émigrés des bords du Rhin, qui se sauvent avec leurs femmes, leurs enfants, leurs vieillards, leurs malades, leurs troupeaux, leurs meubles, devant l'armée envahissante des Français. Le fils unique de l'aubergiste, Herman lui-même, a attelé ses beaux chevaux favoris au chariot de poste de son père, et il est allé porter des vivres, des couvertures, des vêtements, à ces infortunés surpris par l'irruption dans la nuit.

«Je ne donne pas volontiers mon vieux linge,» dit la femme de ménage au mari économe, «car on a mainte occasion de l'employer utilement, et, quand on en a besoin, on n'en trouve pas à prix d'argent; mais aujourd'hui j'ai rassemblé avec plaisir ce que j'avais de meilleur en fait de chemises et de couvertures, car j'ai entendu dire qu'il y avait dans cette foule des enfants et des vieillards demi-nus. Et, dis-moi, veux-tu me pardonner? j'ai aussi mis à contribution ton armoire: j'ai pris ta belle robe de chambre en fine cotonnade, cette indienne à fleurs si chaudement doublée de flanelle; je l'ai donnée; mais tu sais qu'elle est vieille et tout à fait hors de mode.»

L'hôte regrette sa vieille robe de chambre, mais il pardonne en pensant au bien-être des infirmes qui s'envelopperont de sa dépouille.

L'heure du soir allonge l'ombre des maisons sur la rue; la foule rentre escortant la colonne fugitive.

«Regarde, dit l'hôtesse, voici déjà les curieux qui rentrent après avoir vu les pauvres émigrés. Probablement tout a traversé la ville maintenant. Vois comme leurs souliers sont couverts de poussière, comme ils ont le visage enflammé; chacun a son mouchoir à la main, pour essuyer la sueur de son front. Je ne voudrais pas m'en aller ainsi, par la chaleur d'un pareil jour, courir après un si navrant spectacle; c'est bien assez d'entendre le récit qu'on nous en fera.

«Oui, répond l'aubergiste-cultivateur, c'est là un temps de moisson comme nous en avons rarement; nous avons déjà rentré le foin bien séché dans le fenil, et nous rentrerons de même le blé dans la grange. Le ciel est clair, on n'y distingue pas le plus léger nuage, et depuis le matin il s'est levé un vent frais et agréable. Voilà un temps frais qui durera. Le blé est mur; demain on commencera à faucher la riche moisson!»

Pendant que l'hôte et l'hôtesse s'entretiennent ainsi, on voit rentrer, dans une élégante calèche fabriquée à Landau, le riche marchand, avec ses filles, qui habite la maison nouvellement restaurée à neuf en face de l'hôtellerie, de l'autre côté de la place. «Voici, dit de nouveau la bonne hôtesse, voici le pasteur et notre voisin le pharmacien! Ils vont nous dire ce qu'ils ont vu là-bas.»

Le pasteur et le pharmacien entrent; ils s'attablent autour d'un pot à bière écumant dans l'arrière-salle de l'auberge. Ils causent, chacun selon son caractère, de l'événement de la journée.

Le pharmacien décrit en termes pathétiques le douloureux convoi. «Rien ne ressemble à ce spectacle, dit-il, si ce n'est le jour funèbre où l'incendie dévora notre pauvre petite ville, il y a vingt ans.»

Le pasteur, jeune et modeste ecclésiastique, l'honneur de la ville, recommande à ses amis la confiance en Dieu et la charité.

Un bruit de fer des chevaux qui font retentir le pavé sous la voûte de l'auberge interrompt l'entretien et lui fait prendre un autre tour. Le second chant commence.

XI

C'est le chariot d'Herman, le fils de l'aubergiste, qui revient à vide de sa course au-devant des proscrits.

Le jeune homme, ordinairement si réservé et recueilli en lui-même, entre tout rayonnant d'une splendeur intérieure dans la salle. Le pasteur s'en aperçoit. «On voit, dit-il au jeune homme, que vous revenez tout changé et tout satisfait; jamais il n'y eut tant d'animation dans vos yeux; on voit que vous avez répandu vos dons parmi les affligés et que de bénédictions sont descendues sur vous!»

Herman raconte à sa mère l'épisode le plus touchant de son voyage. «En suivant, dit-il, la route qui mène au village où la colonne fugitive va passer la nuit, j'aperçus une lourde charrette traînée par deux bœufs, les plus gros et les plus vigoureux de ce pays des étrangers. À côté de la voiture marchait d'un pas ferme et souple une jeune fille tenant à la main une longue baguette armée de l'aiguillon et conduisant en le pressant l'attelage. Quand elle me vit, elle s'approcha timidement, mais avec confiance, de moi, et me dit: «Nous n'avons pas été toujours dans cette humiliante situation où nous sommes aujourd'hui; je ne suis pas encore habituée à demander à l'étranger cette aumône qu'il donne souvent à regret et seulement pour se délivrer de l'importunité du pauvre; mais le besoin me force à parler. Là, sur la paille, languit la femme d'un homme riche de notre village; elle vient d'accoucher, et j'ai eu bien de la peine à la sauver avec les bœufs de cette charrette. Nous ne pourrons arriver que bien tard après les autres; à peine si cette pauvre femme garde un souffle de vie, et son nouveau-né repose tout nu entre ses bras. Si vous êtes de ces environs et si vous avez du linge qui vous soit inutile, donnez-le à cette malheureuse mère!»

«Ainsi parla la belle jeune fille, et sur la paille où elle était étendue la pauvre femme, toute faible et toute pâle, se lève et me regarde. Moi je répondis à la jeune fille: «Il y a souvent un bon génie qui nous conseille et qui nous fait deviner les plus pressants besoins de nos frères. Ma mère, comme si elle avait pressenti vos besoins, m'a donné, pour ceux qui n'auraient pas de quoi se couvrir, ce paquet de hardes et de linge.» Et aussitôt, dénouant les cordes par lesquelles il était lié, je remis à la jeune fille la robe de chambre de mon père, les chemises et les draps. Elle me remercia avec des transports de joie et s'écria: «Celui qui est heureux ne croit pas qu'il puisse y avoir encore des miracles, mais c'est dans l'angoisse du malheur qu'on reconnaît comment le doigt de Dieu conduit les bons cœurs à une bonne action. Puisse-t-il vous rendre à vous-même le bien qui nous arrive par vous!»

«La pauvre femme en couches prit en souriant ce linge que la jeune fille lui tendait, et se réjouit surtout en sentant la douce flanelle tiède qui doublait la robe de chambre. «Hâtons-nous d'arriver au prochain village, où nos compatriotes doivent faire halte pour la nuit; là je coudrai le linge pour la layette de l'enfant, et j'arrangerai avec soin tout ce qui sera nécessaire.» Elle me remercia encore et toucha les bœufs; le char s'éloigna. Pour moi, j'arrêtai les chevaux et je restai. Un combat s'élevait en moi; je ne savais ce qu'il y avait de mieux à faire, de courir rapidement au village de la halte et de partager entre les émigrés les provisions de bouche que j'avais apportées, ou de les remettre toutes à la belle et charitable jeune fille, afin qu'elle les distribuât elle-même entre les nécessiteux. Mon cœur décida: je courus après elle, je la rejoignis bientôt et je lui dis:

«Ma mère n'a pas seulement mis dans mon chariot du linge pour ceux qui en manquent, elle y a joint aussi diverses provisions qui sont là dans les coffres; je veux remettre tout cela entre tes mains; je suis plus sûr que, de cette manière, ses intentions seront bien accomplies; car tu partageras ces provisions avec discernement, au lieu que moi je serais obligé de m'en rapporter au hasard.—Je les partagerai avec conscience, répondit-elle; elles réjouiront celui qui est dans le besoin.»

«J'ouvris les coffres de la voiture, j'en tirai les lourds jambons, le pain, les bouteilles de vin et de bière; je lui donnai tout, et j'aurais voulu lui donner encore plus, mais les coffres étaient vidés. Elle déposa tout cela aux pieds de la malade; puis elle s'éloigna, et je repris avec mes chevaux le chemin de la ville!»

Y a-t-il dans Homère ou dans Virgile une scène plus antique et plus naïvement racontée? Et cependant la scène est d'hier, les mœurs sont du jour et du pays, et le sentiment en est de tous les temps. On respire néanmoins le christianisme jusque dans l'amour.

XII

Le père, le pasteur, le pharmacien, la mère reprennent, chacun dans son caractère, l'entretien sur l'événement du jour, après le récit d'Herman.

La mère, qui commence à se douter du sentiment né de la pitié et du malheur dans le cœur de son fils, prévient les objections qu'elle pressent dans l'esprit du père par les souvenirs de leur ménage, contracté sous les auspices de la Providence seule, au jour de la ruine, le lendemain du grand incendie de la ville.

«C'était un dimanche, dit-elle: le feu consumait tout. J'avais passé la nuit d'angoisse hors de la ville, gardant les lits et les caisses; enfin je m'endormis. Quand la fraîcheur du matin me réveilla, je vis la fumée et les charbons ardents et les murailles toutes noires et toutes nues de la ville. J'avais le cœur lourd, mais le soleil parut plus beau que jamais et le courage me revint. Je me levai à la hâte, je voulais revoir la place où avait été notre maison, et regarder si les poules que j'aimais tant avaient pu se sauver; car j'avais encore le caractère simple et naïf d'un enfant.

«Quand j'eus monté sur les décombres de la maison et de la cour qui fumaient encore, pendant que je contemplais cette demeure ainsi dévastée, toi tu arrivais de l'autre côté; tu cherchais la place occupée par l'étable: un cheval y était resté; les débris jonchaient le sol, mais le cheval avait disparu. Ainsi nous restions l'un en face de l'autre tristes et pensifs, car le mur qui séparait notre cour de la vôtre était tombé. Tu me pris la main et tu me dis: «Lise! comment fais-tu pour venir ici? Va-t-en! va-t-en! sur ces décombres encore enflammés tu brûleras tes souliers.» Tu me pris dans tes bras et tu m'emportas à travers la cour. Le porche de la maison était encore debout avec sa voûte, comme nous le voyons aujourd'hui: c'était tout ce qui restait! Tu m'assis par terre, tu m'embrassas; moi je me défendais, et tu me dis avec douceur: «Regarde, notre maison est renversée; reste avec nous, aide-moi à la reconstruire; j'aiderai ton père à rebâtir la sienne.» Mais je ne te comprenais pas jusqu'à ce que tu eusses envoyé ta mère parler à mon père, jusqu'à ce que notre mariage fût conclu. Je me souviens encore de ces poutres à demi brûlées et de ce soleil levant pourtant si beau, car ce jour-là m'a donné un mari, et à cette désolation m'est venu un fils! Voilà pourquoi, mon Herman, j'aime à te voir ainsi penser enfin au mariage avec une douce confiance dans ce jour de calamité; j'aime à te voir décidé à prendre la jeune fille de ton choix dans le tumulte de la guerre et au milieu des ruines.»

Le père éloigne, par des propos d'aubergiste économe, l'idée de prendre une fille pauvre.—«Heureux, dit-il, celui à qui ses parents donnent une maison en bon état et qui réussit à la meubler plus richement! Aussi j'espère, Herman, que tu amèneras bientôt ici une fiancée avec une belle dot.» (Il fait allusion à une des filles du riche marchand, roulant en calèche et recrépissant à neuf sa haute maison de l'autre côté de la place, en face de l'auberge.)

«Ce n'est pas en vain, poursuit-il, que la mère de famille prépare, pendant de longues années, pour sa fille, la toile d'un tissu solide et fin, ce n'est pas en vain que les parrains lui conservent leur belle argenterie, et que le père enferme dans son armoire la belle pièce d'or devenue rare; car, avec tous ces dons, la fiancée doit réjouir le jeune homme qu'elle aura préféré. Oui, je sais comme une femme se délecte dans la maison de son mari en retrouvant les meubles qu'elle y a apportés, et le lit et la table dont elle a fourni elle-même les draps et les nappes.»

Enfin le père s'explique plus clairement et mentionne à son fils une des filles du riche marchand à la maison verte en face de la sienne. Herman répond avec embarras «qu'il a songé longtemps, en effet, à la plus jeune de ces trois filles, mais que, sa timidité naturelle l'ayant fait railler dans cette maison sur son silence et sur la coupe trop rustique de ses habits, il a laissé échapper, par confusion, son chapeau de sa main, et il est sorti pour jamais de cette maison moqueuse.»

Le père s'irrite à ces paroles contre la gaucherie et l'obstination de son fils; Herman, humilié et contristé de ce reproche, se lève, pose doucement le doigt sur le loquet de la porte et sort.

La mère, après une douce réprimande à son mari, sort à son tour pour aller consoler son fils.

XIII

Pendant que l'aubergiste, le pharmacien et le pasteur continuent l'entretien à table, la mère cherche Herman dans les cours et dans l'écurie de ses chers chevaux favoris; elle le découvre enfin au fond d'un jardin reculé qui touche d'un côté aux basses-cours, de l'autre aux murs ruinés de la ville. Il était assis, le dos tourné à la maison, le visage dans ses mains, sous un débris de treille dont les grappes et les feuilles jaunies penchaient de la charpente vermoulue de la treille sur son front.

L'entretien de la mère et du fils est aussi familier et aussi pathétique que celui d'Ulysse dans les cours de son palais d'Ithaque. Herman, désespéré, veut s'engager comme soldat dans l'armée de l'Allemagne; sa mère l'en détourne avec des paroles emmiellées d'amour de femme et de tendresse de mère.

«Mon fils, si tu désires tant conduire dans ta demeure une fiancée afin que la nuit soit aussi pour toi une douce moitié de la vie, et que le jour tu trouves le travail plus agréable et plus récompensé, tu ne peux pas le désirer plus vivement que ton père et que ta mère!—Mais je crois maintenant que tu as fait un choix! C'est cette jeune fille fugitive, n'est-ce pas, que tu as choisie?»

Herman avoue son amour.—«Laisse-moi faire, lui dit sa mère attendrie; les hommes se posent en face l'un de l'autre comme des rochers; ton père est prompt, mais il est bon et tendre. Une fois le soir venu, quand le feu de ses paroles avec ses amis est évaporé, il devient doux et maniable, et il sent ses torts envers les autres. Allons ensemble lui parler; nous mettrons dans nos intérêts nos deux voisins qui sont à table avec lui, et le digne pasteur nous secondera.» Elle dit, et ils rentrent en silence à la maison.

XIV

Le pasteur faisait en ce moment un admirable discours dont toutes les allusions indirectes tendaient à excuser auprès de l'aubergiste le caractère modeste, timide et sédentaire du pauvre Herman. Ce discours est aussi plein de sagesse que la moelle des Proverbes de Salomon; c'est l'éloge de la vie rustique opposée aux hasards de la vie agitée et ambitieuse des habitants des villes.

Le père est déjà préparé ainsi à apprécier mieux le caractère pacifique et laborieux d'Herman. La mère, qui entre tenant son fils par la main, parle pour lui à son mari avec une adresse inspirée par la plus habile tendresse. Elle déclare le choix fait irrévocablement par Herman. Le père s'étonne et se tait; le pasteur prend avec une douce éloquence le parti de la mère et du fils.

«Ne méconnaissez pas la jeune fille qui, la première, a touché l'âme muette de votre fils. Heureux celui qui épouse sa première bien-aimée, car alors les plus doux désirs ne languissent pas au fond de son cœur! Un amour vrai transforme en un moment l'adolescent en homme. Herman n'a pas le caractère léger ou variable; si vous repoussez sa demande, j'ai peur que ses plus belles années ne se consument dans la douleur.»

Le pharmacien disserte longuement, en homme qui veut masquer sa sensibilité sous un certain pédantisme de diplomatie bourgeoise. Il propose d'aller préalablement lui-même avec le pasteur prendre et peser les renseignements sur la jeune fille dans le village où les émigrés campés avec leurs familles et leurs bagages ont fait halte pour la nuit. Ce parti, qui concilie la prudence du père avec la tendresse pressée de la mère et l'amour impatient d'Herman, est accepté d'un consentement commun. Les deux négociateurs se proposent de partir dans le chariot de poste d'Herman.

Ici la poésie allemande redevient homérique sous la plume de Goethe. Toutes les fois qu'on se rapproche de la nature et de la vie du peuple, on redevient antique.

Lisez.

«Herman court a l'écurie, où les chevaux vigoureux repuisent leur force en mangeant l'avoine choisie et le foin des meilleures prairies. Il leur glisse entre les lèvres le mors luisant, il passe les courroies dans les boucles argentées, il attache les longues et larges rênes et conduit ses limoniers dans la cour. Le serviteur empressé, prenant le chariot par le timon, le fait avancer lourdement dans la cour. Herman et lui mesurent la longueur des rênes et attellent les chevaux qui traînent avec rapidité le char. Herman saisit son fouet, s'asseoit sur le siége et conduit la voiture sous la voûte de la grande porte; les deux amis, le pasteur et le pharmacien, prennent place au fond du chariot. Il roule rapidement, laissant derrière les roues le pavé des rues, les murs de la ville et les tours reblanchies à neuf des remparts. Herman ne ralentit la course de ses chevaux qu'au moment où il aperçoit tout près devant lui le clocher du village et les premières maisons entourées de jardins.

«Descendez maintenant, dit-il à ses compagnons de route, et allez vous informer si la jeune exilée est vraiment digne de la main que je lui présente.

Si je n'avais que moi à consulter, je courrais au village, et elle déciderait d'un mot de mon sort. Allez! vous la distinguerez aisément entre toutes ses compagnes, car il serait difficile de trouver une figure semblable à la sienne. Mais je vais vous indiquer seulement comment sont ses vêtements: un corset rouge, lacé avec souplesse, serre sa poitrine légèrement arrondie; un jupon noir lui emboîte étroitement la taille; le rebord plissé de sa chemise entoure son doux visage et son gracieux menton. Sa figure ovale porte l'empreinte de la paix, de son âme et de la franchise de son caractère; ses longs cheveux se reploient sur ses tempes en nattes épaisses, retenues au sommet de sa tête par de grosses épingles d'argent; à son corset est suspendue une robe bleue qui, dans ses plis multipliés, enserre son beau corps. Mais, je vous en prie, ne lui parlez pas, à elle; ne laissez pas soupçonner vos intentions; interrogez les anciens, et voyez ce qu'ils raconteront d'elle. Voilà ce que j'ai pensé en route.»

<h2 style="text-align:center">XV</h2>

Les renseignements, comme on le pense, sont ceux de l'estime et de l'affection générales pour cette jeune fille, la providence visible de ses compagnons de fuite. Le pasteur et le pharmacien retrouvent le jeune homme auprès de ses chevaux, sur la place du village. Ils lui rapportent ces bonnes nouvelles; mais Herman, maintenant, commence à trembler de voir sa main refusée par la jeune fille, dont le cœur est peut-être engagé ailleurs. «Je crains, leur dit-il, qu'elle n'ait déjà frappé dans la main d'un heureux jeune homme de son pays, et je me vois tout honteux devant elle de mes propositions rejetées.»

Les deux négociateurs le rassurent en vain; ils lui proposent de sonder le cœur de la jeune étrangère.

«Herman a à peine écouté ces paroles. Sa résolution est prise.—Arrive ce qui pourra, dit-il, je veux aller moi-même apprendre mon sort de sa bouche. J'ai en elle une confiance comme jamais homme n'en a eu pour aucune femme. Ses paroles seront sages, raisonnables, j'en suis sûr. Dussé-je la voir pour la dernière fois, je veux du moins rencontrer encore le regard plein de franchise de cet œil noir. Dussé-je ne jamais la presser sur mon cœur, je veux contempler encore cette poitrine et ces épaules que je voudrais enlacer dans mes bras. Je veux voir cette bouche dont un baiser et un *oui* me rendront heureux à tout jamais, et dont un *non* peut me perdre aussi à tout jamais. Mais laissez-moi aller seul, et ne m'attendez pas. Retournez auprès de mon père et de ma mère, pour leur dire que leur fils ne s'était pas trompé et que l'étrangère est digne d'être aimée. Laissez-moi seul. Je m'en retournerai par le sentier qui passe auprès du poirier, en bas de la colline. Oh! si j'avais le bonheur de la ramener avec moi! Peut-être aussi reprendrai-je seul ce sentier, pour ne plus jamais le revoir avec joie.

«En disant ces mots, il remit les rênes entre les mains du pasteur, qui, maîtrisant les chevaux, monta dans la voiture et prit la place du conducteur.

«Mais toi, tu t'arrêtes, ô prudent pharmacien! et tu dis au pasteur: Mon ami, je vous confierais volontiers mon cœur, mon âme, mon esprit; mais mes jambes et mon corps ne semblent pas trop en sûreté si les rênes sont remises entre les mains d'un ecclésiastique.

«—Asseyez-vous, répond le pasteur en souriant, et confiez-moi sans crainte votre corps ainsi que votre âme. Ma main est depuis longtemps exercée à tenir des rênes, et mon œil à prévoir les détours du chemin. Quand j'accompagnais à Strasbourg le jeune baron, nous étions habitués à sortir en voiture, et tous les jours le char conduit par moi passait sous la porte sonore, et courait au loin dans la plaine, sous les tilleuls, à travers les chemins poudreux et la foule animée des promeneurs.

«À demi rassuré, le pharmacien prit place dans la voiture, et s'assit comme un homme prêt à s'élancer prudemment dehors. Les chevaux galopent, impatients de regagner l'écurie. La poussière vole en tourbillons sous leurs pieds rapides. Le jeune homme regarde encore longtemps cette poussière, puis il disparaît et reste là comme privé de sentiment.

«Comme le voyageur qui, le soir, fixant encore ses regards sur les derniers rayons du soleil, voit flotter son image dans un bosquet obscur, puis auprès d'un rocher, et, de quelque côté qu'il se tourne ensuite, croit toujours la voir courir devant lui et se reproduire en couleurs étincelantes, ainsi la suave image de la jeune fille se montre aux yeux d'Herman et paraît suivre le sentier qui s'en va à travers les champs de blé... Mais, ce n'est pas une illusion, c'est elle-même! Elle porte une grande cruche et une plus petite à anse, et se dirige vers la fontaine.»

Leur entrevue et leur conversation à la fontaine est biblique. «Leur image penchée sur l'eau limpide se réfléchit sur le ciel bleu peint dans le bassin; ils s'y voient en puisant l'eau, ils s'y sourient, et s'y inclinent amicalement l'un devant l'autre.—«Laisse-moi boire,» lui dit Herman en badinant. Elle lui tend sa cruche; puis tous deux se reposent avec une confiance mutuelle, appuyés sur les cruches. Mais ils ne se parlent pas d'amour.—«Je suis ici pour toi, dit simplement Herman. Ma mère désirait depuis longtemps avoir dans sa maison une jeune fille qui lui devînt utile, non-seulement par son travail, mais aussi par son affection, et qui remplaçât auprès d'elle la fille qu'elle a malheureusement perdue!»

«L'orpheline comprend ce qu'il semble hésiter à lui dire; elle accepte le titre de servante dans la maison de la mère d'Herman. Herman cache son secret et sa joie dans son cœur. Il veut porter, au retour de la fontaine, une des cruches de Dorothée; elle refuse. «Laissez-moi, dit-elle; celui qui désormais doit me commander dans la maison de sa mère ne doit pas paraître me servir. Ne me plaignez pas; toute femme apprend de bonne heure à servir selon la vocation qui lui est assignée par sa condition. Voyez, la jeune fille sert un frère, elle sert ses parents; toute sa vie se passe à aller et à venir, à porter maint fardeau, à préparer ceci ou cela pour les autres.» À son retour elle soigne la pauvre femme accouchée et distribue l'eau et le pain entre tous les autres petits enfants de la pauvre femme.» Greuze n'a pas de plus touchant tableau de famille sous son pinceau.

Le traducteur est poëte ici comme le modèle.

XVI

Dorothée suit Herman vers la ville. «Ils s'en vont tous les deux à pied aux rayons du soleil couchant; ils causent de la pluie et du beau temps; ils se plaisent à voir les hautes tiges des blés que le vent incline, et qui, le long du sentier où ils passent, s'élèvent à la hauteur de leurs fronts.»

Cependant Dorothée interroge prudemment son nouvel ami sur le caractère de ses parents qu'elle va servir, afin de leur complaire en toute chose. «Et toi, maintenant,» lui dit-elle après avoir reçu toutes ses instructions, «dis-moi comment je dois en agir avec toi, fils unique de mes maîtres, qui seras mon maître aussi.»

XVII

Au moment où elle parlait ainsi, ils arrivaient tous deux auprès du poirier. La lune brillait dans toute sa splendeur; le dernier rayon du soleil avait disparu, et dans l'espace leur regard découvrait à la fois une clarté brillante comme celle du jour et les ténèbres de la nuit. Herman avait entendu avec joie la dernière question que lui avait adressée la jeune fille. Ils s'assirent tous deux sous le poirier pour se reposer un instant, et il allait lui ouvrir son cœur en lui prenant la main; mais, en sentant au doigt de la jeune fille l'anneau d'or, signe fatal, il craignit d'entendre un refus, et ils restèrent ainsi l'un près de l'autre assis en silence. Puis Dorothée dit: «Que j'aime cette douce lumière de la lune! C'est une clarté presque aussi vive que celle du jour. Je vois distinctement les maisons, les tours de la ville, et j'aperçois une fenêtre au-dessous du toit; il me semble que je pourrais en compter les vitres.

«—Cette maison que tu aperçois, dit le jeune homme, est notre demeure; c'est là que je te conduis, et cette fenêtre est celle de ma chambre, qui deviendra la tienne peut-être, car nous ferons des changements dans notre maison. Ces blés qui sont mûrs pour la moisson de demain sont à nous; nous viendrons nous asseoir à l'ombre de ce poirier et prendre ici notre repas. Mais, viens, descendons par le sentier de la vigne et du jardin; car, vois, l'orage approche, et le nuage enveloppera bientôt la clarté de la lune.»

Tous deux se lèvent et descendent dans le champ couvert de blonds épis, heureux de voir la lueur nocturne qui les éclaire encore; ils avancent ensuite dans la vigne et cheminent dans l'obscurité.

Herman conduit la jeune étrangère le long des escaliers aux degrés rustiques et informes placés sous la treille qui les obscurcit; elle s'avance à pas tremblants en appuyant sa main sur l'épaule d'Herman.

La lune projetait à travers les pampres quelques lueurs vacillantes; mais, bientôt voilée entièrement de nuages, elle laisse le jeune couple dans une complète obscurité.

«Herman soutient d'un bras robuste et avec précaution la jeune fille penchée sur lui; mais, comme elle ne connaît ni le chemin ni ses sentiers difficiles, elle fait un faux pas; le pied lui manque et craque légèrement. Elle est près de tomber; mais elle glisse sur lui; il étend à la hâte le bras et soutient sa bien-aimée. Elle s'incline doucement sur son épaule; leurs poitrines, leurs joues se touchent, et lui reste là, immobile comme le marbre, enchaîné par son austère volonté. Il n'ose l'étreindre plus fortement, mais il se raffermit pour lui servir d'appui. Chargé de son doux fardeau, il sent les battements du cœur de la jeune fille, il respire le parfum de son haleine et supporte avec un mâle sentiment cette femme qui fait l'honneur de son sexe.

«Cependant elle cache la douleur qu'elle éprouve au pied et lui dit en riant: «S'il faut en croire les gens bien avisés, quand notre pied craque non loin du seuil de la maison où l'on se dispose à entrer, c'est un signe de malheur. J'aurais pourtant voulu recevoir un meilleur présage. Mais arrêtons-nous un moment, afin que tes parents ne te reprochent pas de leur amener une fille boiteuse et d'être un hôte peu intelligent.»

XVIII

Cependant le père, la mère, le pharmacien et le pasteur, après avoir donné et reçu les renseignements les plus touchants sur la perfection de cœur de la belle étrangère, abrégeaient l'heure à table dans les entretiens les plus émus et les plus édifiants. Nous regrettons vivement de ne pouvoir les donner ici au lecteur: c'est Homère et la Bible fondus dans la familière sagesse des vieux jours.

Mais la porte s'ouvre: «Les parents d'Herman et leurs deux amis s'étonnent de la taille et de la beauté de la jeune étrangère, qui s'accorde si bien avec celle d'Herman; et, quand ils se présentent tous deux sur le seuil, la porte semble trop petite pour eux!

«Des exclamations un peu légères du père sur la beauté séduisante de l'étrangère amenée par son fils blessent le pudique orgueil de la jeune fille; ne sachant pas le sens que le père donne à ses paroles, et croyant qu'on offense ainsi en elle la domesticité chaste à laquelle elle se croit encore destinée, elle se tient immobile et triste; une rougeur subite colore son cou et son visage; elle reproche doucement au vieillard de n'avoir pas assez de pitié envers celle qui franchit le seuil de la porte d'une maison étrangère pour y servir. Le pasteur s'interpose, sans s'expliquer encore complétement. Le malentendu gonfle le cœur et fait déborder les larmes de fierté des yeux de Dorothée; elle veut partir à l'instant d'une maison où l'on ne la respecte pas assez. Elle avoue son penchant pour Herman et sa joie secrète quand elle l'a vu revenir près d'elle à la fontaine. «J'avais conçu peut-être, dit-elle, l'idée de devenir un jour digne de son choix; mais vous me faites sentir ma folie, la différence irrémédiable de nos deux conditions, et la distance qui existe entre le jeune homme riche et la jeune fille pauvre. Laissez-moi m'en aller avant d'avoir éprouvé plus douloureusement cette humiliation; ni la nuit qui enveloppe la terre, ni l'orage que j'entends gronder, ni la pluie d'averse qui tombe, ni le vent qui mugit dans les arbres, rien ne m'arrêtera ici.»

«À ces mots elle s'avance résolument vers la porte, portant sous son bras le petit paquet avec lequel elle était venue; mais la mère la saisit des deux mains et lui dit avec étonnement:

«Que signifient cette résolution et ces larmes sans cause? Non, je ne veux pas te laisser partir; tu es la fiancée de mon fils.»

«Le père, toujours un peu aigri par la déception de ses vues ambitieuses, veut aller se coucher pour éviter cette scène d'attendrissement, de reproches et de larmes. Herman, soutenu par sa mère et par les voisins, s'avance vers Dorothée et lui dit d'une voix tremblante d'émotion et d'amour:

«Ne regrette pas ces larmes et cette douleur passagère, car elles ont assuré mon bonheur et le tien aussi. Non, je ne suis pas allé à la fontaine du village voisin pour y chercher en toi une servante, mais pour t'amener ici comme ma fiancée; mais, hélas! mon regard timide ne pouvait discerner le penchant de ton cœur; quand tu me saluas dans le miroir de la source, je n'aperçus que de l'amitié dans tes yeux!»

«Le pasteur explique tout à la jeune fille et restitue le véritable sens aux propos mal compris du père. Les amants s'embrassent. Dorothée tombe aux genoux de l'aubergiste et lui demande pardon de sa fierté. «Les devoirs, dit-elle, que la servante s'engageait à remplir, c'est la fille qui les remplira désormais avec amour!»

Tous se donnent le baiser de paix et pleurent en silence des larmes de joie. Le pasteur échange les anneaux et bénit les amants. Le délicieux poëme finit par une allusion patriotique et héroïque aux devoirs sévères que l'orage du continent et l'invasion française imposent à tous ceux qui peuvent porter les armes et sacrifier même la plus tendre épouse à la mort acceptée pour défendre son pays.

Nous ne connaissons rien dans les langues modernes d'analogue à ce charmant et sévère morceau d'antiquité transporté dans notre âge. On croit, en achevant de le lire, sortir d'une tente des patriarches où l'on s'est entretenu avec *Jacob* ou avec *Lia*. Un parfum de piété et d'amour sort de tous les vers; le cœur est doucement ému, mais jouit de son émotion comme d'une vertu. C'est la poésie édifiante, c'est la sainteté de l'amour portées par un grand poëte à sa plus simple et à sa plus épique expression. Oh! si tous les peuples avaient de pareils poëmes à feuilleter les jours de loisir entre leurs mains au lieu des saletés cyniques de leurs corrupteurs populaires, combien la poésie prendrait un rôle nouveau et saint dans les mœurs! et combien le génie des *Goethes* futurs deviendrait un puissant auxiliaire de la liberté et de la vertu!

XIX

Si nous étions gouvernement, nous ferions imprimer à des millions d'exemplaires *Herman et Dorothée*, et nous les répandrions gratuitement dans les villes et dans les campagnes pour édifier en les charmant les veillées des ateliers ou des étables. Après avoir appliqué si longtemps la littérature au vice, il serait bien temps de l'appliquer à la morale. La morale pour le peuple n'est que dans le sentiment; le plus populaire des véhicules pour le sentiment c'est un beau poëme. *Laprade*, *Legouvé* et *Autran*, parmi nous, seraient dignes de prendre la plume de Goethe et de donner à leur patrie ces chefs-d'œuvre de la chaumière que le peuple placerait, à côté d'*Herman et Dorothée* ou de *Paul et Virginie*, au chevet du lit de ses fils et de ses filles. Pendant qu'*Heyne* et autres sèment de fleurs charmantes, mais malséantes, l'imagination de la jeunesse lettrée, ces poëtes sèmeraient des lis purs et des roses virginales dans le pot de fleurs de la mansarde, sur la fenêtre de la jeune fille et du jeune homme de nos ateliers ou de nos villages. Je l'avais tenté autrefois dans le poëme des *Pêcheurs*, à moitié fini et perdu sans retour dans un voyage aux Pyrénées. Je n'ai plus ni assez de liberté d'esprit ni assez de fraîcheur de palette pour recommencer cette œuvre d'épopée professionnelle; mais Victor Hugo, ce *Goethe* de la France, pourrait, dans les loisirs de l'exil et de la mer, surpasser *Herman et Dorothée* de toute la hauteur de son génie épique. Le lyrisme est fait pour les salons, l'épopée pour les chaumières; la popularité durable et honnête est là: le récit est plus inépuisable que le chant, parce que l'homme a plus de mémoire que d'enthousiasme.

XX

Goethe quitta enfin l'Italie après avoir ou achevé ou ébauché ces chefs-d'œuvre. Il était dans toute la jeunesse et dans toute l'avant-gloire de sa vie. Il rentra en Allemagne comme un triomphateur futur, capable à lui seul de restaurer ou de fonder un empire littéraire nouveau pour la Germanie.

L'Allemagne était pleine d'hommes à sa hauteur en philosophie, en histoire, en science, en politique, en roman, en critique, en poésie; il suffit de nommer les Herder, les Kant, les Jacobi, les Schlegel, les Winkelman, les Klopstock, les Wieland, les Schiller, pour assigner au dix-huitième siècle allemand la même fécondité intellectuelle qu'au dix-huitième siècle français. Le mouvement imprimé à l'esprit européen par Voltaire, J.-J. Rousseau, Montesquieu et leurs disciples s'était communiqué au delà du Rhin. Tout fermentait d'idées, tout éclatait de génie, tout rivalisait d'émulation. Jamais l'Allemagne n'avait présenté dans toutes ses parties du nord ou du midi de pareils groupes d'hommes supérieurs. Le grand Frédéric avait secoué la torche à Berlin, elle illuminait partout. La nature, qui a ses saisons de fécondité morale comme la terre a ses saisons de séve et de fertilité matérielles, semblait avoir enfanté en peu d'années une race de géants pour l'Allemagne. Les princes eux-mêmes, plus entraînés qu'alarmés par ce mouvement vertigineux des esprits en ébullition dans leurs contrées, participaient à ces enivrements de gloire littéraire. Ils se disputaient à l'envi le patronage des hommes éminents propres à illustrer leur nom et leur règne dans l'avenir. Il y avait vingt Périclès dans ces vingt républiques athéniennes dont l'Allemagne de 1780 était composée. Berlin, Dresde, Vienne, Hambourg, Kœnigsberg, Iéna, Gœttingue, Leipsick, tous les centres d'universités, toutes les cours étaient autant de foyers où se concentrait l'influence d'un de ces nombreux génies qui rayonnaient de là sur le reste de la Germanie. L'ambition de chacun de ces rois, de ces princes souverains, de ces villes capitales, était de conquérir et de posséder un de ces hommes supérieurs qui portaient avec eux la renommée d'un royaume ou d'une ville. Chacune de ces cités voulait être une Athènes. Berlin l'était pour les sciences, Dresde l'était pour les arts, Leipsick pour la critique, Kœnigsberg pour la philosophie; Weymar désirait l'être pour la poésie.

Cette capitale véritablement arcadienne, située dans la verte Thuringe, entre *Iéna*, *Berlin* et *Dresde*, était la résidence d'une cour athénienne. Goethe, très-jeune encore à l'époque où son nom avait éclaté tout à coup par *Werther* en Europe, avait eu la bonne fortune de rencontrer sur les bords du Rhin le jeune prince héréditaire de Weymar, le duc Charles-Auguste. Deux jeunes amis de Goethe, avec lesquels il voyageait alors, les deux comtes de Stolberg, célèbres eux-mêmes depuis, avaient présenté leur compagnon de voyage au jeune duc de Weymar. Ce coup d'œil décida de la vie entière de Goethe.

L'irrésistible attrait qui attacha pour jamais le prince et le poëte ressembla à un de ces coups foudroyants de sympathie dont Goethe fit plus tard une théorie physiologique et morale dans son roman des *Affinités électives*. Ils oublièrent les distances qui les séparaient, ils se jurèrent une amitié indissoluble, ils se promirent de se rejoindre un jour à Weymar pour vivre tous deux de la même vie aussitôt que les circonstances leur laisseraient la liberté de leurs sentiments l'un pour l'autre.

Cet instinct, qui faisait ainsi reconnaître au duc de Weymar le plus grand homme de l'Allemagne dans un jeune écrivain à peine entrevu par une première ébauche de génie, témoigne d'une sorte de divination dans le prince. Par une étrange et heureuse coïncidence, la duchesse Amélie de Weymar, jeune encore et qui voyageait avec son fils, parut partager dès la première rencontre l'attrait de ce prince pour le poëte. De cette rencontre naquit une triple amitié qui ne se refroidit plus jamais entre la princesse, le prince et le poëte. La beauté morale du jeune favori transperçait à cette époque à travers la beauté matérielle de ses traits. C'était *Adrien* et *Antinoüs*, moins la divinisation suspecte du favori par l'empereur païen. De ce jour Goethe dévoua sa vie à la princesse Amélie et au duc Charles-Auguste; l'une parut être sa *Léonore d'Est* à la cour de Ferrare, l'autre rappela à cette cour *le Tasse* aimé de la mère, favori du fils. Mais le Tasse était insensé de génie et d'amour, Goethe faisait prédominer dans toute sa vie la raison sur la passion. Il savait conserver son heureuse étoile en la voilant.

XXI

Le prince, la princesse Amélie et le poëte s'étaient séparés à regret à Francfort, en se promettant une éternelle réunion à Weymar quand l'heure du règne du jeune duc serait sonnée. Ce sont ces années d'attente que Goethe était allé passer en Italie. Il revint s'établir à son retour, à Weymar. Il y retrouva sa même place dans la confiance sans bornes du duc Charles-Auguste et dans la prédilection de la duchesse Amélie. Le prince lui avait préparé une charmante maison, retraite silencieuse et poétique propre à l'entretien du philosophe avec ses idées et du poëte avec ses rêves. Un jardin l'entourait, un ruisseau en bordait les pelouses; un banc de bois sur le seuil ombragé d'arbustes permettait au solitaire de venir assister le soir aux adieux resplendissants du soleil et aux concerts des oiseaux, dont il interprétait si bien les gazouillements dans ses vers. Mais le prince, tout en préparant ainsi le bien-être rural de son ami, s'était réservé d'employer plus utilement son rare génie et sa sagacité politique au bonheur de ses peuples et à l'éclat littéraire de sa cour. C'est ainsi que la colonne corinthienne qui porte le fronton de l'édifice en est en même temps l'ornement. Il faut lire dans les lettres de Goethe à mademoiselle Auguste de Stolberg, sœur de ses deux premiers amis, les comtes de Stolberg, l'épanchement de cœur du poëte entré en jouissance de sa nouvelle vie. Sans passer, comme tant d'autres hommes de renommée, par les transes du travail et de l'infortune, il avait conquis du premier coup la plénitude du bien-être, du loisir, des honneurs, de la liberté et de l'influence sur son siècle. Il avait trouvé tout cela à la fois dans une haute amitié et peut-être dans un respectueux amour. C'était *le Tasse* allemand, mais c'était *le Tasse* heureux. Il jouait avec l'amour, dans sa correspondance avec

Bettida d'Arnim, jeune fille de dix-neuf ans, à laquelle il permettait de l'adorer sur son déclin; il voulait mourir dans l'ivresse calme des illusions. Ne rien perdre de la vie, c'était sa sagesse.

Le duc de Weymar lui avait donné, indépendamment du ministère de l'instruction publique dans ses États, la direction absolue des théâtres et des nobles plaisirs de sa cour. Il lui avait donné de plus une place innomée, mais qui l'élevait au-dessus de toute rivalité dans la confiance du prince et dans les affaires d'État, la place de favori avoué et immuable dans son cœur. Il en avait fait un autre lui-même, un *vizir* familier, incontesté, irresponsable, qui régnait à Weymar sans autre investiture que celle du génie et de la faveur. La cour et le peuple avaient accepté sans discussion cette espèce de partage de l'empire entre le souverain légal et le souverain intellectuel du nord de l'Allemagne.

XXII

On peut dire qu'à dater de ce jour la vie de Goethe ne fut pas une vie, mais un règne. Il eut la place que Denys de Sicile offrit à Platon, que Frédéric donna à Voltaire, mais sans la tyrannie de Denys et sans l'inconstance de Frédéric. L'histoire n'offre pas d'exemple d'un ascendant aussi continu et aussi paisible d'un grand poëte sur un souverain et sur un peuple. Le duc Charles-Auguste ne s'était réservé que les fatigues et les difficultés du pouvoir, pour n'en laisser à son ami que les loisirs, les douceurs et les ornements. La cour de Weymar, sous les auspices de ces deux amis, dont l'un prêtait sa gloire, l'autre sa puissance à une pensée commune, devint en peu d'années le foyer de l'art, du théâtre, de la renommée en Allemagne. Tout se groupait autour du nom de Goethe.

Son caractère était éminemment propre à rallier l'Allemagne intellectuelle autour de lui. La révolution française secouait déjà le monde de ses pressentiments; Goethe, au fond plus philosophe et aussi incrédule aux théories populaires du christianisme que Voltaire, dominait du haut d'une indifférence superbe les querelles religieuses et politiques du temps. Il pensait et parlait librement sur ces matières, mais il ne proscrivait ni n'insultait personne pour sa foi ou pour son incrédulité. Il respectait tout ce qui était sincère dans les croyances humaines; il considérait la foi religieuse en artiste et non en apôtre ou en martyr. Les cultes, selon lui, étaient un droit de l'imagination, qui divinisait à son gré les superstitions de l'ignorance ou les symboles les plus transcendants de la raison et de la piété humaine.

Chaque siècle, chaque peuple, chaque homme, selon Goethe, avait une croyance à la hauteur de son intelligence ou à la mesure de son horizon. La lumière dans laquelle plongeaient les têtes culminantes comme la sienne ne descendait pas jusqu'aux masses populaires, capables de croire, incapables de raisonner leur croyance. Quant à lui, il était ce qu'on est convenu d'appeler très-improprement panthéiste, c'est-à-dire ne séparant pas en deux la création et la créature, et adorant la nature entière comme la divinité des choses sans s'élever à la divinité de l'esprit; philosophes pour ainsi dire brutaux et fatalistes dans leur croyance, qui reconnaissent bien en Dieu la force latente de tous les phénomènes visibles ou invisibles, mais qui n'y reconnaissent pas l'individualité et la suprême intelligence, c'est-à-dire ce qui constitue l'*être*, refusant ainsi à l'Être des êtres ce qu'ils sont forcés d'accorder au dernier insecte de la nature.

Le panthéisme de Goethe ne tombait point dans cette absurdité si injustement attribuée aux doctrines primitives de l'Inde, source de toutes les théogonies antiques et modernes. Sa foi se serait plus justement appelée polythéisme que panthéisme, c'est-à-dire qu'il reconnaissait et qu'il adorait la Divinité dans toutes ses œuvres sans la confondre avec ses œuvres: sorte de *paganisme* sans idolâtrie, qui adorait la puissance divine dans la puissance matérielle des éléments, mais qui dans l'élément adorait l'impulsion divine et non l'élément lui-même. Complétement incrédule à telle ou telle révélation historique par des miracles, Goethe admettait seulement cette révélation naturelle et progressive par la raison humaine, comme miroir de l'intelligence divine, successivement frappé de plus de clarté à mesure qu'il se dégage davantage des ignorances et des superstitions qui le ternissent. Mais Goethe semblait croire à une première grande révélation primitive, faite à l'homme nouvellement créé par Dieu ou apportée par des messagers demi-dieux, qui avait enseigné directement à la créature raisonnable les premières notions de la Divinité, de la vertu, des langues, notions que la terre seule était impuissante dans son silence à donner.

Selon Goethe, comme selon les philosophes indiens, comme selon les philosophes chrétiens transcendants, comme selon les philosophes grecs et romains eux-mêmes (voyez le mot de Cicéron *antiquissimum purissimum!*), le monde physique comme le monde moral avait commencé par *un état plus parfait, plus pur et plus lumineux*, par un *Éden* dans lequel l'homme naissant avait entendu les confidences de Dieu par des révélateurs divins. Ces confidences et ces révélations de la science suprême avaient longtemps éclairé et régi le monde oriental; puis elles s'étaient égarées, troublées, taries dans les sables, et, pour leur rendre leur pureté, il fallait, par des révélations purement humaines, les passer de siècle en siècle au filtre de la science et de la raison.

Voilà les véritables croyances religieuses de Goethe.

XXIII

Quant à sa politique, elle participait de cet éclectisme calme et de cette superbe indifférence pour le fanatisme de tels ou tels partis monarchiques ou populaires, aristocratiques ou démocratiques.

Sa véritable théorie, c'était son mépris des hommes et surtout des masses, incapables, selon lui, de se donner ou de se conserver des institutions supérieures à leur nature essentiellement versatile. Goethe, en cela, participait beaucoup du génie de Machiavel, de Bacon, de Voltaire, de M. de Talleyrand, hommes très-supérieurs en intelligence, très-inférieurs en conscience, mais professant tout haut ou tout bas, à l'égard des formes sociales, la politique du mépris; politique selon nous coupable, parce qu'elle désespère, mais politique bien explicable par le spectacle des impuissances éternelles des sages à améliorer la condition des insensés.

Lamartine.

(*La suite au mois prochain.*)

XLᵉ ENTRETIEN.

LITTÉRATURE VILLAGEOISE.
APPARITION D'UN POËME ÉPIQUE EN PROVENCE.

I

Je vais vous raconter aujourd'hui une bonne nouvelle! Un grand poëte épique est né. La nature occidentale n'en fait plus, mais la nature méridionale en fait toujours: il y a une vertu dans le soleil.

Un vrai poëte homérique en ce temps-ci; un poëte né, comme les hommes de Deucalion, d'un caillou de la *Crau*; un poëte primitif dans notre âge de décadence; un poëte grec à Avignon; un poëte qui crée une langue d'un idiome comme Pétrarque a créé l'italien; un poëte qui d'un patois vulgaire fait un langage classique d'images et d'harmonie ravissant l'imagination et l'oreille; un poëte qui joue sur la *guimbarde* de son village des symphonies de Mozart et de Beethoven; un poëte de vingt-cinq ans qui, du premier jet, laisse couler de sa veine, à flots purs et mélodieux, une épopée agreste où les scènes descriptives de l'*Odyssée* d'Homère et les scènes innocemment passionnées du *Daphnis et Chloé* de Longus, mêlées aux saintetés et aux tristesses du christianisme, sont chantées avec la grâce de Longus et avec la majestueuse simplicité de l'aveugle de Chio, est-ce là un miracle? Eh bien! ce miracle est dans ma main; que dis-je? il est déjà dans ma mémoire, il sera bientôt sur les lèvres de toute la Provence. J'ai reçu le volume il y a deux jours, et les pages en sont aussi froissées par mes doigts, avides de fermer et de rouvrir le volume, que les blonds cheveux d'un enfant sont froissés par la main d'une mère, qui ne se lasse pas de passer et de repasser ses doigts dans les boucles pour en palper le soyeux duvet et pour les voir dorés au rayon du soleil.

Or voici comment j'eus, par hasard, connaissance de la bonne nouvelle.

II

Adolphe Dumas, non pas le Dumas encyclopédique dont chaque pas fait retentir la terre de bruit sous son pied; non pas le jeune Dumas son fils, silencieux et méditatif, qui se recueille autant que son père se répand, et qui ne sort, après trois cent soixante-cinq jours, de son repos, qu'avec un chef-d'œuvre de nouveauté, d'invention et de goût dans la main; mais le Dumas poétique, le Dumas prophétique, le Dumas de la Durance, celui qui jette de temps en temps des cris d'aigle sur les rochers de Provence, comme Isaïe en jetait aux flots du Jourdain, sur les rochers du Carmel, Adolphe Dumas enfin, que je respecte à cause de son éternelle inspiration, et que j'aime à cause de sa rigoureuse sincérité, vint un soir du printemps dernier frapper à la porte de ma retraite, dans un coin de Paris.

Sa tête hébraïque fumait plus qu'à l'ordinaire de ce feu d'enthousiasme qui s'évapore perpétuellement du foyer sacré de son front. «Qu'avez-vous?» lui dis-je.—Ce que j'ai? répondit-il; j'ai un secret, un secret qui sera bientôt un prodige. Un enfant de mon pays, un jeune homme qui boit comme moi les eaux de la Durance et du Rhône, est ici, chez moi, en ce moment. Depuis huit jours qu'il a pris gîte sous mon humble toit, il m'a enivré de poésie natale, mais tellement enivré que j'en trébuche en marchant, comme un buveur, et que j'ai senti le besoin de décharger mon cœur avec vous. Ce jeune homme repart demain soir pour son champ d'oliviers, à Maillane, village des environs d'Avignon. Avant de partir il désire vous voir, parce que la Saône se jette dans le Rhône, et qu'il a reconnu, en buvant dans le creux de sa main l'eau de nos grands fleuves, quelques-unes des gouttes que vous avez laissées tomber de votre coupe dans votre Saône.

«Bien, lui dis-je; amenez-le demain à la fin du jour; je lui souhaiterai bon voyage au pays de Pétrarque, de l'amour et de la gloire, maintenant que les vers, l'amour et la gloire sont devenus une pincée de cendre trempée d'eau amère entre mes doigts.»

Merci, dit-il; et il me serra la main dans sa main nerveuse, qui tremble, qui étreint et qui brise les doigts de ses amis comme une serre d'aigle concasse et broie les barreaux de sa cage.

III

Le lendemain, au soleil couchant, je vis entrer Adolphe Dumas, suivi d'un beau et modeste jeune homme, vêtu avec une sobre élégance, comme l'amant de Laure, quand il brossait sa tunique noire et qu'il peignait sa lisse chevelure dans les rues d'Avignon. C'était Frédéric Mistral, le jeune poëte villageois destiné à devenir, comme *Burns*, le laboureur écossais, l'Homère de Provence.

Sa physionomie, simple, modeste et douce, n'avait rien de cette tension orgueilleuse des traits ou de cette évaporation des yeux qui caractérise trop souvent ces hommes de vanité, plus que de génie, qu'on appelle les poëtes populaires: ce que la nature a donné, on le possède sans prétention et sans jactance. Le jeune Provençal était à l'aise dans son talent comme dans ses habits; rien ne le gênait, parce qu'il ne cherchait ni à s'enfler, ni à s'élever plus haut que nature. La parfaite convenance, cet instinct de justesse dans toutes les conditions, qui donne aux bergers, comme aux rois, la même dignité et la même grâce d'attitude ou d'accent, gouvernait toute sa personne. Il avait la bienséance de la vérité; il plaisait, il intéressait, il émouvait; on sentait dans sa mâle beauté le fils d'une de ces belles Arlésiennes, statues vivantes de la Grèce, qui palpitent dans notre Midi.

Mistral s'assit sans façon à ma table d'acajou de Paris, selon les lois de l'hospitalité antique, comme je me serais assis à la table de noyer de sa mère, dans son *mas de Maillane*. Le dîner fut sobre, l'entretien à cœur ouvert, la soirée courte et causeuse, à la fraîcheur du soir et au gazouillement des merles, dans mon petit jardin grand comme le mouchoir de *Mireille*.

Le jeune homme nous récita quelques vers, dans ce doux et nerveux idiome provençal qui rappelle tantôt l'accent latin, tantôt la grâce attique, tantôt l'âpreté toscane. Mon habitude des patois latins parlés uniquement par moi jusqu'à l'âge de douze ans, dans les montagnes de mon pays, me rendait ce bel idiome intelligible. C'étaient quelques vers lyriques; ils me plurent, mais sans m'enivrer: le génie du jeune homme n'était pas là; le cadre était trop étroit pour son âme; il lui fallait, comme à Jasmin, cet autre chanteur sans langue, son épopée pour se répandre. Il retournait dans son village pour y recueillir, auprès de sa mère et à côté de ses troupeaux, ses dernières inspirations. Il me promit de m'envoyer un des premiers exemplaires de son poëme; il sortit.

IV

Quand il fut dans la rue, je demandai à Adolphe Dumas quelques détails sur ce jeune homme; Dumas pouvait d'autant mieux les donner qu'il est lui-même un enfant d'*Eyragues* (Eyragues est un village à deux pas de Maillane, patrie de Frédéric Mistral). Mais Dumas est un déserteur de la langue de ses pères, qui a préféré l'idiome châtré et léché de la Seine à l'idiome sauvage et libre du Rhône. Il en a des remords cuisants dans le cœur, et il pleure quand il entend un écho provençal à travers les oliviers de son hameau.

Cet enfant, me dit-il, est né à Maillane, village situé à trois lieues d'Avignon, entre le lit de la Durance, ce torrent de Provence, et la chaîne de montagnes qu'on appelle les Alpines; la grande route romaine qui menait à Arles courait au pied des Alpines et traversait Maillane. Cette vallée est d'un aspect à la fois grec et romain; c'est un cirque comme celui d'Arles, dont les monticules dégradés des Alpines sont les gradins. Le ciel azuré du Midi est coupé crûment par ces rochers; ce firmament a ces tristesses splendides qui sont le caractère de la Sabine ou des Abruzzes. Cet horizon trempe les hommes dans la lumière et dans la rêverie. L'inspiration plane comme les aigles au-dessus des rochers dans le ciel.

La maison paternelle de ce jeune homme, maison de paysan riche, entourée d'étables pleines, de vignes, de figuiers, d'oliviers, de champs de courges et de maïs, est adossée au village, et regarde par ses fenêtres basses les grises montagnes des Alpines, où paissent ses chèvres et ses moutons. Son père, comme tous les riches cultivateurs de campagne qui rêvent follement pour leur fils une condition supérieure, selon leur vanité, à la vie rurale, fit étudier son fils à Aix et à Avignon pour en faire un avocat de village. C'était une idée fausse, quoique paternelle; heureusement la Providence la trompa: le jeune homme étudiait le grec, le latin, le grimoire de jurisprudence par obéissance; mais la veste de velours du paysan provençal et ses guêtres de cuir tanné lui paraissaient aussi nobles que la toge râpée du trafiquant de paroles, et, de plus, le souvenir mordant de sa jeune mère, qui l'adorait et qui pleurait son absence, le rappelait sans cesse à ses oliviers de Maillane.

Son père mourut avant l'âge; le jeune homme se hâta de revenir à la maison pour aider sa mère et son frère à gouverner les étables, à faire les huiles et à cultiver les champs.   Il se hâta aussi d'oublier les langues savantes et importunes dont on avait obsédé sa mémoire et la chicane dont on avait sophistiqué son esprit. Comme un jeune olivier sauvage dont les enfants ont barbouillé en passant le tronc d'ocre et de chaux, Mistral rejeta cette mauvaise écorce; il reprit sa teinte naturelle, et il éclata dans son tronc et dans ses branches de toute sa séve et de toute sa liberté, en pleine terre, en plein soleil, en pleine nature. Il se sentait poëte sans savoir ce que c'était que la poésie; il avait une langue harmonieuse sur les lèvres sans savoir si c'était un patois; cette langue de sa mère était, à son gré, la plus délicieuse, car c'était celle où il avait été béni, bercé, aimé, caressé par cette mère. Il avait le loisir du poëte dans les longues soirées de l'étable, après les bœufs rattachés à la crèche ou sous l'ombre des maigres buissons de chênes verts, en gardant de l'œil les taureaux et les chèvres; il était de plus encouragé à chanter je ne sais quoi, dans cette langue adorée de Provence, par quelques amis plus lettrés que lui, qui l'avaient connu et pressenti à Aix ou à Avignon pendant ses études, et qui venaient quelquefois le visiter chez sa mère pendant la vendange des raisins ou des olives. De ce nombre était Romanille, d'Avignon, poëte provençal d'un haut atticisme dans sa langue; de ce nombre aussi était Adolphe Dumas, qui était né dans les ruines d'un couvent de chartreux, sous un rocher de la Durance, et qui en avait respiré l'ascétisme d'anachorète chrétien du temps de saint Jérôme.

«La mère de Mistral, me racontait hier Adolphe Dumas, nous servait à table, son fils et moi, debout, comme c'est la coutume des riches matrones de Provence en présence de leurs maris et de leurs fils. Je vois encore d'ici ses belles longues mains blanches, sortant d'une manche de toile fine retroussée jusqu'aux coudes, pour nous tendre les mets qu'elle avait elle-même préparés ou pour remplacer les cruches de vin quand elles étaient vides.

—Asseyez-vous donc avec nous, Madame Mistral, lui disais-je, tout honteux d'être servi par cette belle veuve arlésienne, semblable à une reine de la Bible ou de l'Odyssée. «Oh! non, Monsieur, répondait-elle en rougissant, ce n'est pas la coutume à Maillane; nous savons que nous sommes les femmes de nos maris et les mères de nos fils, mais aussi les servantes de la maison. Ne prenez pas garde!»

Et elle s'en allait modestement manger debout un morceau de pain et d'agneau sur le coin du dressoir, où brillaient, comme de l'acier fin, ses grands plats d'étain, polis chaque samedi par ses servantes.

Cette mère vit encore; elle n'a que quelques rares cheveux blancs comme une frange de fil de la Vierge rapportée du verger sous sa coiffe; elle n'aspire qu'à trouver bientôt une Rébecca au puits pour son cher enfant.

Voilà toute l'histoire du jeune villageois de Maillane; cette histoire était nécessaire pour comprendre son poëme. Son poëme, c'est lui, c'est son pays, c'est la Provence aride et rocheuse, c'est le Rhône jaune, c'est la Durance bleue, c'est cette plaine basse, moitié cailloux, moitié fange, qui surmonte à peine de quelques pouces de glaise et de quelques arbres aquatiques les sept embouchures marécageuses par lesquelles le Rhône, frère du Danube, serpente, troublé et silencieux, vers la mer, comme un reptile dont les écailles se sont recouvertes de boue en traversant un marais; c'est son soleil d'une splendeur d'étain calcinant les herbes de la Camargue; ce sont ses grands troupeaux de chevaux sauvages et de bœufs maigres, dont les têtes curieuses apparaissent au-dessus des roseaux du fleuve, et dont les mugissements et les hennissements de chaleur interrompent seuls les mornes silences de l'été. C'est ce pays qui a fait le poëme: on peint mal ce qu'on imagine, on ne chante bien que ce que l'on respire. La Provence a passé tout entière dans l'âme de son poëte; *Mireille*, c'est la transfiguration de la nature et du cœur humain en poésie dans toute cette partie de la basse Provence comprise entre les Alpines, Avignon, Arles, Salon et la mer de Marseille. Cette lagune est désormais impérissable: un Homère champêtre a passé par là. Un pays est devenu un livre; ouvrons le livre, et suivez-moi.

V

Donc, il y a six jours que la poste du soir m'apporta un gros et fort volume intitulé *Mirèio*: c'est le nom provençal de *Mireille*. Ce livre était le tribut de souvenir que le poëte découvert par Adolphe Dumas m'avait promis l'été dernier. J'ouvris nonchalamment le volume, je vis des vers. J'ai l'âme peu poétique en ce moment; je lutte dans une fièvre continuelle avec une catastrophe domestique qui, si elle s'achève, entraînera malheureusement bien d'autres que moi. Mon devoir consciencieux est de lutter à mort contre les iniquités, les humiliations, les calomnies, les avanies de toute nature dont la France me déshonore et me travestit en retour de quelques erreurs peut-être, mais d'un dévouement, corps, âme et fortune, qui ne lui a pas manqué dans ses jours de crise, à elle. Chaque soir je me couche en désirant que ce jour honteux soit le dernier; chaque matin je me réveille en me disant à moi-même: Reprends cœur, bois ton amertume; lutte encore, car, si tu faiblis un moment ou si tu quittes ta patrie en abandonnant à tes créanciers des terres que nul n'ose acheter, ta lâcheté perdra ceux que tu dois sauver; tu es leur otage, ne t'enfuis pas; sois le *Régulus* de leur salut. La France, qui te raille et qui t'outrage aujourd'hui, t'entendra peut-être demain. Encore un jour!

Voilà mes jours.

VI

Je rejetai donc le volume sur la cheminée, et je me dis: Je n'ai pas le cœur aux vers: à un autre temps!

Cependant, quand l'heure du sommeil ou de l'insomnie fut venue, je pris, par distraction, le volume sur la tablette de la cheminée, et je l'emportai sous le bras dans ma chambre. Je le jetai sur mon lit, j'allumai ma lampe, et, comme je n'arrive plus jamais à quelques heures de sommeil que par la fatigue des yeux sur un livre, je rouvris le livre et je lus.

Cette nuit-là je ne dormis pas une minute.

Je lus les douze chants d'une haleine, comme un homme essoufflé que ses jambes fatiguées emportent malgré lui d'une pierre milliaire à l'autre, qui voudrait se reposer, mais qui ne peut s'asseoir. Je pourrais retourner le vers célèbre de Dante dans l'épisode de *Françoise de Rimini*, et dire, comme Francesca: «À ce passage nous fermâmes le livre et nous ne lûmes pas plus avant!» Moi j'en lus jusqu'à l'aurore, je relus encore le lendemain et les jours suivants! Et maintenant relisons, si vous voulez, une troisième fois ensemble; je vais feuilleter page à page ce divin poëme épique du cœur de la Chloé moderne avec vous; vous jugerez si le charme qui m'a saisi à cette lecture vient de mon imagination ou du génie de ce jeune Provençal. Écoutez!

Mais d'abord sachez que tout le récit est écrit, à peu près comme les chants du Tasse, en stances rimées de sept vers inégaux dans leur régularité. Ces stances sonnent mélodieusement à l'oreille, comme les grelots d'argent aux pieds des danseuses de l'Orient. Les vers varient leurs hémistiches et leur repos pour laisser respirer le lecteur; ils se relèvent aux derniers vers de la stance pour remettre l'oreille en route et pour dire, comme le coursier de Job: Allons!

Ces vers sont mâles comme le latin, femelles comme l'italien, transparents pour le français, comme des mots de famille qui se reconnaissent à travers quelque différence d'accent. Je pourrais vous les donner ici dans leur belle langue originale, mais j'aime mieux vous les traduire en m'aidant de la naïve traduction en pur français classique faite par le poëte lui-même. Nul ne sait mieux ce qu'il a voulu dire; notre français à nous serait un miroir terne de son œuvre: le sien à lui est un miroir vivant. À nous deux, nous répondrons mieux aux nécessités des deux langues. Lisons donc: c'est moi qui parle, mais c'est lui qui chante. Ne vous étonnez pas de la simplicité antique et presque triviale du début: il chante pour le village, avec accompagnement de la flûte au lieu de la lyre. Arrière la trompette de l'épopée héroïque! C'est l'épopée des villageois, c'est la muse de la veillée qu'il invoque.

«Je chante une fille de Provence et les amours de jeune âge à travers la *Crau*, vers le bord de la mer, dans les grands champs de blé... Bien que son front ne resplendît que de sa fraîcheur, bien qu'elle n'eût ni diadème d'or, ni mantelet de soie tissé à Damas, je veux qu'elle soit élevée en honneur comme une reine et célébrée avec amour par notre pauvre langue dédaignée; car ce n'est que pour vous que je chante, ô pâtres des collines de Provence, et pour vous autres, habitants rustiques de nos *mas*.» (Les *mas* sont les fermes isolées des plaines d'Arles et de la Crau.)

L'invocation au Christ né parmi les pasteurs continue pendant trois strophes; le poëte, dans une comparaison ingénieuse et simple, demande à Dieu d'atteindre au sommet de l'olivier la branche haute où gazouillent le mieux les chantres de l'air, la *branche des oiseaux*. Puis il décrit ainsi le lieu de la scène, description fidèle comme si elle était reflétée dans les eaux du Rhône qui coule sous la berge du pauvre vannier parmi les osiers.

«Au bord du Rhône, entre les grands peupliers et les saules touffus de la rive, dans une pauvre cabane rongée par l'eau, un vannier demeurait avec son fils unique; ils s'en allaient après l'hiver, de ferme en ferme, raccommoder les corbeilles rompues et les paniers troués.»

Le père et le fils, s'en allant ainsi de compagnie au printemps offrir leur service de *mas* en *mas*, voient venir un orage et s'entretiennent des granges les plus hospitalières où ils pourraient trouver sous les meules de paille un abri contre la pluie et la nuit. «Père, dit Vincent, c'est le nom du fils, apprenti de son père, combien fait-on de charrues au mas des *Micocoules*, que je vois là-bas blanchir entre les mûriers?—Six, répond le père.—Ah! c'est donc là, reprend l'adolescent, un des plus forts domaines de la *Crau*?

—«Je le crois bien, continue le vannier; ne vois-tu pas leur verger d'oliviers, entre lesquels serpentent des rubans de vignes traînantes et de pâles amandiers? Il y a, dit-on, autant d'avenues d'oliviers dans le domaine qu'il y a de jours dans l'année, et chacune de ces avenues compte autant de pieds d'arbres qu'il y a d'avenues.

—«Par ma foi! dit le fils, que d'*oliveuses* il faut avoir dans la saison pour cueillir tant d'olives!—Ne t'inquiète pas, répond le vieux vannier; quand viendra la Toussaint, les filles des beaux villages de Provence qui se louent pour la vendange des oliviers, tout en chantant sur les branches, te rempliront jusqu'à la gorge les sacs et les *linceux* d'olives roses et amygdalines!

«Et le vannier, qu'on appelait maître Ambroise, continuait de discourir avec son enfant; et le soleil, qui sombrait derrière les collines, teignait des plus belles couleurs les légères nuées; et les laboureurs, assis sur leurs bœufs accouplés par le joug et tenant leurs aiguillons la pointe en l'air, revenaient lentement pour souper; et la nuit *sombrissait* là-bas sur les marécages.

—«Allons! allons! dit encore Vincent, déjà j'entrevois dans l'aire le faîte arrondi de la meule de paille. Nous voici à l'abri; c'est là que foisonnent les brebis.—Ah! dit le père, pour l'été elles ont le petit bois de pins, pour l'hiver, la plaine caillouteuse. Oh! oh! tout y est, dans ce domaine!

—«Et toutes ces grandes touffes d'arbres qui font ombre sur les tuiles, et cette belle fontaine qui coule en un vivier, et ces nombreuses ruches d'abeilles que chaque automne dépouille de leur miel et de leur cire, et qui, au renouveau du mois de mai, suspendent cent essaims aux grands micocouliers!

—«Et puis, en toute la terre, père, ce qui me paraît encore le plus beau, interrompit Vincent, c'est la fille du *mas*, celle qui, s'il vous en souvient, mon père, nous fit, l'été dernier, faire pour la maison deux corbeilles de cueilleur d'olives et remettre deux anses à son petit panier.»

VII

Ils arrivent. La jeune fille venait de donner les feuilles de mûrier à ses vers à soie, et, sur le seuil de la grange, elle allait, à la rosée du soir, tordre un écheveau de fil. La fille *Mireille* et les étrangers se saluent dans les termes de cette simple et modeste familiarité, politesse du cœur de ceux qui n'ont pas de temps à perdre en vains discours. Ils demandent l'hospitalité, non du toit, mais des bords de la meule de paille, pour passer la nuit.

«Et avec son fils, chante le poëte, le vannier alla s'asseoir sur un rouleau de pierre qui sert à aplanir le sillon après le labour; et ils se mirent, sans plus de paroles, à tresser à eux deux une manne commencée, et à tordre et à entre-croiser vigoureusement les fils flexibles arrachés de leur faisceau dénoué de forts osiers.»

Vincent touchait à ses seize ans. Le poëte trace rapidement en traits proverbiaux du pays le portrait du beau villageois ambulant et son caractère. Pendant que le poëte décrit, le soir tombe; les ouvriers rentrent des champs; la belle *Mireille* (la fille du *mas*) apporte, pour faire souper au frais ses travailleurs, «sur la table de pierre, la salade de légumes, et, du large plat chavirant sous le poids, chaque valet de la ferme tirait déjà à pleine cuillère de buis les fèves; et le vieillard et son fils continuaient à tresser l'osier à l'écart.»

—«Eh bien! voyons, leur dit un peu brusquement Ramon, le riche maître du domaine et l'heureux père de *Mireille*, allons! laissez là la corbeille. Ne voyez-vous pas naître les étoiles? Mireille, apporte les écuelles. Allons! à table! car vous devez être las.

—«Eh bien! allons! dit le vannier; et ils s'avancèrent vers un bout de la table de pierre et se coupèrent du pain. Mireille, leste et accorte, assaisonna pour eux un plat de féverolles avec l'huile des oliviers, et vint ensuite en courant l'avancer vers eux de sa belle main.»

Le portrait de Mireille, tracé en courant par le poëte, en cinq ou six traits empruntés à la nature rurale, rappelle la Sulamite, dans le cantique amoureux de Salomon.

«Son visage à fleur de joues avait deux fossettes; sa poitrine, qui commençait à se soulever, était une pêche double et pas mûre encore. Gaie, folâtre et un peu sauvage, ah! si dans un verre d'eau vous aviez vu cette gentillesse et cette grâce reflétées, d'un trait vous l'auriez bue!»

Quelle expression neuve, naïve et passionnée, qu'aucune langue n'avait encore ou trouvée ou osée!

Après le repas, les ouvriers et Mireille prient le vieux vannier de leur chanter un des chants célèbres dans la contrée, dont il charmait autrefois les veillées.—«Ah! répond-il, de mon temps j'étais un chanteur, c'est vrai, mais les miroirs aujourd'hui sont brisés!» Mireille insiste.—«Belle enfant, lui dit-il, ma voix n'est plus qu'un épi égrené, mais pour vous complaire je chanterai.» Après avoir vidé son verre plein de vin, le vannier chante.

VIII

Que chante-t-il? Un chant militaire, une campagne navale du héros de la Provence, le bailli de Suffren, dans l'Inde. La chanson est un véritable poëme héroïque, écrit avec la poudre et le sang sur le pont d'un vaisseau démâté par le canon. C'est la patrie et la gloire au point de vue du peuple marin des côtes provençales: le poëte n'embouche pas moins bien le clairon que la flûte. L'auditoire enthousiasmé oublie d'abreuver les six paires de bœufs dans la rigole d'eau courante. À la fin tout le monde se retire en répétant la cantate du vannier, autrefois matelot sur le vaisseau de Suffren. Mireille et Vincent, le fils du chanteur, restent seuls, attardés et jaseurs, sur le seuil de la maison. Leur conversation est une églogue de Provence, et non de Mantoue. Tout est original dans le poëme, parce que tout est né de la nature dans le poëte.

«Ah! çà, Vincent, disait *Mireille*, quand tu as pris ta bourrée d'osier sur tes épaules pour aller çà et là raccommoder les corbeilles, en dois-tu voir, dans tes voyages, des vieux châteaux, des déserts sauvages, des villages, des fêtes, des pèlerinages! Nous, nous ne sortons jamais de notre pigeonnier.

—«C'est bien vrai, Mademoiselle, dit le jeune apprenti; mais la soif s'étanche aussi bien par l'agacement d'une groseille aux dents que par l'eau de toute la cruche; et si, pour trouver de l'ouvrage, il faut essuyer les injures du temps, tout de même le voyage a ses moments de plaisir, et l'ombre sur la route fait oublier le chaud.»

Le récit que Vincent fait de ses voyages à la jeune fille est incomparable en grâce, en vérité, en nouveauté et cependant en poésie. Quelques notes mal étouffées d'amour qui s'ignore commencent à tinter à son insu dans la voix de l'enfant. Nous regrettons de tronquer ce long et délicieux gazouillement de l'innocence et de l'amour; mais il faudrait tout copier: le poëte a douze chants, nous n'avons qu'une heure.

«Devant le *mas* des Micocoules, ainsi Vincent déployait tous les replis de sa mémoire; la rougeur montait à ses joues, et son œil noir jetait de douces lueurs dans la nuit. Ce qu'il disait des lèvres, il le gesticulait avec ses bras, et sa parole coulait abondante comme une ondée soudaine sur un regain du mois de mai.

«Les grillons chantant dans les mottes de terre plus d'une fois se turent comme pour écouter; souvent les rossignols, souvent l'oiseau de nuit, dans le bois de pins, firent silence. Attentive et émue jusqu'au fond de son âme, *Mireille*, assise sur un fagot de feuilles coupées, n'aurait pas fermé les yeux jusqu'à la première aube du jour.

«—Il me semble, dit-elle en se retirant à pas lents vers sa mère, que, pour l'enfant d'un vannier, il parle merveilleusement bien! Ô mère! c'est un plaisir d'aller dormir l'hiver, mais à présent, pour dormir, la nuit est trop claire. Écoutons-le, écoutons encore; je passerais à l'entendre ainsi mes veillées et ma vie.»

Et là finit le premier chant de *Mireille*. On sent que l'amour couve dans ces deux cœurs: on va le voir éclore au deuxième chant.

IX

Que ne puis-je vous le transcrire tout entier! Les fils poétiques sont si délicats et si indissolublement ajustés dans la trame qu'en enlever un c'est faire écheveler la trame entière; citons-en plutôt quelques passages au hasard, et par induction jugez de l'ensemble du chant.

LA CUEILLETTE DES OLIVES.

«Chantez, chantez, *magnanarelles* (filles qui cueillent les olives)! car la cueillette veut et inspire les chants.—Beaux sont les vers à soie quand ils s'endorment de leur troisième somme; les mûriers sont pleins de jeunes filles que le beau temps rend alertes et gaies, telles qu'un essaim de blondes abeilles qui dérobent leur miel aux romarins des champs pierreux.

«En défeuillant vos rameaux, chantez, chantez, *magnanarelles*! Mireille est à la feuille un beau matin de mai; cette matinée-là, pour pendeloques, à ses oreilles, la folâtre avait pendu deux cerises... Vincent, cette matinée-là, passa par là de nouveau.

«À son bonnet écarlate, comme en ont les riverains des mers latines, il avait gentiment une plume de coq; et en foulant les sentiers il faisait fuir les couleuvres vagabondes, et des sonores tas de pierre avec son bâton il chassait les cailloux.

—«Ô Vincent! lui cria Mireille du milieu des vertes allées, pourquoi passes-tu si vite? Vincent aussitôt se retourna vers la plantation, et sur un mûrier, perchée comme une gaie coquillade, il découvrit la fillette, et vers elle vola joyeux.

«Eh bien! Mireille, vient-elle bien, la feuille?—Eh! peu à peu tout rameau se dépouille.—Voulez-vous que je vous aide?—Oui!» Pendant qu'elle riait là haut en jetant de folâtres cris de joie, Vincent, frappant du pied le trèfle, grimpa sur l'arbre comme un loir. «Mireille, il n'a que vous, le vieux maître Ramon?

«Faites les branches basses; j'atteindrai les cimes, moi, allez!» Et, de sa main légère, celle-ci, trayant la ramée: «Cela garde d'ennui de travailler (avec) un peu de compagnie! Seule, il vous vient un nonchaloir!» dit-elle. «Moi de même; ce qui m'irrite, répondit le gars, c'est justement cela.

«Quand nous sommes là-bas, dans notre hutte, où nous n'entendons que le bruissement du Rhône impétueux qui mange les graviers, oh! parfois, quelles heures d'ennui! Pas autant l'été; car, d'habitude, nous faisons nos courses l'été, avec mon père, de métairie en métairie.

«Mais quand le petit houx devient rouge (de baies), que les journées se font hivernales et longues les veillées, autour de la braise à demi éteinte, pendant qu'au loquet siffle ou miaule quelque lutin, sans lumière et sans grandes paroles, il faut attendre le sommeil, moi tout seul avec lui!...

—«La jeune fille lui dit vivement: Mais la mère, où demeure-t-elle donc?—Elle est morte!... Le garçon se tut un petit moment, puis reprit: Quand Vincenette était avec nous, et que, toute jeune, elle gardait encore la cabane, pour lors c'était un plaisir!—Mais quoi? Vincent,

«Tu as une sœur?—Elle est servante du côté de Beaucaire, répond-il. Elle n'est pas laide non plus, poursuit-il, ma sœur, mais combien êtes-vous plus belle encore!» À ce mot Mireille laissa échapper la branche à moitié cueillie. «Oh! dit-elle à Vincent...

«Chantez, chantez, magnanarelles! Il est beau le feuillage des mûriers; beaux sont les vers à soie quand ils s'endorment de leur troisième sommeil! Les mûriers sont pleins de jeunes filles que le beau temps rend gaies et rieuses, telles qu'un essaim de blondes abeilles qui dérobent leur miel dans les champs pierreux.»

X

Ici Vincent, dans des stances timides et indirectes, compare la beauté de sa sœur à celle de Mireille, et, à chaque compliment qui l'étonne et la flatte, laissant de nouveau échapper la branche de l'olivier: «Oh! voyez-vous ce Vincent!» dit en rougissant Mireille.

Et cependant le jour grandissait, et le soleil que les jeunes filles avaient devancé faisait fumer les brumes du matin sur les roches nues des Alpines. «Oh! nous n'avons rien fait! Quelle honte! dit Mireille en regardant les mûriers encore touffus de feuilles. Cet enfant dit qu'il est monté pour m'aider, et tout son travail ensuite est de me faire rire.

—«Eh bien! à qui cueillera plus vite, Mademoiselle. Nous allons le voir.» Et vite, de deux mains passionnées, ardentes à l'ouvrage, ils tordent les branches, ils descendent les grands et petits rameaux. Plus de paroles, plus de repos (brebis qui bêle perd sa dentée d'herbe); le mûrier qui les porte est à l'instant dépouillé tout nu!

Ils reprirent cependant bientôt haleine. (Dieu que la jeunesse est une belle chose!) En foulant ensemble la feuille dans le même sac, une fois il arriva que les jolis doigts effilés de la jeune *magnanarelle* se rencontrèrent par hasard emmêlés avec des doigts brûlants, les doigts de Vincent.

«Elle et lui tressaillirent; leurs joues se colorèrent de la fleur vermeille d'amour, et tous deux à la fois, d'un feu inconnu, sentirent l'étincelle ardente s'échapper; mais, comme celle-ci avec effroi retirait sa main de la feuille, lui par le trouble encore tout ému:

—«Qu'avez-vous? dit-il; une guêpe cachée vous aurait-elle piquée?—Je ne sais, répondit-elle à voix basse et en baissant le front. Et sans plus en dire chacun se met à cueillir de nouveau quelque brindille; pourtant, avec des yeux malins en dessous, ils s'épiaient à qui rirait le premier.........»

Mais lisez tout entier le passage qui suit cette rencontre involontaire des deux mains dans les feuilles. Le voilà:

XI

«Leur poitrine battait!... La feuille tomba, puis de nouveau, comme pluie; et puis, venu l'instant où ils la mettaient au sac, la main blanche et la main brune, soit à dessein ou par bonheur, toujours venaient l'une vers l'autre, mêmement qu'au travail ils prenaient grande joie.

«Chantez, chantez, magnanarelles, en défeuillant vos rameaux!... Vois! vois! tout à coup Mireille crie, Vois!—Qu'est-ce?» Le doigt sur la bouche, vive comme une locustelle sur un cep, vis-à-vis de la branche où elle juche, elle indiquait du bras... «Un nid... que nous allons voir!

—«Attends!...» Et, retenant son souffle haletant, tel qu'un passereau le long des tuiles, Vincent, de branche en branche, a bondi vers le nid. Au fond d'un trou qui, naturellement, entre la dure écorce, s'était formé, par l'ouverture les petits se voyaient, déjà pourvus de plumes et remuant.

«Mais Vincent, qui, à la branche tortue, vient de nouer ses jambes vigoureuses, suspendu d'une main, dans le tronc caverneux fouille de l'autre main. Un peu plus élevée, Mireille alors, la flamme aux joues: Qu'est-ce? demande-t-elle avec prudence. «Des pimparrins!» De belles mésanges bleues!

Mireille éclata de rire. «Écoute, dit-elle, ne l'as-tu jamais ouï dire? Lorsqu'on trouve à deux un nid au faîte d'un mûrier ou de tout arbre pareil, l'année ne passe pas qu'ensemble la sainte Église ne vous unisse... Proverbe, dit mon père, est toujours véridique.

«Oui, réplique Vincent; mais il faut ajouter que cet espoir ne peut se fondre si, avant d'être en cage, s'échappent les petits.—Jésus, mon Dieu! prends garde! cria la jeune fille, et, sans retard, serre-les avec soin, car cela nous regarde!» Ma foi! répond ainsi le jouvenceau,

«Le meilleur endroit pour les serrer serait peut-être votre corsage...— Tiens! oui, donne! c'est vrai!...» Le garçon aussitôt plonge sa main dans la cavité de l'arbre; et sa main, qui retourne pleine, en tire quatre du creux. «Bon Dieu! dit Mireille en tendant la main, oh! combien?...

—«La gentille nichée! Tiens! tiens! pauvres petits, un bon baiser!» Et, folle de plaisir, de mille doux baisers elle les dévore et les caresse. Puis avec amour doucement les coule sous son corsage qui enfle.—«Tiens! tiens! tends la main derechef,» cria Vincent.

—«Oh! les jolis petits! Leurs têtes bleues ont de petits yeux fins comme des aiguilles!» Et vite encore dans la blanche et lisse prison elle cache trois mésanges; et chaudement, dans le sein de la jeune fille, la petite couvée, qui se blottit, croit qu'on l'a remise au fond de son nid.

—«Mais tout de bon, Vincent, y en a-t-il encore?—Oui! sainte Vierge! Vois! tout à l'heure je dirai que tu as la main fée!—Eh! bonne fille que vous êtes! les mésanges, quand vient la Saint-Georges, elles font dix, douze œufs et même quatorze, maintes fois!... Mais tiens! tiens! tends la main, les derniers éclos! Et vous, beau creux, adieu!»

XII

À peine le jeune homme se décroche, à peine celle-ci arrange les oiseaux bien délicatement dans son fichu fleuri... Aie! aie! aie! d'une voix chatouilleuse fait soudain la pauvrette. Et, pudique, sur la poitrine elle se presse les deux mains. Aïe! aïe! aïe! je vais mourir!»

«Ho! pleurait-elle, ils m'égratignent! Aïe! m'égratignent et me piquent! Cours vite, Vincent, vite!...» C'est que, depuis un moment, vous le dirai-je? dans la cachette grand et vif était l'émoi. Depuis un moment, dans la bande ailée avaient, les derniers éclos, mis le bouleversement.

«Et, dans l'étroit vallon, la folâtre multitude, qui ne peut librement se caser, se démenant des griffes et des ailes, faisait, dans les ondulations, culbutes sans pareilles: faisait, le long des talus, mille belles roulades.

«Aïe! aïe! viens les recevoir! vole!» lui soupirait-elle. Et, comme le pampre que le vent fait frissonner, comme une génisse qui se sent piquée par les frelons, ainsi gémit, bondit et se ploie l'adolescente des Micocoules.... Lui pourtant a volé vers elle... Chantez en défeuillant;

«En défeuillant vos rameaux, chantez, *magnanarelles*! Sur la branche où Mireille pleure, lui pourtant a volé. «Vous le craignez donc bien le chatouillement? lui dit-il de sa bouche amie. Eh! comme moi, dans les orties, si, nu pieds, maintes fois il vous fallait vaguer!

«Comment feriez-vous?» Et, pour déposer les oisillons qu'elle a dans son corsage, il lui offre en riant son bonnet de marin. Déjà Mireille, sous l'étoffe que la nichée rendait bouffante, envoie la main, et dans la *coiffe* déjà, une à une, rapporte les mésanges.

«Déjà, le front baissé, pauvrette! et détournée un peu de côté, déjà le sourire se mêlait à ses larmes; semblablement à la rosée qui, le matin, des liserons mouille les clochettes lourdes, et roule en perles, et s'évapore aux premières clartés...

«Et sous eux voilà que la branche tout à coup éclate et se rompt!... Au cou du vannier la jeune fille effrayée, avec un cri perçant, se précipite et enlace ses bras; et du grand arbre qui se déchire, en une rapide virevolte, ils tombent, serrés comme deux jumeaux sur la souple ivraie...

«Frais zéphirs (vent), largue et (vent) grec, qui des bois remuez le dais, sur le jeune couple que votre murmure un petit moment mollisse et se taise! Folles brises, respirez doucement! Donnez le temps que l'on rêve, le temps qu'à tout le moins ils rêvent le bonheur!

«Toi qui gazouilles dans ton lit, va lentement, va lentement, petit ruisseau parmi tes galets sonores; ne fais pas tant de bruit, car leurs deux âmes sont dans le même rayon de feu, parties comme une ruche qui essaime... Laissez-les se perdre dans les airs pleins d'étoiles!

«Mais elle, au bout d'un instant, se délivra du danger. Moins pâles sont les fleurs du cognassier. Puis ils s'assirent sur le talus, l'un près de l'autre se mirent, un petit moment se regardèrent, et voici comment parla le jeune homme aux paniers:

XIII

«Vous êtes-vous point fait de mal, Mireille!... Ô honte de l'allée! arbre du diable! arbre funeste qu'on a planté un vendredi! que le marasme s'empare de toi! que l'artison te dévore, et que ton maître te prenne en horreur!—Mais elle, avec un tremblement qu'elle ne peut arrêter:

«Je ne me suis pas, dit-elle, fait de mal, nenni! Mais, telle qu'un enfant dans ses langes qui parfois pleure et ne sait pourquoi, j'ai quelque chose, dit-elle, qui me tourmente; cela m'ôte le voir et l'ouïr; mon cœur en bout, mon front en rêve, et le sang de mon corps ne peut rester calme.»

«Peut-être, dit le vannier, est-ce la peur que votre mère ne vous gronde pour avoir mis trop de temps à la *feuille?* Comme moi, quand je m'en venais à l'heure indue, déchiré, barbouillé comme un Maure, pour être allé chercher des mûres.—Oh! non, dit Mireille; autre peine me tient.»

Mireille, enfin, après un naïf interrogatoire, finit par avouer à Vincent qu'elle l'aime! «Oh! dit l'humble enfant du vannier, ne vous jouez pas ainsi de moi, Mademoiselle! Vous la reine des Micocoules! moi le fils vagabond du vannier!»

L'aveu n'est pas moins involontaire et pas moins franc sur les deux bouches. «Eh bien! je le dirai une fois aussi, Mireille, je t'aime!

«Je t'aime tellement que si tu disais: Je veux une étoile, il n'est ni traversée de mers, ni forêts, ni torrents en fureur, ni bourreau, ni feu, ni fer qui m'arrêtent. Au sommet des pics des montagnes, là où la terre touche le ciel, j'irais la cueillir, et dimanche tu l'aurais pendue à ton cou.

«Mais, ô la plus belle de toutes! plus j'y pense, plus, hélas! je sens que je me fais illusion. J'ai vu une fois un figuier dans mon chemin, cramponné à la roche nue, contre la grotte de Vaucluse, si maigre, hélas! qu'à peine aux lézards gris il donnait autant d'ombre qu'une touffe de jasmin. Jusqu'à ses racines une seule fois par an vient clapoter l'onde d'une source voisine, et l'arbuste avide se penche pour boire autant qu'il peut au flot abondant qui monte à ses pieds pour le désaltérer. Cela lui suffit toute une année pour vivre. Cela s'applique à moi, ô Mireille! aussi juste que la pierre à la bague!

«Car je suis le figuier, Mireille, toi la fontaine!...»

L'entretien s'attendrit entre les deux enfants; au moment où il va s'exalter jusqu'au délire, on entend la voix grondeuse d'une vieille femme. «Les vers à soie, à midi, n'auront donc point de feuilles à manger?» dit-elle.

«Au sommet touffu d'un pin tout retentissant d'un joyeux tumulte d'oiseaux, une volée de passereaux qui s'abat remplit quelquefois l'air d'un gai ramage à l'heure où fraîchit le soir; mais si tout à coup d'un glaneur qui les guette la pierre lancée tombe sur la cime de l'arbre, de toute part, effarouchés dans leurs ébats, la volée s'enfuit dans le bois.»

Ainsi, troublé dans son bonheur, le couple innocent s'enfuit dans la lande, elle vers la maison, son faisceau de feuilles sur la tête, lui immobile, la regardant de loin courir dans le blé.

Et ainsi finit ce second chant, une des plus suaves idylles à laquelle on ne peut rien comparer que les gémissements les plus chastes du Cantique des Cantiques. Il y respire une pureté d'images, une verve de bonheur, une jeunesse de cœur et de génie qui ne peuvent avoir été écrites que par un poëte de vingt ans. La terre y tourne sous les pas, le cœur y bondit dans la poitrine comme dans une ronde de villageois sous les mûriers de la Crau ou sous les châtaigniers de Sicile. Ô poésie d'un vrai poëte! tu es le rajeunissement éternel des imaginations, la Jouvence du cœur.

XIV

Le troisième chant s'ouvre par une description à la fois biblique, homérique et virgilienne d'une assemblée de matrones arlésiennes dans une magnanerie, occupées, tout en jasant, à faire monter les vers à soie réveillés sur les brindilles de mûriers pour y filer leurs berceaux transparents.

Mireille va et vient dans la foule, semblable à la jeune âme de la maison et de la saison. Elle rougit de quelques propos de jeunes filles, ses compagnes, qui parlent de leurs fiancés sans se douter qu'elle a choisi le sien; elle va cacher sa rougeur subite à la cave sous prétexte d'aller chercher la flasque de vin des Micocoules. Les jeunes filles, animées par la goutte de vin, jasent comme des colombes roucoulent; une, entre autres, en supposant par badinage qu'elle a épousé un fils de roi de la contrée, fait, en contemplant son pays du haut de sa tour, une géographie splendide de la belle Provence. Écoutez:

«Je verrais, disait-elle, mon gai royaume de Provence, tel qu'un clos d'orangers, devant moi s'épanouir, avec sa mer bleue mollement étendue sous ses collines et ses plaines, et les grandes barques pavoisées cinglant à pleine voile au pied du château d'If.

«Et le mont Ventoux que laboure la foudre, le Ventoux, qui, vénérable, élève sur les montagnes blotties au-dessous de lui sa blanche tête jusqu'aux astres, tel qu'un grand et vieux chef de pasteurs qui, entre les hêtres et les pins sauvages, accoté de son bâton, contemple son troupeau.

«Et le Rhône, où tant de cités, pour boire, viennent à la file, en riant et chantant, plonger leurs lèvres tout le long; le Rhône, si fier dans ses bords, et qui, dès qu'il arrive à Avignon, consent pourtant à s'infléchir pour venir saluer Notre-Dame des Doms.

«Et la Durance, cette chèvre ardente à la course, farouche, vorace, qui ronge en passant et cades et argousiers; la Durance, cette fille sémillante qui vient du puits avec sa cruche, et qui répand son onde en jouant avec les gars qu'elle trouve par la route, etc.»

XV

L'une des compagnes de Mireille découvre que la jeune fille des Micocoules a causé en secret avec Vincent, l'enfant aux pieds nus; on raille Mireille. Une matrone prend sa défense et raconte, pour les faire taire, aux médisantes une légende provençale qui fait rentrer la raillerie dans leurs bouches. Lisez cela.

«Il était un vieux pâtre, dit-elle; il avait passé toute sa vie seul et sauvage dans l'âpre *Lubéron*, gardant son troupeau. Enfin, sentant son corps de fer ployer vers le cimetière, il voulut, comme c'était son devoir, se confesser à l'ermite de Saint-Eucher.»

Il avait tout oublié dans son isolement, depuis ses premières Pâques jusqu'à ses prières. De sa cabane il monta donc à l'ermitage, et, devant l'ermite, il s'agenouilla, courbant le front à terre.

«De quoi vous accusez-vous, mon frère?» dit le chapelain. «Hélas! répondit le vieillard, voici ce dont je m'accuse: Une fois, dans mon troupeau, une bergeronnette, qui est un oiseau ami des bergers, voletait... Par malheur je tuai avec un caillou la pauvre hoche-queue!»

«S'il ne le fait à dessein cet homme doit être idiot, pensa l'ermite... Et aussitôt, brisant la confession»: Allez suspendre à cette perche, lui dit-il en étudiant son visage, votre manteau; car je vais maintenant, mon frère, vous donner la sainte absolution.»

«La perche que le prêtre, afin de l'éprouver, lui montrait, était un rayon de soleil qui tombait obliquement dans la chapelle. De son manteau le bon vieux pâtre se décharge, et, crédule, en l'air le jette... Et le manteau resta suspendu au rayon éclatant.»

—«Homme de Dieu! s'écria l'ermite... Et aussitôt de se précipiter aux genoux du saint pâtre, en pleurant à *chaudes larmes*. Moi! se peut-il que je vous absolve? Ah! que l'eau pleuve de mes yeux! et sur moi que votre main s'étende, car c'est vous qui êtes un grand saint, et moi le pécheur.»

Et cela vous fait voir, jeune langue, qu'il ne faut jamais se moquer de l'habit. Comme un grain de raisin (je l'ai vu), notre jeune maîtresse est devenue vermeille dès que le nom de Vincent a été prononcé. Voyons, belle enfant, là est quelque mystère.—«Je veux, dit Mireille, me cacher en un couvent de nonnes à la fleur de mes ans plutôt que de me laisser unir à un époux.» On rit, on se moque de son serment. Cela amène la belle Nore à chanter la ballade provençale de *Magali*.

Et telles, comme, quand une cigale grince dans un sillon son chant d'été, toutes les autres cigales en chœur reprennent son même chant, telles les jeunes filles en chœur répétaient toutes ensemble le refrain de la ballade de Nore.

Voici la ballade:

XVI

«Ô Magali, ma tant aimée, mets la tête à la fenêtre; écoute un peu cette sérénade de violon et de tambourin! Le ciel est là-haut, plein d'étoiles; le vent tombe, mais les étoiles en te voyant pâliront.»

—«Pas plus que du murmure des branches de ton aubade je me soucie. Mais je m'en vais dans la mer blonde me faire anguille de rocher.»

«Ô Magali, si tu te fais le poisson de l'onde, moi, pêcheur je me ferai; je te pêcherai.»

—«Oh! mais si tu te fais pêcheur, quand tu jetteras tes filets je me ferai l'oiseau qui vole, je m'envolerai dans les landes.»

«Ô Magali, si tu te fais l'oiseau de l'air, je me ferai, moi, le chasseur; je te chasserai.»

—«Aux perdreaux, aux becs-fins, si tu viens tendre tes lacets, je me ferai, moi, l'herbe fleurie, et me cacherai dans les prés vastes.»

«Ô Magali, si tu te fais la marguerite, je me ferai, moi, l'eau limpide; je t'arroserai.»

—«Si tu te fais l'onde limpide, je me ferai, moi, le grand nuage, et promptement m'en irai ainsi en Amérique, là-bas, bien loin!»

«Ô Magali, si tu t'en vas aux lointaines Indes, je me ferai, moi, le vent de mer; je te porterai.»

—«Si tu te fais le vent marin, je fuirai d'un autre côté; je me ferai l'ardeur du grand soleil qui fond la glace.»

«Ô Magali, si tu te fais l'ardeur du soleil, je me ferai, moi, le vert lézard, et te boirai.»

—«Si tu te fais la salamandre qui se cache sous le hallier, je serai, moi, la lune pleine, qui éclaire les sorciers la nuit.»

—«Ô Magali, si tu te fais lune sereine, je me ferai, moi, belle brume; je t'envelopperai.»

—«Mais si la belle brume m'enveloppe, pour cela tu ne me tiendras pas; moi, belle rose virginale, je m'épanouirai dans le buisson.»

«Ô Magali, si tu le fais la rose belle, je me ferai, moi, le papillon; je m'enivrerai de toi.»

—«Va, poursuivant, cours, cours! jamais, jamais tu ne m'atteindras. Moi, de l'écorce d'un grand chêne je me vêtirai dans la forêt sombre.»

«Ô Magali, si tu te fais l'arbre des mornes, je me ferai, moi, la touffe de lierre; je t'embrasserai.»

—«Si tu veux me prendre à bras le corps, tu ne saisiras qu'un vieux chêne... je me ferai blanche nonnette du monastère du grand saint Blaise.»

«Ô Magali, si tu te fais nonnette blanche, moi, prêtre, je te confesserai et je t'entendrai.»

«Là les femmes tressaillirent, les cocons roux tombèrent des mains, et elles criaient à Nore: Oh! dis ensuite ce que fit, étant nonnain, Magali, qui déjà, pauvrette, s'est faite chêne et fleur aussi, lune, soleil et nuage, herbe, oiseau et poisson.»

«De la chanson, reprit Nore, je vais vous chanter ce qui reste. Nous en étions, s'il m'en souvient, à l'endroit où elle dit que dans le cloître elle va se jeter, et où l'ardent chasseur répond qu'il y entrera comme confesseur.... Mais de nouveau voyez l'obstacle qu'elle oppose.»

—«Si du couvent tu passes les portes, tu trouveras toutes les nonnes autour de moi errantes, car en suaire tu me verras.»

«Ô Magali, si tu te fais la pauvre morte, adoncques je me ferai la terre; là je t'aurai.»

—«Maintenant je commence enfin à croire que tu ne me parles pas en riant. Voilà mon annelet de verre pour souvenir, beau jouvenceau.»

«Ô Magali, tu me fais du bien!... Mais, dès qu'elles t'ont vue, ô Magali, vois les étoiles, comme elles ont pâli!»

XVII

«Nore se tait; nul ne disait mot. Tellement bien Nore chantait que les autres, en même temps, d'un penchement de front l'accompagnaient, sympathiques, comme les touffes de souchet qui, pendantes et dociles, se laissent aller ensemble au courant d'une fontaine.»

Et vous, lecteur, que dites-vous de ce chant de Nore? Y a-t-il dans les ballades de Schiller ou de Goethe une parabole d'amour comparable par sa candeur et sa gaieté tendre à cette parabole villageoise du berger et du poëte de Maillane? Cette ballade finit le troisième chant; elle vous laisse dans le cœur et dans l'oreille un écho de musette prolongé à travers les myrtes de la Calabre. Et vous êtes tout surpris, avec le sourire sur les lèvres, de trouver une larme sur votre main. Chantons-nous ainsi dans nos villes?

XVIII

Les demandes de la main de Mireille à son père par ses prétendants remplissent le quatrième chant. C'est la situation de Pénélope transportée du palais au village, c'est Ithaque au mas des Micocoules. Mais, si la situation est analogue, les détails sont tous originaux; la nature forme des ressemblances, jamais de copies.

«Quand vient la saison, dit le poëte, où les violettes éclosent par touffes dans les vertes pelouses, les couples amoureux ne manquent pas pour aller les cueillir à l'ombre; quand vient le temps où la mer agitée apaise sa fière poitrine et respire lentement de toutes ses mamelles, les prames et les barques ne manquent pas pour aller sur l'aile des rames s'éparpiller sur la mer tranquille; quand vient le temps où l'essaim des jeunes vierges fleurit parmi les femmes, les poursuivants ne manquent ni dans la Crau, ni dans les manoirs des châtelains, ni au mas des Micocoules. Il en vint trois: un gardien de cavales, un pasteur de génisses, un berger de brebis, tous les trois jeunes et beaux.»

Le cortége d'ânes, de boucs, de béliers, de chèvres, de chevrettes et de petits chevreaux, descendant des montagnes du Dauphiné dans la Crau aux sons des clochettes appendues au cou des béliers conducteurs et suivi du pâtre enveloppé de son lourd manteau, est une de ces scènes calquées sur les flancs des montagnes, aux rayons d'un soleil d'automne. Le pasteur, environné de ses chiens blancs et énormes, passe avec orgueil cette revue de ses richesses au défilé des monts dans la plaine.

Alari, ce riche possesseur des troupeaux ambulants, aborde Mireille sur le seuil du *mas*, sous prétexte de lui demander le chemin, mais, en réalité, pour sonder son cœur. Il lui fait présent d'une coupe taillée dans le buis, ciselée de ses mains pendant les longs loisirs solitaires du pâturage. Le bouclier d'Achille, dans l'*Iliade*, n'est pas mieux décrit que cette coupe avec ses bas-reliefs sculptés au couteau. Mireille admire, raille, refuse, et s'enfuit.

XIX

Un gardien des cavales de la Crau, présomptueux et superbe, est refusé de même. Pourtant les mille cavales sauvages qu'il possède sont peintes par le poëte avec des couleurs de Salvator Rosa. «Elles flairent le vent et se souviennent, après dix ans d'esclavage, de l'exhalation salée et enivrante de la mer, échappées sans doute de l'attelage de Neptune, leur premier ancêtre, semblent encore teintes d'écume, et, quand la mer souffle et s'assombrit, quand les vaisseaux rompent leurs câbles, les étalons de la Camargue hennissent de joie; ils font claquer, comme une mèche de fouet, leur longue queue traînante; ils creusent le sol avec leur sabot, ils sentent pénétrer dans leur chair le trident du dieu terrible qui fait bondir les flots.»

Le maître de ces escadrons de cavales demande Mireille à son père. Raymond l'agrée, fait venir Mireille; mais Mireille demande du temps, pleure et se sauve. «Père, dit le cavalier, il suffit; je retire ma demande, car un gardien des cavales de la Camargue connaît la piqûre du cousin!» «Il a deviné que le cœur de l'enfant n'est plus à elle. Triste et résigné, il reprend au repas le sentier pierreux du désert.»

XX

Un troisième, féroce gardeur de taureaux et de vaches, arrive avec la confiance de sa richesse et la dureté de son métier.

«Combien de fois, dit le poëte, n'avait-il pas, dans les *ferrades* (jour de l'année où l'on marque les animaux sauvages dans la Camargue), combien de fois n'avait-il pas renversé à terre ses taureaux par leurs cornes? Combien de fois, rude sevreur des veaux, ne les avait-il pas sevrés, et sur le dos de la mère irritée rompu des brassées de gourdins, jusqu'à ce qu'elle fuie la grêle des coups, hurlante et retournant la tête vers son nourrisson entre les jeunes pins?»

Où avez-vous vu dans les épopées pastorales, depuis les tentes de Jacob, de pareilles images?

Un magnifique combat de taureaux dans la plaine d'Arles diversifie le poëme. Le toucheur de bœufs triomphe, mais, jeté en l'air par les cornes de l'animal, il reste marqué d'une cicatrice au front. Les couronnes qu'il a reçues des filles d'Arles lui donnent la certitude d'honorer Mireille en la demandant pour épouse.

Monté sur la jument blanche, il vient, plein de confiance, au mas des Micocoules; il rencontre Mireille lavant, comme Nausicaa, à la fontaine. «Dieu! qu'elle était belle, trempant dans l'argent de l'écoulement de la source ses pieds au gué!»

Le dialogue entre le fier toucheur de bœufs et la jeune laveuse est à lui seul une idylle accomplie; combien nous regrettons de ne pas le reproduire en entier! Enfin l'amoureux propose à Mireille de le suivre au pays de la Camargue, où l'on entend la mer à travers les rameaux sonores des pins. «Ils sont trop loin, vos pins, répond-elle.—Prêtres et filles, réplique le bouvier, ne peuvent savoir jamais la patrie où ils iront manger leur pain un jour.» Il me suffit de le manger avec celui que j'aime. Je ne demande rien de plus pour me sevrer de mon nid.—Belle, alors, dit le bouvier, donnez-moi votre amour!

«Je vous le donnerai, jeune homme, réplique Mireille; mais, avant, ces orties porteront des grappes de raisins vermeils, votre bâton à trident de fer fleurira, ces collines de rocher s'amolliront comme de la cire, et l'on ira par mer au village des Beaux sur la roche au milieu des terres!»

XXI

Humilié et irrité de ce refus, le bouvier remonte sur sa jument blanche et s'éloigne en ruminant sa vengeance.

Il rencontre malheureusement le pauvre fils du vannier, Vincent. «Droit comme un roseau de la Durance, Vincent cheminait seul vers le mas des Micocoules; son visage éblouissait de bonheur, de paix et d'amour, en rêvant aux douces paroles que Mireille lui avait dites un matin parmi les mûriers. La brise molle de la mer lointaine s'engouffrait dans sa chemise enflée sur sa poitrine; il marchait dans les galets pieds nus, léger et gai comme un lézard.»

Il venait aussi de temps en temps aux Micocoules, faisait, en imitant le chant d'un oiseau, le signal de son arrivée à son amante. Le récit de leurs douces entrevues et de leurs chastes entretiens à travers le buisson, au clair de la lune, dépasse en naïveté et en fraîcheur tout ce que vous avez lu de Daphnis et de Chloé auprès de la fontaine. Longus est licencieux, Mistral est virginal dans son amour. Du paganisme au christianisme se mesure la distance entre les deux poëmes.

XXII

Le toucheur de bœufs soupçonne Vincent d'être la cause cachée de l'affront de Mireille; il insulte grossièrement le beau vannier. Le combat remplit le cinquième chant. Vincent est laissé inanimé sur le sol. La vengeance divine, sous la forme d'une croyance populaire du pays, s'attache au meurtrier: il se noie dans le Rhône en traversant le fleuve avec son cheval pour repasser dans la Camargue. Les ballades allemandes n'ont rien de plus fantastique et de plus lugubre que ce passage du Rhône pendant une nuit d'orage. Ce sont des stances de *Lenora*. Ce poëte du Midi a, quand il veut, les cordes surnaturelles et frissonnantes du Nord.

Au sixième chant, Vincent inanimé est rencontré par trois garçons de ferme, qui le portent au mas des Micocoules.

«Oh! quel spectacle! Abandonné dans le désert des champs avec les étoiles pour compagnes, là le pauvre adolescent avait passé la nuit, et l'aube humide et claire, en frappant sur ses paupières, lui avait rouvert les yeux et ranimé la vie dans ses veines froides.»

Ici le poëte, pour peindre le déchirement de cœur de Mireille à l'aspect de son amoureux baigné de sang, invoque toute la pléiade fraternelle des Provençaux vivants, «Romanille le premier, Aubanel, Anselme, et toi, Ravan, qui confonds ton humble chanson avec celle des grillons bruns qui examinent ton hoyau quand il fend la glèbe; et toi aussi, Adolphe Dumas, qui trempes ta noble lyre dans l'écume de notre Durance débordée!»

Les chants d'Herminie et de Clorinde, dans la *Jérusalem délivrée*, n'ont pas de scènes plus pathétiques que ce retour du pauvre vannier entre les bras de sa fiancée en larmes. Par respect pour le père de Mireille et pour la réputation de la jeune fille, Vincent ne veut pas avouer la cause de sa blessure; il l'attribue à un coup de son outil à lame acérée, qui, en coupant un fagot d'osier, est venue percer la poitrine. Mireille elle-même ne soupçonne pas le pieux mensonge.

Ici la scène amoureuse devient une scène des traditions superstitieuses du peuple de Provence. On porte l'infortuné vannier à la grotte des Fées, dans le vallon d'enfer, pour qu'il soit guéri par les sorcières. Les poëtes du pays s'extasient, selon nous, outre mesure sur ces légendes superstitieuses de Provence et sur les sorcelleries de la grotte des Fées. Quant à nous, nous déchirerions ce chant tout entier sans rien regretter dans le poëme. Les vers sont beaux et pittoresques, mais toutes ces fantasmagories sont refroidissantes pour le sentiment, fussent-elles dans Shakspeare ou dans Goethe: les fantômes n'ont pas de cœur. Mistral gagnerait à les supprimer. Il n'y a pas de sortilége qui vaille une touchante réalité.

XXIII

Au septième chant Vincent est guéri: il travaille tout pensif à côté de son vieux père, sur la porte de leur cabane, au bord du Rhône. Il avouait son amour timide au vieillard, qui refusait de croire à tant d'audace: «Pendant que le vent de mer, courbeur puissant des peupliers, hurlait sur leurs têtes au-dessus de la voix du jeune homme;

«Le Rhône, irrité par le vent, faisait, comme un troupeau de vaches, courir ses vagues troublées à la mer; mais ici, entre les cépées d'osier qui faisaient abri et ombrage, une mare d'eau azurée, loin des ondes, mollement venait s'alentir.

«Des bièvres, le long de la grève, rongeaient de la saulaie l'écorce amère; là-bas, à travers le cristal du calme continuel, vous apercevez les brunes loutres, errantes dans les profondeurs bleues, à la pêche des beaux poissons argentés.

«Au long balancement du vent berceur, le long de cette rive, les pendulines avaient suspendu leurs nids, et leurs petits nids blancs, tissus comme une molle robe, avec l'ouate qu'aux peupliers blancs l'oiseau, lorsqu'ils sont en fleur, dérobe, s'agitaient aux rameaux d'aune et aux roseaux.

«Rousse comme une tortillade, une alerte jeune fille d'un large filet étendait les plis, trempés d'eau, sur un figuier. Les animaux de la rivière et les pendulines des oseraies n'avaient pas plus peur d'elle que des joncs tremblants.

«C'était Vincenette, sœur de Vincent, qui, cette jeune fille, revenait du pays d'Arles à la hutte de son père.

«Pauvrette! c'était la fille de maître Ambroise, Vincenette. Ses oreilles, personne encore ne les lui avait percées; elle avait des yeux bleus comme des prunes de buisson et le sein à peine enflé; épineuse fleur de câpre que le Rhône amoureux aimait à éclabousser.

«Avec sa barbe blanche et rude qui lui tombait jusqu'aux hanches, maître Ambroise à son fils répondit: «Écervelé, assurément tu dois l'être, car tu n'es plus maître de ta bouche!—Pour que l'âne se délicote, père, il faut que le pré soit rudement beau!

«Mais à quoi bon tant de paroles? Vous savez comme elle est! Si elle était à Arles, les filles de son âge se cacheraient en pleurant, car après elle on a brisé le moule!... Que répondrez-vous à votre fils quand vous saurez qu'elle m'a dit: *Je te veux!*»

—«Richesse et pauvreté, insensé, te répondront.»

Le père, supplié d'aller demander Mireille à sa famille, combat cette pensée comme un ridicule orgueil. «Les cinq doigts de la main, dit-il, mon enfant, ne sont pas tous égaux. Le maître t'a fait lézard gris; tiens-toi à ta place dans ta crevasse nue, bois ton rayon de soleil et rends grâce!»

XXIV

Rien n'y fait. Vincent insiste tellement que le père part pour aller sonder le cœur du père de Mireille. Il arrive un beau soir de moisson au domaine des Micocoules. Il y a ici un demi-chant descriptif de la moisson, cette bénédiction de l'homme des champs, cette fructification de la terre par la charrue, qu'il faudrait copier en lettres d'or comme un catéchisme des chaumières. Nous renonçons à l'abréger; chaque trait contribue au tableau;

c'est un tissu d'images dont on ne peut arracher un brin sans dégrader l'œuvre.

«Et les six mules, belles et luisantes, suivaient, sans détourner ni s'arrêter, le sillon; elles semblaient, en tirant, comprendre elles-mêmes pourquoi il faut labourer la terre sans marcher trop lentement et sans courir, vers le sol baissant le museau, patientes, attentives à l'ouvrage, et le cou tendu comme un arc!»

Ce demi-chant est rempli de stances semblables sur tous les phénomènes de la culture, de la lune, des saisons; ce sont les Géorgiques de la France méridionale, mais les Géorgiques animées par la joie de l'amour et de la récolte, les Géorgiques passionnées au lieu des Géorgiques purement descriptives du Virgile de Mantoue. Ô Delille, ô Saint-Lambert, ô Roucher! qu'êtes-vous devant les stances de ce septième chant de Mireille?

Raymond refuse sa fille au vannier, à table, dans une scène de caractère digne de la plus haute comédie; scène où le pathétique se mêle au comique, dans un entretien qu'avouerait Molière. L'insolence de l'aristocratie descend du palais à la chaumière, comme une passion inhérente au cœur humain, dont la forme change, mais dont le fond est immuable. Nul homme ne veut descendre, et tout homme veut monter: c'est la nature; les institutions n'y font rien; l'Américain, qui ne reconnaît pas la noblesse du sang, adore la vile noblesse de l'or et s'insurge contre l'égalité de la couleur; sa philosophie ne s'étend pas du blanc au noir. Le riche laboureur, dans *Mireille*, ne descend pas jusqu'au pauvre raccommodeur de corbeilles; le père de Vincent est rudement congédié.

Mireille, qui entend tout, dit à son père: «Vous me tuerez donc, car c'est moi qui l'aime!—Eh bien! vas-y, répond l'impitoyable père à sa fille; vas-y, avec ton mendiant, courir les champs. Tu t'appartiens, pars! Bohémienne errante; sur trois cailloux, avec la Chienne (nom d'une bohémienne de la contrée), va cuire ta gamelle sous la voûte d'un pont! Souviens-toi de ma parole: tu ne le verras plus, ton vilain amoureux.»

Le vannier se revenge à ces insultes en termes d'une dignité modeste, mais virile; il rappelle ses campagnes en mer et sa probité intacte. Le laboureur lui répond qu'il a servi aussi sa patrie dans les camps, et qu'il a conquis après sa richesse à force de travail au soleil et à la pluie; car la terre est telle, dit-il, qu'un arbre d'avelines (le noisetier): «À qui ne la frappe pas à grands coups elle ne donne rien! Dans ma richesse on compterait les gouttes de sueur qui ont coulé de mes membres! Garde ton chien, je garde mon cygne!»

À ces mots le vannier reprit son sac et son bâton derrière la porte. Irus, dans Homère, n'est pas un mendiant plus noble ni plus touchant qu'Ambroise. Le cœur de Mireille rugit dans son sein.

XXV

«Qui tiendra la forte lionne quand, de retour à son antre, elle n'y retrouve plus son lionceau? Soudain, hurlante, légère et efflanquée, elle court sur les montagnes d'Afrique; elle court pendant qu'un chasseur maure lui emporte son petit à travers les broussailles épineuses.»

«Qui vous tiendra, filles amoureuses? Dans sa chambrette sombre, où la lune qui brille allonge sur le plancher son rayon, Mireille est dans son lit, couchée, qui pleure toute la nuitée avec son front dans ses mains jointes. Notre Dame d'amour, dites-moi ce que je dois faire!

«Ô sort cruel, qui m'accables d'ennuis! Ô père dur, qui me foules aux pieds, si tu voyais de mon cœur le déchirement et le trouble, tu aurais pitié de ton enfant! Moi, que tu nommes ta mignonne, tu me courbes aujourd'hui sous le joug comme si j'étais un poulain qu'on peut dresser au labour!

«Ah! que la mer ne déborde-t-elle, et dans la Crau que ne lâche-t-elle ses vagues! Joyeuse je verrais s'engloutir ce bien au soleil, seule cause de mes larmes! Ou pourquoi, d'une pauvre femme, pourquoi ne suis-je pas née moi-même, dans quelque trou de serpent!... Alors, alors, peut-être...

«Si un pauvre garçon me plaisait, si Vincent demandait (ma main), vite, vite on me marierait!... Ô mon beau Vincent! pourvu qu'avec toi je pusse vivre et t'embrasser comme fait le lierre, dans les ornières j'irais boire. Le manger de ma faim serait tes doux baisers!

«Et pendant qu'ainsi dans sa couchette la belle enfant se désole, le sein brûlant de fièvre et frémissant d'amour, des premiers temps de ses amours pendant qu'elle repasse les charmantes heures et les moments si clairs, lui revient tout à coup un conseil de Vincent.

«Oui, s'écrie-t-elle, un jour que tu vins au mas, c'est bien toi qui me dis: «Si jamais un chien enragé, un lézard, un loup ou un serpent énorme, ou toute autre bête errante, vous fait sentir sa dent aiguë, si le malheur vous abat, courez, courez aux Saintes; vous aurez tôt du soulagement.»

«Aujourd'hui le malheur m'abat; partons! Nous en reviendrons contente.»

Cela dit, elle saute, légère, de son petit drap blanc; elle ouvre, avec la clef luisante, la garde-robe qui recouvre son trousseau, meuble superbe de noyer, tout fleuri sous le ciselet.

«Ses petits trésors de jeune fille étaient là: sa couronne, de la première fois qu'elle fit son bon jour (sa communion); un brin de lavande flétrie, un petit cierge usé, presque en entier, et bénit pour dissiper les foudres dans le sombre éloignement.

«Elle, avec un lacet blanc, d'abord se noue autour des hanches un rouge cotillon, qu'elle-même a piqué d'une fine broderie carrelée, petit chef-d'œuvre de couture; sur celui-là, d'un autre bien plus beau lestement elle s'attife encore.

«Puis dans une casaque noire elle presse légèrement sa petite taille, qu'une épingle d'or suffit à resserrer; par tresses longues et brunes ses cheveux pendent et revêtent comme d'un manteau ses deux épaules blanches; mais elle en saisit les boucles éparses,

«Vite les rassemble et les retrousse à pleine main, les enveloppe d'une dentelle fine et transparente; et, une fois les belles touffes ainsi étreintes, trois fois gracieusement elle les ceint d'un ruban à teinte bleue, diadème arlésien de son front jeune et frais.

«Elle attacha son tablier; sur le sein, de son fichu de mousseline elle se croise à petits plis le virginal tissu. Mais son chapeau de Provençale, son petit chapeau à grandes ailes pour défendre des mortelles chaleurs, elle oublia, par malheur, de s'en couvrir la tête...

«Cela fini, l'ardente fille prend à la main sa chaussure; par l'escalier de bois, sans faire de bruit, descend en cachette, enlève la barre pesante de la porte, se recommande aux bonnes Saintes, et part, comme le vent, dans la nuit qui transit le cœur.

«C'était l'heure où les constellations aux nautonniers font beau signe. De l'Aigle de saint Jean, qui vient de se jucher aux pieds de son évangéliste, sur les trois astres où il réside, on voyait clignoter le regard. Le temps était serein et calme et resplendissant d'étoiles.

«Et dans les plaines étoilées, précipitant ses roues ailées, le grand Char des âmes, dans les profondeurs célestes du Paradis prenait la montée brillante, avec sa charge bienheureuse; et les montagnes sombres regardaient passer le Char volant.

«Mireille allait devant elle, comme jadis Maguelonne, celle qui chercha si longtemps, éplorée, dans les bois, son ami Pierre de Provence, qui, emporté par la fureur des flots, l'avait laissée abandonnée.

«Cependant, aux limites du terroir cultivé, et dans le parc où se rassemblent les brebis, les pâtres de son père allaient traire déjà, et les uns, avec la main, tenant les brebis par le museau, immobiles devant les abris-vent, faisaient téter les agneaux bruns. Et sans cesse on entendait quelque brebis bêlant...

«D'autres chassaient les mères qui n'ont plus d'agneau vers le trayeur. Dans l'obscurité, assis sur une pierre, et muet comme la nuit, des mamelles gonflées celui-ci exprimait le bon lait chaud; le lait, jaillissant à longs traits, s'élevait dans les bords écumeux de la seille, à vue d'œil.

«Les chiens étaient couchés, tranquilles; les beaux et grands chiens, blancs comme des lis, gisaient le long de l'enclos, le museau allongé dans les thyms. Silence tout à l'entour, et sommeil, et repos dans la lande embaumée; le temps était serein et calme et resplendissant d'étoiles.

«Et, comme un éclair, à ras des claies Mireille passe; pâtres et brebis, comme lorsque leur courbe la tête un soudain tourbillon, s'agglomèrent. Mais la jeune fille: «Avec moi aux Saintes-Maries nul ne veut venir d'entre les bergers?» Et devant eux elle fila comme un esprit.

«Les chiens du *mas* la reconnurent, et du repos ne bougèrent. Mais elle, des chênes nains frôlant les têtes, est déjà loin, et sur les touffes des panicauts, des camphrées, ce perdreau de fille vole, vole! Ses pieds ne touchent pas le sol!»

XXVI

Tout le commencement de ce chant est de l'Arioste dans ses plus beaux moments, tout le reste est du Tasse; la fuite d'Herminie dans la nuit n'est pas si furtive et si accentuée de beaux détails.

Ô jeune homme de Maillane, tu seras l'Arioste et le Tasse quand tu voudras, comme tu as été homérique et virgilien quand tu l'as voulu, sans y penser!

XXVII

Mais n'allons pas plus avant; nous enlèverions aux lecteurs futurs de ce poëte des chaumières l'intérêt qui s'attache à tout dénoûment. Laissons-leur la curiosité, ce viatique des longues routes dans la lecture comme dans le drame. Ce dénoûment est triste comme deux lis couchés dans la même vase après un débordement du Rhône dans les jardins de la Crau.

En ceci le poëte nous semble manquer de cette habileté manuelle de composition qui a manqué à Virgile dans l'*Énéide*, et qui n'a manqué jamais ni au Tasse ni à l'Arioste. Mais, si la composition pouvait être plus riche de combinaisons dramatiques, la poésie ne pouvait pas être plus neuve, plus pathétique, plus colorée, plus saisissante de détails. Cela est écrit dans le cœur avec des larmes, comme dans l'oreille avec des sons, comme dans les yeux avec des images. À chaque stance le souffle s'arrête dans la poitrine et l'esprit se repose par un point d'admiration! l'écho de ces stances est un perpétuel applaudissement de l'âme et de l'imagination qui vous suit de la première jusqu'à la dernière stance, comme, en marchant dans la grotte sonore de Vaucluse, chaque pas est renvoyé par un écho, chaque goutte d'eau qui tombe est une mélodie.

Ah! nous avons lu, depuis que nos cheveux blanchissent sur des pages, bien des poëtes de toutes les langues et de tous les siècles. Bien des génies littéraires morts ou vivants ont évoqué dans leurs œuvres leur âme ou leur imagination devant nos yeux pendant des nuits de pensive insomnie sur leurs livres; nous avons ressenti, en les lisant, des voluptés inénarrables, bien des fêtes solitaires de l'imagination. Parmi ces grands esprits, morts ou vivants, il y en a dont le génie est aussi élevé que la voûte du ciel, aussi profond que l'abîme du cœur humain, aussi étendu que la pensée humaine; mais, nous l'avouons hautement, à l'exception d'Homère, nous n'en avons lu aucun qui ait eu pour nous un charme plus inattendu, plus naïf, plus émané de la pure nature, que le poëte villageois de Maillane.

Nous ne sommes pas fanatique cependant de la soi-disant démocratie dans l'art; nous ne croyons à la nature que quand elle est cultivée par l'éducation; nous n'avons jamais goûté avec un faux enthousiasme ces médiocrités rimées sur lesquelles des artisans dépaysés dans les lettres tentent trop souvent, sans génie ou sans outils, de faire extasier leur siècle; excepté *Jasmin*, un grand épique, mais qui a trop bu l'eau de la Garonne au lieu de l'eau du Mélès; excepté *Reboul, de Nîmes*, qui est né classique et qui semble avoir été baptisé dans l'eau du Jourdain, le fleuve des prophètes, au lieu du Rhône, le fleuve des trouvères, nous n'avons vu, en général, que des avortements dans cette poésie des ateliers. Que chantent-ils, ceux qui ne voient la nature que dans la guinguette? Il pourrait en sortir des Béranger; mais des Homère et des Théocrite, non! Ces génies ne poussent qu'en plein air, ou en plein champ, ou en pleine mer. Vénus était fille de l'onde. La grande poésie est de même race que la grande beauté: elle sort de la mer.

XXVIII

Or pourquoi aucune des œuvres achevées cependant de nos poëtes européens actuels (y compris, bien entendu, mes faibles essais), pourquoi ces œuvres du travail et de la méditation n'ont-elles pas pour moi autant de charme que cette œuvre spontanée d'un jeune laboureur de Provence? Pourquoi chez nous (et je comprends dans ce mot nous les plus grands poëtes métaphysiques français, anglais ou allemands du siècle, Byron, Goethe, Klopstock, Schiller, et leurs émules), pourquoi, dans les œuvres de ces grands écrivains consommés, la séve est-elle moins limpide, le style moins naïf, les images moins primitives, les couleurs moins printanières, les clartés moins sereines, les impressions enfin qu'on reçoit à la lecture de leurs œuvres méditées moins inattendues, moins fraîches, moins originales, moins personnelles, que les impressions qui jaillissent des pages incultes de ces poëtes des veillées de la Provence? Ah! c'est que nous sommes l'art et qu'ils sont la nature; c'est que nous sommes métaphysiciens et qu'ils sont sensitifs; c'est que notre poésie est retournée en dedans et que la leur est déployée en dehors; c'est que nous nous contemplons nous-mêmes et qu'ils ne contemplent que Dieu dans son œuvre; c'est que nous pensons entre des murs et qu'ils pensent dans la campagne; c'est que nous procédons de la lampe et qu'ils procèdent du soleil. Oui, il faut finir cet Entretien par le mot qui l'a commencé: IL Y A UNE VERTU DANS LE SOLEIL! Sur chaque page de ce livre de lumière il y a une goutte de rosée de l'aube qui se lève, il y a une haleine du matin qui souffle, il y a une jeunesse de l'année qui respire, il y a un rayon qui jaillit, qui échauffe, qui égaye jusque dans la tristesse de quelques parties du récit. Ces poëtes du soleil ne pleurent même pas comme nous; leurs larmes brillent comme des ondées pleines de lumière, pleines d'espérance, parce qu'elles sont pleines de religion. Voyez Reboul, dans son Enfant mort au berceau! Voyez Jasmin dans son Fils de maçon tué à l'ouvrage ou dans son Aveugle! Voyez Mistral dans sa mort des deux amants!

«Et, pendant qu'aux lieux où Mireille vivait ils se frapperont leurs fronts sur la terre de regrets et de remords, elle et moi, enveloppés d'un serein azur sous les eaux tremblotantes; oui, moi et toi, ma toute belle, dans une étreinte enivrée, à jamais et sans fin nous confondrons, dans un éternel embrassement, nos deux pauvres âmes!

«Et le cantique de la mort résonnait là-bas dans la vieille église, etc., etc.»

XXIX

Voilà la littérature villageoise trouvée, grâce et gloire à la Provence! Voilà des livres tels qu'il en faudrait au peuple de nos campagnes pour lire à la veillée après les sueurs du jour, au bruit du rouet qui dévide la soie du Midi ou du peigne à dents de fer qui démêle le chanvre ou la laine du Nord! voilà de ces livres qui bénissent et qui édifient l'humble foyer où ils entrent! voilà de ces épopées sur lesquelles les grossières imaginations du peuple inculte se façonnent, se modèlent, se polissent, et font passer avec des récits enchanteurs, de l'aïeul à l'enfant, de la mère à la fille, du fiancé à l'amante, toutes les bontés de l'âme, toutes les beautés de la pensée, toutes les saintetés de tous les amours qui font un sanctuaire du foyer du pauvre! Ah! qu'il y a loin d'un peuple nourri par de telles épopées villageoises à ce pauvre peuple suburbain de nos villes, assis les coudes sur la table avinée des guinguettes, et répétant à voix fausse ou un refrain grivois de Béranger (digne d'un meilleur sort), ou un couplet équivoque de Musset (digne de meilleure œuvre), ou un gros rire cynique d'Heyne, ce Diogène de la lyre, ricaneur et corrupteur de ce qui mérite le plus de respect ici-bas, le travail et la misère!

Quant à nous, si nous étions riche, si nous étions ministre de l'instruction publique, ou si nous étions seulement membre influent d'une de ces associations qui se donnent charitablement la mission de répandre ce qu'on appelle les bons livres dans les mansardes et dans les chaumières, nous ferions imprimer à six millions d'exemplaires le petit poëme épique dont nous venons de donner dans cet Entretien une si brève et si imparfaite analyse, et nous l'enverrions gratuitement, par une nuée de facteurs ruraux, à toutes les portes où il y a une mère de famille, un fils, un vieillard, un enfant capable d'épeler ce catéchisme de sentiment, de poésie et de vertu, que le paysan de Maillane vient de donner à la Provence, à la France et bientôt à l'Europe. Les Hébreux recevaient la manne d'en haut, cette manne nous vient d'en bas; c'est le peuple qui doit sauver le peuple.

XXX

Quant à toi, ô poëte de Maillane, inconnu il y a quelques jours aux autres et peut-être inconnu à toi-même, rentre humble et oublié dans la maison de ta mère; attelle tes quatre taureaux blancs ou tes six mules luisantes à la charrue comme tu faisais hier; bêche avec ta houe le pied de tes oliviers; rapporte pour tes vers à soie, à leur réveil, les brassées de feuilles de tes mûriers; lave tes moutons au printemps dans la Durance ou dans la Sorgue; jette là la plume et ne la reprends que l'hiver, à de rares intervalles de loisir, pendant que la *Mireille* que le Ciel te destine sans doute étendra la nappe blanche et coupera les tranches du pain blond sur la table où tu as choqué ton verre avec Adolphe Dumas, ton voisin et ton précurseur. On ne fait pas deux chefs-d'œuvre dans une vie; tu en as fait un: rends grâce au Ciel et ne reste pas parmi nous: tu manquerais le chef-d'œuvre de la vie, le bonheur dans la simplicité. VIVRE DE PEU! Est-ce donc peu que le nécessaire, la paix, la poésie et l'amour? Oui, ton poëme épique est un chef-d'œuvre; je dirai plus, il n'est pas de l'Occident, il est de l'Orient; on dirait que, pendant la nuit, une île de l'Archipel, une flottante Délos s'est détachée de son groupe d'îles grecques ou ioniennes, et qu'elle est venue sans bruit s'annexer au continent de la Provence embaumée, apportant avec elle un de ces chantres divins de la famille des Mélésigènes. Sois le bienvenu parmi les chantres de nos climats! Tu es d'un autre ciel et d'une autre langue, mais tu as apporté avec toi ton climat, ta langue et ton ciel! Nous ne te demandons pas d'où tu viens ni qui tu es: *Tu Marcellus eris!*

Un été j'étais à Hyères, cette langue de terre de ta Provence que la mer et le soleil caressent de leurs flots et de leurs rayons, comme un cap avancé de Chio ou de Rhodes; là les palmiers et les aloès d'Idumée se trompent de ciel et de terre: ils se croient, pour fleurir, dans leur oasis natale. Le soir, mon ami M. Messonnier, poëte, écrivain et philosophe retiré sous sa treille et sous son figuier dans la petite maison de Massillon, un des prophètes de Louis XIV, me fit faire le tour de la ville. Il me conduisit au soleil couchant dans un jardin bien exposé au midi et à la brise de mer; les aloès et les palmiers y germent et y fructifient en pleine terre. Je me crus transporté dans une oasis de Libye. On sait que l'aloès ne fleurit que tous les vingt-cinq ans et qu'il meurt après avoir répandu dans un effort suprême son âme embaumée dans les airs; il y en avait un dans ce petit jardin dont on attendait la floraison d'un moment à l'autre.

Or, par une heureuse coïncidence, ce rare phénomène végétal semblait nous avoir attendus pour s'accomplir sous nos yeux. Au moment où le soleil touchait la mer, la tige de l'arbre, dont la séve est de l'encens, sortit tout à coup de ses nœuds gonflés de vie comme un glaive qu'une main robuste tire du fourreau pour le faire reluire au soleil, et la fleur d'un quart de siècle éclata au sommet de la tige dans un bruyant épanouissement semblable à l'explosion végétale d'un obus qui sort du mortier. Les oiseaux couchés sur les arbustes voisins s'envolèrent d'épouvante, et le parfum, cette âme de la fleur, embauma longtemps tout le golfe.

Ô poëte de Maillane, tu es l'aloès de la Provence! Tu as grandi de trois coudées en un jour, tu as fleuri à vingt-cinq ans; ton âme poétique parfume Avignon, Arles, Marseille, Toulon, Hyères et bientôt la France; mais, plus heureux que l'arbre d'Hyères, le parfum de ton livre ne s'évaporera pas en mille ans.

J'espère que mes lecteurs me pardonneront cette digression. Nous allons revenir à l'Allemagne.

Lamartine.

XLIe ENTRETIEN.

LITTÉRATURE DRAMATIQUE DE L'ALLEMAGNE.
TROISIÈME PARTIE DE GOETHE.
SCHILLER.

I

Revenons à l'Allemagne.

Au commencement, Goethe avait respiré, comme toute l'Allemagne, avec quelque ivresse les idées démocratiques de la France; il se flattait que la raison, triomphant du même coup de la monarchie absolue, de l'Église dominante et de la féodalité arriérée, allait créer un exemplaire d'institutions et de gouvernement qui servirait de modèle au monde moderne. Le fanatisme d'espérance qui avait saisi *Klopstock*, le chantre épique de *la Messiade*, et que ce grand et saint poëte exhalait dans des odes enflammées et tonnantes comme des bombes d'enthousiasme allemand, ce fanatisme ne s'était pas entièrement communiqué à Goethe, mais il en ressentait quelques reflets.

Les premières scènes populaires et tragiques de la révolution de Paris et de Versailles, les hiérarchies sociales qui s'écroulaient, les anarchies qui s'entre-déchiraient, et enfin la guerre de 1792, dans laquelle sa chère Allemagne commençait sa carrière de gloire par de mornes déroutes en Champagne et dans les Ardennes; enfin, l'affection passionnée que Goethe portait à son prince et à son ami, le duc de Weimar, tout cela avait promptement refroidi le goût, plus littéraire que politique, du grand poëte pour la Révolution.

Le roi de Prusse avait entraîné avec lui le duc de Weimar et son armée dans la campagne d'invasion en France, de 1792. Goethe, quoique étranger à l'art militaire, avait suivi courageusement son cher duc jusque sur les champs de bataille. Aussi calme au feu que dans le silence de ses études à Weimar, il avait assisté de plus près que les bataillons prussiens à la canonnade de Valmy. Bien supérieur à *Horace*, qui jetait son bouclier pour mieux fuir la mort des héros, et qui se vantait de sa lâcheté pour mieux flatter Auguste, le poëte allemand bravait pendant deux mois la mort pour son prince, et ne s'en vantait pas; il était héros comme il était poëte, sans mérite et sans effort. Son âme, comme les choses hautes, était au niveau de tout.

Le récit de cette campagne contre Dumouriez, et des désastres de cette retraite de 1792, est écrit dans les Mémoires de Goethe avec cette placide impartialité qui prouve une âme supérieure à ses propres impressions. Il rentra à Weimar avec son souverain, et reprit, comme après une distraction légère, le cours de ses travaux d'esprit et de ses fonctions politiques, au bruit à peine entendu de la monarchie qui croulait en France et des têtes qui tombaient par milliers sur les échafauds de la Terreur. Son retour à Weimar fut une fête pour ses amis.

«J'arrivai chez moi, dit-il, à minuit; la scène de famille qui m'attendait était très-propre à répandre une illumination joyeuse au milieu de quelque roman fantastique. La maison que mon souverain m'avait destinée dans la ville était presque habitable: cependant il m'avait réservé le plaisir de la faire achever et distribuer à ma guise. Bientôt j'eus le plaisir d'y recevoir, en qualité de commensal, Henri Mayer, ce digne artiste dont j'avais fait la connaissance à Rome. Son secours me fut d'une grande utilité dans les établissements que mes amis et moi (le duc et la duchesse Amélie) nous nous proposions de créer à Weimar, pour le progrès de la peinture et de la sculpture. Mes premiers regards cependant se tournèrent vers le théâtre... Ce théâtre, en effet, grâce au grand acteur et auteur Ifland, à Kotsbue, à Cimarosa, à Mozart, était devenu, pour la tragédie, la comédie et la musique, l'école du cœur, des yeux et des oreilles de toute l'Allemagne.» Goethe s'effaçait généreusement lui-même pour y faire jouer, chanter et briller les chefs-d'œuvre de tous ses rivaux. «Peut-être, me dira-t-on, écrit-il quelque part, que, pour seconder plus efficacement les progrès du théâtre de Weimar, j'aurais dû y travailler moi-même, non en qualité de ministre, mais en qualité d'auteur. Il me serait difficile d'expliquer les motifs qui m'en ont empêché... Mes premiers essais dramatiques, ajoute-t-il, l'expliquent peut-être. Ces essais, embrassant l'histoire morale du monde, se trouvaient être trop larges pour la scène toujours étroite d'un théâtre, et, de plus, mes dernières compositions en ce genre sondaient si profondément et si hardiment les plaies secrètes du cœur et de l'esprit humain que presque tout le monde se sentait blessé par mon audace.»

Cette époque de sa vie fut celle de sa liaison avec le seul rival qu'on sut lui susciter en Allemagne, le poëte dramatique *Schiller*. Ces deux existences désormais n'en font qu'une, tellement qu'il est impossible d'écrire l'histoire du génie de l'un sans toucher au génie de l'autre. Cette fraternité complète, entre deux gloires dont l'une pouvait offusquer ou éclipser l'autre, est, après l'amitié de Virgile et d'Horace, un des plus beaux exemples de cette supériorité de caractères préférable mille fois à la supériorité de l'esprit. Disons donc un mot de Schiller. Ces deux noms inséparables sont à eux seuls toute une littérature pour leur pays.

II

La vie de Schiller, homme plus sympathique au cœur que Goethe, mais génie, selon moi, très-inférieur, est devenu, pour ainsi dire, légendaire en Allemagne. Un écrivain français, explorateur pittoresque des littératures du Nord, M. Marmier, a résumé cette vie dans une préface de sa traduction de ce grand homme. Mais, depuis la publication de cette notice, les correspondances intimes de Goethe et de Schiller, publiées par notre *Revue germanique*, excellent écho d'un bord du Rhin à l'autre bord, a jeté une lumière bien plus domestique jusque dans le cœur de Schiller. On ne sait rien d'un homme tant qu'on n'a pas lu sa correspondance. L'homme extérieur se peint dans ses œuvres, l'homme intérieur se peint dans ses lettres. Et pourquoi le portrait est-il plus fidèle ainsi? C'est que dans ses œuvres l'écrivain se peint tel qu'il désire paraître et que dans sa correspondance il se peint tel qu'il est: les œuvres, c'est la volonté; les lettres, c'est la nature. On n'est jamais plus ressemblant que quand on se peint à son insu au lieu de façonner sa physionomie devant un miroir. Nous avons ces lettres sous nos yeux.

Schiller était né, comme notre cher poëte de Nîmes, *Reboul*, dans la boutique d'un boulanger, son oncle, dans une jolie bourgade des bords arcadiens du Necker, en Wurtemberg. Son père servait dans l'armée du duc de Wurtemberg en qualité de chirurgien subalterne, barbier du régiment. C'était un homme tendre, pieux et un peu mystique, qui s'occupait de l'âme de ses malades autant que de leur corps. Le premier de ses remèdes était la prière; il tournait leur pensée vers le Médecin suprême, et priait volontiers avec eux au pied de leur lit. Ses vertus le firent distinguer par le duc de Wurtemberg, un de ces petits princes qui connaissaient tous leurs sujets par leurs noms. Le duc créait alors ces charmants jardins pittoresques dont son palais de campagne, près de Stuttgart, était enveloppé. Il confia à ce brave homme, las de la guerre, la surveillance de ces délicieux jardins. À la naissance de son fils, le père de Schiller éleva l'enfant dans ses bras et l'offrit à Dieu comme le patriarche. À la mort de son père, le jeune poëte s'écria devant sa mère éplorée: «Que ne puis-je finir ma vie dans l'innocence et dans la piété où il a passé la sienne!»

La mère du poëte, naïve et rêveuse comme les filles de l'Allemagne, était poëte elle-même sans avoir cultivé jamais la poésie comme un art. Elle adorait son mari, et elle célébrait chaque anniversaire de leur mariage par des vers où l'on sentait la vibration prolongée de l'amour de la jeune fille dans le cœur de la femme. Le poëte de Stuttgart, *Schwab*, que nous avons visité nous-mêmes dans sa demeure philosophique, auprès du toit paternel de Schiller, attribuait comme nous à l'influence tendre et rêveuse de cette mère le germe de la sensibilité poétique dans le génie de Schiller. Les mères sont la prédestination des fils; elle nourrissait son enfant des lectures de la Bible et des chants de Klopstock, dans son épopée du Christ; l'enfant suçait de ses lèvres la piété et la foi. Plus tard la philosophie de Goethe devint son symbole; mais il conserva jusqu'à la mort sa piété, parce que sa foi venait des hommes, mais que sa piété venait de sa mère.

III

La description vivante que Schwab et M. Marmier font des collines où Schiller reçut sa première éducation, dans la demeure d'un pasteur nommé Mozer, explique de même sa passion pour la nature. L'âme est le miroir de la création; la nature commence par s'y refléter, puis elle s'y anime, et le poëte est créé dans l'enfant.

Entré dans une espèce d'université militaire à Stuttgart, Schiller, d'un extérieur alors grêle, pâle, maladif, commença sa vie par la tristesse, et conçut une révolte secrète contre la servitude disciplinaire à laquelle les élèves de cette école étaient assujettis. «Ô Charles! écrivait-il à cette époque à son premier ami, le monde réel où je suis jeté est tout autre que le monde que nous portions dans notre cœur.»

La contrainte qu'il éprouvait dans cette université allait jusqu'à lui faire un crime de la lecture de Goethe, de Shakspeare et de Klopstock. On le força à étudier la médecine, pour l'exercer à la pratiquer ensuite, à l'exemple de son père, dans quelque régiment du prince de Wurtemberg; mais sa nature, quoique souple, échappait par l'imagination à cette tyrannie de l'école. Lié d'inclination littéraire avec quelques-uns de ses compagnons de captivité, il composait déjà, à l'envi de ses émules, des ébauches de poésie et de drame. C'est à cette époque qu'il écrivit son premier ouvrage pour la scène, *les Brigands*.

Les Brigands furent pour Schiller ce que *Werther* avait été pour Goethe, une débauche d'imagination prise au sérieux par la naïveté du peuple allemand. Il y avait dans cette œuvre informe beaucoup de passion et peu de sens; c'était une page de J.-J. Rousseau ou de Proudhon contre l'ordre social, un rêve de liberté absolue se faisant à elle-même sa propre législation par l'énergie du cœur et par la force du bras.

«La passion pour la poésie, écrivait-il plus tard en parlant de cette ébauche, est ardente et indomptable comme l'amour; on comprimait ma pensée: elle fit explosion par la création d'un *monstre* (le chef de ses brigands) qui n'a jamais existé dans le monde. Ma seule excuse, c'est que j'ai voulu peindre les hommes deux ans avant de les connaître!» N'est-ce pas ce que Rousseau et Proudhon, et tous les utopistes inexpérimentés de la plume, pouvaient dire de la société humaine? Ils la façonnaient dans leur imagination avant d'en connaître les éléments. Malheur à l'imagination, qui se sépare de la nature! Elle crée l'impossible, et, après avoir enfanté la chimère, elle s'abîme à grand bruit dans le néant.

Schiller, homme de bonne foi plus que d'orgueil, reconnut bientôt son erreur. Mais ce drame, soulevé, comme *Werther*, par les applaudissements frénétiques de la jeunesse, éclatait déjà sur tous les théâtres. Scandale pour les uns, augure de génie pour les autres, bruit immense pour tous.

IV

Ce succès ne fut, en effet, pour le jeune Schiller que du bruit; la fortune et la gloire ne le suivirent pas. Il entra à vingt ans comme chirurgien militaire dans un régiment. Il s'éprit d'une veuve charmante et légère, à laquelle il donna dans ses poésies lyriques le nom de Laure: Pétrarque allemand dont l'amour s'évaporait en métaphysique. Bientôt disgracié du prince pour avoir fait diversion à ses fonctions subalternes de chirurgien par un drame et par des odes, il s'évade de Stuttgart et va chercher plus d'indulgence à Manheim. On refuse d'y représenter sa tragédie, un peu froide, en effet, de *Fiesque*; on le pourchasse au nom de son prince mécontent. Il se réfugie sous un nom supposé dans un château désert appartenant à la mère d'un de ses amis. Il y devient platoniquement amoureux de la sœur de cet ami, fiancée à un autre. La jeune fille ne se doute pas des sentiments du poëte, se marie, et meurt dans la fleur de son printemps.

Des lettres du directeur des théâtres de Manheim le rappellent dans cette ville avec un traitement de cinquante louis par an, salaire exigu de ses travaux pour la scène.

Ses drames de *Fiesque* et de *l'Amour et l'Intrigue* n'y eurent aucun succès. Il se noya de tristesse et se consola par des amours indignes de lui. On lui retira jusqu'à son traitement de poëte du théâtre, et on lui conseilla amicalement de reprendre son métier de chirurgien militaire. Il chercha fortune dans le journalisme littéraire; ses critiques offensèrent des acteurs favoris du public; il fut menacé; il quitta Manheim et se réfugia à Leipsick. On voit par une de ses lettres à un de ses amis, qui habitait Leipsick, combien il lui fallait peu pour vivre et pour se croire heureux. «Une chambre à coucher qui fait en même temps mon cabinet de travail, une armoire, un lit, une table et quelques chaises, pourvu que cela ne soit ni sous le toit ni au rez-de-chaussée. Je ne voudrais pas non plus avoir sous les yeux l'aspect du cimetière; j'aime les hommes, le mouvement et le bruit d'une foule.»

V

Mécontent bientôt de cette résidence à la ville, il alla habiter un petit village à la lisière de la forêt du Rosenthal, non loin de Leipsick. Il y écrivit sa tragédie de *Don Carlos*, œuvre estimable, réfléchie, mais tiède, où la politique tient la place de l'émotion. Schiller s'abîmait en même temps dans la philosophie nuageuse et apocalyptique de Kant, ce mathématicien de la philosophie. Arraché bientôt après à cet asile studieux par la versatilité de son âme et de sa fortune, il alla à Dresde; il s'y laissa prendre à un amour plus vénal que sincère pour une jeune Saxonne d'une grande beauté. Ses amis l'enlevèrent au piége et le conduisirent à Weimar. Herder, Wieland l'accueillirent en frère plus jeune, mais du même sang. Il y épousa, sans autre dot que sa gloire future, Charlotte de *Lengefeld*, jeune fille d'un rang distingué et d'une vertu accomplie. Il connut Goethe chez sa belle-mère. Ces deux hommes différaient trop l'un de l'autre pour se convenir au premier coup d'œil: Schiller avait toutes les illusions de l'imagination, Goethe n'en avait que les forces.

«J'ai vu hier Goethe, écrivait Schiller à cette date; la grande idée que j'avais de cet homme n'a pas été amoindrie par son aspect, mais je doute qu'il puisse y avoir jamais une liaison bien intime entre lui et moi. Beaucoup des choses qui passionnent mon imagination et mon cœur sont déjà épuisées pour lui; sa nature n'est pas la mienne, son monde n'est pas le mien.»

Cette différence des deux natures se révélait au premier coup d'œil entre ces deux hommes. Schiller, le visage allongé et mince, le cou long, les membres grêles, la physionomie maladive, le regard timide et indécis, le costume étriqué et presque ridicule de l'étudiant en médecine, dépaysé dans une cour, n'avait rien de l'homme de génie que la souffrance. Goethe, véritable Apollon dans sa maturité forte et sereine, régnait par droit de nature encore plus que par droit d'aînesse et de rang sur son jeune émule; mais Goethe était sans jalousie comme la toute-puissance; au lieu d'éloigner ou d'éclipser son rival de célébrité, il songea généreusement à l'élever jusqu'à lui et à l'attacher par des liens de reconnaissance à la cour de Weimar. Il décida le duc à donner à Schiller l'emploi honorable et lucratif de professeur d'histoire à l'Université d'Iéna, capitale de l'instruction publique dans ses États.

Schiller, quoique étranger au professorat et à l'histoire, ouvrit son cours en 1789 avec un succès qui prouvait son aptitude universelle. Goethe, aussi fier de ce succès que Schiller lui-même, ne manqua pas une occasion de faire valoir son nouvel ami à la cour de Weimar. Frappé des beautés frustes, mais dramatiques, de la pièce des *Brigands*, et des beautés littéraires de *Fiesque* et de la tragédie de *Don Carlos*, il songeait déjà à appeler Schiller d'Iéna à Weimar, pour y faire écrire et représenter ses chefs-d'œuvres sur la scène du palais. Le grand acteur *Ifland*, le *Garrick* et le *Talma* de l'Allemagne, avait été fixé par Goethe à Weimar. Les rôles qu'*Ifland* représentait devenaient classiques en sortant de ses lèvres.

C'est à cette époque, et pendant les années qui suivirent 1789, que Goethe et Schiller, désormais amis, entretinrent cette correspondance intime qui les dévoile tous les deux. La *Revue germanique*, rédigée récemment à Paris, en a traduit et publié des fragments pleins d'intérêt pour ceux qui, comme nous, cherchent l'homme sous le poëte. Il y a dans ces fragments une bonhomie de grands hommes qui caractérise l'Allemagne, cette terre de la naïveté dans la grandeur. Écoutez quelques mots de ce dialogue à portes closes entre deux amis sur leurs ouvrages, et même sur leurs ébauches les plus secrètes. Ils se conseillent au lieu de se critiquer; la gloire de l'un et la gloire de l'autre ne semblent être qu'une même gloire. On ne sait, en vérité, quel est le maître, quel est le disciple.

VI

La liaison littéraire avait commencé entre ces deux hommes par la publication en commun d'un recueil littéraire intitulé *les Heures*. Goethe, provoqué par Schiller, avait consenti à ce rôle de collaborateur, qui semblait incompatible avec son rang, mais qui pouvait être utile à la fortune de son ami.

«Mon esprit, écrit Schiller à Goethe, le 23 août 1794, est absorbé dans la contemplation de l'ensemble de votre génie. Votre regard observateur, qui repose si calme et si limpide sur toutes choses, ne vous égare jamais dans le vague des pures spéculations imaginaires; vous suivez droit la marche de la nature. Si vous étiez né Grec ou seulement Italien, ayant sous les yeux, dès le berceau, une nature merveilleuse et un art idéal, vous auriez atteint le but dès le point de départ, et le grand style se serait formé en vous sur le modèle éternel; mais vous êtes né Allemand avec une âme grecque, et il vous a fallu vous refaire Grec à force de contemplation et d'intuition.»

—«Je vous ai attendu longtemps, répond Goethe; j'ai marché jusqu'ici seul dans ma voie, non compris, non encouragé! Combien je me réjouis qu'après une rencontre d'intelligence entre vous et moi si tardive, si peu prévue, nous devions désormais marcher deux! Tout ce qui est moi et en moi je vous en ferai part avec joie; car, sentant bien que mon entreprise (d'arriver à la vérité et à l'art suprême) est au-dessus de la force d'un seul et de notre durée ici-bas, j'aimerais à déposer bien des choses dans votre sein, non-seulement pour les conserver ainsi au monde, mais pour les vivifier.»

N'est-ce pas ainsi que Socrate pouvait parler au jeune Platon pour se continuer et se grandir après lui dans son disciple?

—«N'espérez pas, réplique Schiller, de rencontrer en moi une grande richesse d'idées; c'est là ce que je trouverai en vous. Vous gouvernez un monde obéissant à vos intuitions, moi je flotte timidement entre le métier et le génie. Mais, hélas! la maladie énerve mes forces physiques; j'aurais difficilement le temps d'accomplir en moi une grande œuvre intellectuelle.»

VII

«Je vais avoir quinze jours de liberté, écrit Goethe à son nouvel ami, pendant un voyage de ma cour; venez me voir pendant ce loisir, nous causerons de nos *Heures*; nous ne verrons que quelques rares amis qui pensent comme nous. Vous vivrez entièrement à votre guise; de nouveaux points de contact s'établiront ainsi entre nous.»

—«J'irai,» écrit à l'instant Schiller.

Les amis se rencontrent, s'entretiennent et se séparent.

—«Me voilà revenu, écrit Schiller, mais mon esprit est toujours avec vous à Weimar.»

Goethe lui envoie à Iéna les premiers volumes de son roman philosophique, *William Meister*, œuvre énigmatique que les initiés seuls peuvent bien comprendre, et que nous-même nous avouons ne pas comprendre suffisamment pour en parler. Schiller en est ravi; M. Guillaume de Humboldt, le frère aîné du savant célèbre, partage le plaisir de Schiller. Nous avons connu à Rome, en 1811, Guillaume de Humboldt, diplomate, homme d'État, philosophe curieux du beau et du bon sous toutes les formes. Nous avons visité à sa suite les antiquités romaines et le cratère du Vésuve. La sérénité de son esprit, la noble gravité de sa parole, la profondeur de ses connaissances historiques et la chaleur tempérée de son enthousiasme nous ont donné une idée du caractère de Goethe, son ami. Jamais son image ne s'est effacée de notre souvenir:

> placuisse viris!

La correspondance de Schiller et de Goethe est pleine du nom de Guillaume de Humboldt. On voit qu'il était pour eux un de ces hommes qui, semblables aux dieux cachés, font peu d'œuvres, mais rendent beaucoup d'oracles. «Guillaume de Humboldt, dit Schiller à Goethe, trouve, comme moi, que l'âge vous mûrit sans vous affaiblir, et que votre esprit est dans toute sa mâle jeunesse et dans toute sa plénitude créatrice.»—«Puisque j'ai, outre votre suffrage, celui de Guillaume de Humboldt, je continue avec confiance. Combien n'est-il pas plus utile et plus délicieux de se mirer dans les autres qu'en soi-même! J'irai bientôt vous voir à Iéna.»

VIII

Schiller travaillait alors à son vaste drame historique de *Wallenstein*, sans cesse interrompu par la souffrance, sans cesse repris par l'obstination de la volonté. C'est, selon nous, son véritable chef-d'œuvre; mais ce chef-d'œuvre est en histoire ce que le *Faust* de Goethe est en philosophie poétique, trop vaste et trop débordant pour la scène; c'est une épopée du moyen âge dialoguée avec génie par un poëte moderne. La patience allemande, qui ne dispute pas le temps à son plaisir, pouvait seule s'accommoder de ces développements démesurés du drame réfléchi. Schiller avait divisé sa pièce en trois pièces, ce qu'on appelle une *trilogie* en littérature. L'esprit français ne s'accommode pas de cette suspension d'une action qui s'arrête à un soleil et reprend à l'autre. Le plaisir, en France, court plus vite que le temps; il n'attend personne, pas même le génie. Schiller envoyait acte par acte son drame de *Wallenstein* à Goethe; Goethe l'appréciait et le corrigeait avec le même amour qui si cette œuvre eût été la sienne.

—«Qu'il me paraît étrange, écrivait Schiller à son ami, ministre et favori d'un souverain, de vous voir lancé au plus haut et au plus épais de ce monde, tandis que je suis assis entre mes pauvres fenêtres de papier huilé, n'ayant aussi que papiers devant moi, et que cependant, malgré cette différence dans nos destinées, nous puissions nous comprendre si parfaitement l'un l'autre!»

Schiller venait d'être père; Goethe, le 28 octobre 1795, le félicitait sur ce bonheur de famille: «Dieu bénisse le nouvel hôte. Je serai bientôt près de vous; j'ai besoin de ces entretiens que vous seul vous pouvez me donner.»

Goethe lui-même venait d'avoir un fils. «Un de mes soucis, écrivait-il, repose maintenant dans le berceau!»

L'union de la jeune mère de ce fils avec le grand homme n'était pas encore consacrée par le mariage légal; elle le fut depuis.

Les idées de Goethe sur les femmes étaient des idées tout à fait orientales. Il considérait, en patriarche de Canaan ou en brahmine de l'Inde, la femme comme une créature inférieure en force et en dignité à l'homme; elle n'était à ses yeux que la plus charmante décoration de la nature, un appât à la perpétuation de l'espèce humaine, une source de plaisir sacré, et surtout une esclave chargée de régner sur son maître par ses charmes supérieurs à ses droits, une servante antique de la tente arabe ou du gynécée grec, dont les fonctions consistaient à gouverner dans un bel ordre intérieur les autres agents inférieurs de la domesticité.

Ces idées étaient conformes en lui à ce culte pour le fait grossier de la nature qui a donné la force à l'homme, la faiblesse et l'attrait à la femme. Le fatalisme s'accommode très-bien de la servitude; l'homme, aux yeux de Goethe, était roi par droit de nature; ce roi pouvait aimer ses sujettes, mais il n'était pas tenu de les respecter.

La conduite de Goethe à l'égard des femmes, surtout depuis son âge avancé, avait été le commentaire de ces doctrines: s'il aimait, il ne s'enchaînait pas par l'amour.

IX

Cependant les années de Goethe, qui s'accumulaient, quoique saines et vertes, commençaient à lui faire sentir la nécessité de remettre le soin de sa maison et le dépôt de son cœur à une femme qui fût à la fois l'ordre et le charme de sa maison. Comme le patriarche, il était assis au bord du puits pour examiner les *Sara* qui venaient puiser l'eau à la fontaine. Un hasard lui offrit ce qu'il cherchait vaguement encore. Il faut se souvenir, pour bien comprendre ce mariage précédé d'un long noviciat domestique, que Goethe, aux yeux de la ville de Weimar, n'était pas seulement un poëte, un ministre, un favori du souverain, mais une sorte de dieu antique au-dessus des mœurs et des lois, un être d'exception qui avait ses mœurs et ses lois à part du reste de l'humanité.

Or le copiste et l'imprimeur du théâtre de Weimar, nommé Vulpius, avait des rapports de service fréquents et habituels avec Goethe, à la fois ministre, auteur et directeur de la scène. Un jour que ce Vulpius avait à porter à Goethe les épreuves à corriger d'une de ses pièces, un surcroît d'affaires l'empêcha inopinément de remplir ce devoir lui-même; il chargea une de ses filles de porter à sa place le manuscrit et l'épreuve d'imprimerie à l'auteur de *Faust* et de lui rapporter les corrections.

La jeune fille, à peine entrée dans son printemps, avait la candeur et la fleur de beauté de Marguerite dans le jardin de la voisine. Elle aborde en tremblant et en rougissant le majestueux vieillard; Goethe, frappé de son innocence et de ses charmes, éprouva pour elle ce que Faust avait éprouvé à l'aspect de Marguerite sur les marches de l'église; il voulut non séduire, mais plaire. Sa mâle beauté, sa tendre déférence, le prestige de son nom, plus grand que nature dans l'esprit de la jeune fille, enlevèrent le cœur et le consentement de la jeune messagère. Elle accepta avec ivresse le gouvernement de la maison du grand homme et le rôle d'épouse équivoque auquel il conviendrait au poëte d'élever sa belle gouvernante. De ce jour elle régna, servante et reine, dans l'intérieur de la maison de Goethe. Nul à Weimar n'aurait osé se scandaliser d'une hardiesse de la vie privée ou publique du roi de l'intelligence en Allemagne; il était, comme Louis XIV, au-dessus de l'humanité: il avait le droit divin du scandale.

L'union de Goethe et de la belle jeune fille qu'il avait installée reine subalterne de sa maison fut heureuse. Ce fils en naquit; la mort l'enleva dans son berceau. On voit que Goethe le pleura comme un homme vulgaire. «Il faut, dit-il à son ami Schiller, laisser ses droits à la nature et pleurer quand elle vous envoie des larmes; autrement elles s'accumulent et vous noient le cœur, d'autant plus abondantes que vous les avez plus ajournées; ensuite il faut reprendre le travail, ce consolateur infaillible qui guérit tout en déplaçant tout.»

Un autre fils survint et vécut âge d'homme. Mais, pendant que nous touchons à la vie privée du grand homme, disons ce qui l'honore après avoir dit ce qui l'inculpe. Il épousa légalement plus tard la jeune et charmante compagne qu'il s'était donnée, et il l'épousa dans des circonstances qui donnent un grand prix d'honnêteté et de désintéressement à son amour.

C'était le lendemain de la bataille d'Iéna; les Français, vainqueurs, s'avançaient sur Weimar. Le duc, vaincu avec les Prussiens, ses alliés, avait abandonné son palais et fuyait vers Berlin. On s'attendait au massacre des habitants et à l'incendie de la ville; Goethe envisagea d'un regard calme le péril. «Je ne dois pas, dit-il, laisser après moi une femme tendre et fidèle, mère de mon fils, sans nom et sans asile. Elle aura du moins un titre au bénéfice et à l'honneur de ma mémoire.» Et il épousa mademoiselle Vulpius la veille du jour qu'il croyait être le jour suprême de sa patrie et de sa vie. Philosophe dans la région de la pensée, homme de bien dans la région des réalités, il consacra son amour au moment peut-être où il ne l'éprouvait plus. Madame Goethe mourut avant lui, et il ne parut la regretter que comme un maître regrette une fidèle servante, colonne de sa maison. Il ne laissa jamais de prise sur lui aux douleurs violentes ou éternelles; il voulait conserver à tout prix le calme olympien de son intelligence. Vivre, pour lui, c'était oublier.

Madame Goethe, depuis longtemps souffrante, expira en voiture, pendant une des promenades que le poëte-ministre faisait autour de Weimar. «Ils vont être bien surpris à la maison!» dit-il à son cocher qui étendait le corps inanimé de sa maîtresse sur le gazon du bord de la route. Ce mot du stoïcisme ou de l'indifférence resta le proverbe du superbe égoïsme du grand homme en Allemagne. Mais reprenons la correspondance des deux amis.

X

On avait pris souvent en Allemagne des poésies de Schiller pour des poésies de Goethe et des odes de Goethe pour des odes de Schiller. Goethe ne s'offensait pas, comme on va le voir, de cette promiscuité de gloire entre son ami et lui. «Que l'on nous confonde dans nos talents, écrivait-il à Schiller, ce m'est chose agréable; cela montre que nous nous élevons toujours davantage ensemble au-dessus de l'*affectation* de notre siècle, c'est-à-dire au *beau* simple, pour arriver à ce qui est universellement *bon*. Il faut convenir aussi qu'à nous deux nous tenons un large espace dans le monde de l'intelligence en nous donnant la main et en faisant la chaîne.»

Cependant à cette époque, 1795, ils dérogèrent tous deux à la noblesse et à la dignité de leur génie en publiant des livres d'épigrammes anonymes, mais mordantes, contre les écrivains et les poëtes leurs contemporains et leurs compatriotes. Badinages grecs peu dignes d'eux; Aristophane et Sophocle dans le même homme. Cela n'agrandit pas, cela jure et cela rapetisse: jeux d'écoliers qu'on s'afflige d'avoir à leur reprocher. Les aigles plongent du haut du firmament sur la tête de leurs ennemis et ne les mordent pas au talon. Glissons sur ces misères.

XI

Goethe et Schiller continuent à s'entretenir de la tragédie de *Wallenstein*, à laquelle Schiller travaille pendant trois ans. «Je vous salue de mon jardin d'Iéna (c'est le 1ᵉʳ mai 1797), écrit Schiller à son ami et à son maître; je m'y suis installé ce matin. Un doux paysage m'entoure; le soleil se couche en souriant, et les rossignols chantent. Tout m'enveloppe d'accueil et de joie autour de moi, et ma première soirée sur mon propre domaine est du plus heureux présage.»

—«Avant-hier, répond Goethe, j'ai fait visite à *Wieland* (le Voltaire érudit et gracieux de l'Allemagne); il habite une jolie et vaste maison dans la plus laide contrée du monde. Triste chose que le monde, continue-t-il ailleurs; on y apprend bien des choses, mais qui au fond ne nous apprennent rien; mais quant à ce qui nous importe davantage, à la seule chose même qui nous importe véritablement, l'inspiration intérieure, le monde, au lieu de nous la donner, nous la prend.»

—«Je lis madame de Staël, répond Schiller; elle oublie son sexe sans s'élever au-dessus de lui; c'est une nature raisonneuse, mais très-peu poétique (c'est-à-dire créatrice).»

Dans les lettres suivantes, la tragédie de Schiller, *Wallenstein*, est enfin terminée. Ils concertent ensemble les moyens de la faire dignement représenter sur la scène de Weimar. Goethe préside en l'absence de son ami aux répétitions. Il appelle Schiller à Weimar, le présente au duc, le loge au château, le traite en frère. Ses anxiétés sur le sort du drame à la représentation sont fiévreuses d'amitié.

La pièce réussit et devient la gloire immortelle de Schiller. Goethe la goûte comme sa propre gloire. Ou ne sait lequel admirer le plus, ou du maître sans ombrage ou du disciple sans rivalité. Une plus tendre étreinte resserre le cœur des deux rivaux après ce succès monumental de *Wallenstein*; les lettres deviennent plus pressées et plus confidentielles; ils pensent, ils sentent, ils vivent à deux. Schiller s'établit à Weimar pour jouir plus habituellement de l'intimité de Goethe. Les lettres s'abrégent sans se refroidir; on n'a plus que des billets.

Madame de Staël, fuyant la tyrannie de Napoléon, qui l'avait reléguée hors de France, s'arrête quelques semaines à Weimar, et cherche à répandre autour d'elle, sur Goethe et Schiller, l'éblouissement de son esprit. Les deux amis, en Allemands un peu ombrageux, parce qu'ils sont timides, évitent, autant que possible, les rencontres prolongées avec la fille de M. Necker, et se confient l'un à l'autre leurs impressions sur cette Sapho de tribune. Ils la jugent sévèrement.

XII

C'est pendant cette longue intimité des deux écrivains, intimité favorable à leur fécondité littéraire, que Schiller écrivit *Wallenstein, Marie Stuart, Jeanne d'Arc, Guillaume Tell*, drames dont fut constitué son théâtre allemand. C'est alors aussi qu'il écrivit ces odes et ces ballades germaniques, enthousiastes par la forme, populaires par le fond, qui rivalisèrent avec les œuvres lyriques de Goethe. Dans tous ces genres il approcha Goethe, il ne l'atteignit et ne le dépassa jamais. Pour un observateur expérimenté du génie humain, il fut toujours le disciple, jamais le maître. Il calqua son œuvre sur l'œuvre de Goethe, sans pouvoir calquer l'incommensurable génie de son modèle. On sent dans sa vie l'imitation puissante et habile, mais enfin l'imitation partout. Goethe écrit *Goltz de Berlichengen*, Schiller écrit *Wallenstein*; Goethe chante les ballades nationales de la Germanie, Schiller soupire les ballades du moyen âge et les légendes de la tradition des chaumières; Goethe exhale avec dédain sa mauvaise humeur de géant dans des épigrammes contre la médiocrité de ses rivaux, Schiller rime des sarcasmes contre les engouements ignares de son pays. Enfin Goethe abjure, dans son omnipotence, toutes les crédulités du vulgaire, et cherche sa divinité universelle dans la divinité individuelle de tout ce qui vit dans la nature; son dieu, c'est la vie; la vie, c'est son dieu. Schiller, d'abord chrétien et pieux, suit son maître, et chante comme lui ses hymnes au Dieu inconnu. Mais Goethe accomplit toutes ces phases de sa poésie et de sa philosophie indienne avec la majesté d'un dieu de l'Inde, Schiller avec la faiblesse et l'embarras d'un homme qui marche sur les pas d'un dieu. Aussi les traces de Goethe dans l'histoire littéraire de l'Allemagne et du monde ne seront jamais effacées; les traces de Schiller, quoique chères aux âmes tendres, s'effaceront à l'apparition du premier grand poëte qui naîtra en Allemagne. L'un fut le génie, l'autre ne fut que le talent; je n'ai jamais pu les comparer.

Cependant Schiller égala et dépassa un jour son maître dans un poëme lyrique presque sans égal dans la poésie de toutes les langues modernes, intitulé *la Cloche*. Ce dithyrambe, réfléchi et vociféré tout à la fois sur l'instrument aérien qui sonne à la fois les prières, les douleurs, les glas funèbres, les naissances, les effrois de l'homme, est digne de rester dans la mémoire de la postérité. Schiller ne le composa pas comme l'ode se compose, c'est-à-dire par une rapide et involontaire explosion de l'âme, qui n'éclate qu'un instant et qui se répercute à jamais de l'âme du poëte dans l'oreille des siècles. On voit, par sa correspondance avec Goethe, qu'il le conçut un jour d'inspiration, mais qu'il l'exécuta en trois ans d'étude et de retouches. Le lecteur va juger, sur une traduction toujours atténuante de l'œuvre originale, combien Schiller dépassa Pindare et Horace dans ce dithyrambe didactique du poëte qui se souvenait d'avoir été chrétien. Nous empruntons cette traduction à M. *Marmier*, l'importateur des poésies du Nord dans notre langue, poëte lui-même par l'imagination et le sentiment.

Écoutez!

XIII
LA CLOCHE.

«Le moule d'argile est encore plongé et scellé dans la terre; aujourd'hui la cloche doit être faite. À l'œuvre, compagnons! courage! La sueur doit ruisseler du front brûlant; l'œuvre doit honorer le maître, mais il faut que la bénédiction vienne d'en haut.

«Il convient de mêler des paroles sérieuses à l'œuvre sérieuse que nous préparons: le travail que de sages paroles accompagnent s'exécute gaiement. Considérons gravement ce que produira notre faible pouvoir; car il faut mépriser l'homme sans intelligence qui ne réfléchit pas aux entreprises qu'il veut accomplir. C'est pour méditer dans son cœur sur le travail que sa main exécute que la pensée a été donnée à l'homme: c'est là ce qui l'honore.

«Prenez du bois de sapin, choisissez des branches sèches, afin que la flamme, plus vive, se précipite dans le conduit. Quand le cuivre bouillonnera, mêlez-y promptement l'étain pour opérer un sûr et habile alliage.

«La cloche que nous formons à l'aide du feu dans le sein de la terre attestera notre travail au sommet de la tour élevée. Elle sonnera pendant de longues années; bien des hommes l'entendront retentir à leurs oreilles, pleurer avec les affligés et s'unir aux prières des fidèles. Tout ce que le sort changeant jette parmi les enfants de la terre montera vers cette couronne de métal et la fera vibrer au loin.

«Je vois jaillir des bulles blanches. Bien! la masse est en fusion. Laissons-la se pénétrer du sel de la cendre qui hâtera sa fluidité. Que le mélange soit pur d'écume, afin que la voix du métal poli retentisse pleine et sonore; car la cloche salue avec l'accent solennel de la joie l'enfant bien-aimé à son entrée dans la vie, lorsqu'il arrive plongé dans le sommeil. Les heures joyeuses et sombres de sa destinée sont encore cachées pour lui dans les voiles du temps; l'amour de sa mère veille avec de tendres soins sur son matin doré; mais les années fuient rapides comme une flèche. L'enfant se sépare fièrement de la jeune fille; il se précipite avec impétuosité dans le courant de la vie; il parcourt le monde avec le bâton de voyage et rentre étranger au foyer paternel, et il voit devant lui la jeune fille charmante dans l'éclat de sa fraîcheur, avec son regard pudique. Un vague désir, un désir sans nom, saisit l'âme du jeune homme; il erre dans la solitude, fuyant les réunions tumultueuses de ses frères et pleurant à l'écart. Il suit, en rougissant, les traces de celle qui lui est apparue, heureux de son sourire, cherchant, pour la parer, les plus belles fleurs du vallon. Oh! tendre désir! heureux espoir! jour doré du premier amour! Les yeux alors voient le ciel ouvert, le cœur nage dans la félicité. Oh! que ne fleurit-il à tout jamais, l'heureux temps du jeune amour!

«Comme les tubes brunissent déjà! J'y plonge cette baguette: si nous la voyons se vitrifier, il sera temps de couler le métal. Maintenant, compagnons, alerte! Examinez le mélange, et voyez si, pour former un alliage parfait, le métal doux est uni au métal fort.

«Car de l'alliance de la douceur avec la force, de la sévérité avec la tendresse, résulte la bonne harmonie. C'est pourquoi ceux qui s'unissent à tout jamais doivent s'assurer que le cœur répond au cœur. Courte est l'illusion, long est le repentir. La couronne virginale se marie avec grâce aux cheveux de la fiancée quand les cloches argentines de l'église invitent aux fêtes nuptiales. Hélas! la plus belle solennité de la vie marque le terme du printemps de la vie. La douce illusion s'en va avec le voile et la ceinture; la passion disparaît; puisse l'amour rester! La fleur se fane, puisse le fruit mûrir! Il faut que l'homme entre dans la vie orageuse; il faut qu'il agisse, combatte, plante, crée, et, par l'adresse, par l'effort, par le hasard et la hardiesse, subjugue la fortune. Alors les biens affluent autour de lui, ses magasins se remplissent de dons précieux; ses domaines s'élargissent, sa maison s'agrandit, et, dans cette maison, règne la femme sage, la mère des enfants. Elle gouverne avec prudence le cercle de la famille, donne des leçons aux jeunes filles, réprimande les garçons. Ses mains actives sont sans cesse à l'œuvre; elle augmente par son esprit d'ordre le bien-être du ménage; elle remplit de trésors les armoires odorantes, tourne le fil sur le fuseau, amasse dans des buffets soigneusement nettoyés la laine éblouissante, le lin blanc comme la neige; elle joint l'élégant au solide et jamais ne se repose.

«Du haut de sa demeure, d'où le regard s'étend au loin, le père contemple d'un œil joyeux ses propriétés florissantes. Il voit ses arbres qui grandissent, ses granges bien remplies, ses greniers qui plient sous le poids de leurs richesses, et ses moissons pareilles à des vagues ondoyantes; et alors il s'écrie avec orgueil: La splendeur de ma maison, ferme comme les fondements de la terre, brave la puissance du malheur. Mais, hélas! avec les rigueurs du destin il n'est point de pacte éternel, et le malheur arrive d'un pas rapide.

«Allons! nous pouvons commencer à couler le métal à travers l'ouverture; il apparaît bien dentelé. Mais, avant de le laisser sortir, répétez comme une prière une pieuse sentence. Ouvrez les conduits, et que Dieu garde l'édifice. Voilà que les vagues, rouges comme du feu, courent en fumant dans l'enceinte du moule!

«Heureuse est la puissance du feu, quand l'homme la dirige, la domine. Ce qu'il fait, ce qu'il crée, il le doit à cette force céleste. Mais terrible est cette même force quand elle échappe à ses chaînes, quand elle suit sa violente impulsion, fille libre de la nature. Malheur! lorsque, affranchie de tout obstacle, elle se répand à travers les rues populeuses et allume l'effroyable incendie; car les éléments sont hostiles à l'œuvre des hommes. Du sein des nuages descend la pluie qui est une bénédiction, et du sein des nuages descend la foudre. Entendez-vous, au sommet de la tour, gémir le tocsin? Le ciel est rouge comme du sang, et cette lueur de pourpre n'est pas celle du jour. Quel tumulte à travers les rues! quelle vapeur dans les airs! La colonne de feu roule en pétillant de distance en distance, et grandit avec la rapidité du vent. L'atmosphère est brûlante comme dans la gueule d'un four; les solives tremblent, les poutres tombent, les fenêtres éclatent, les enfants pleurent, les mères courent égarées, et les animaux mugissent sous les débris. Chacun se hâte, prend la fuite, cherche un moyen de salut. La nuit est brillante comme le jour; le seau circule de main en main sur une longue ligne, et les pompes lancent des gerbes d'eau; l'aquilon arrive en mugissant et fouette la flamme pétillante; le feu éclate dans la moisson sèche, dans les parois du grenier, atteint les combles et s'élance vers le ciel, comme s'il voulait, terrible et puissant, entraîner la terre dans son essor impétueux. Privé d'espoir, l'homme cède à la force des dieux, et regarde, frappé de stupeur, son œuvre s'abîmer. Consumé, dévasté, le lieu qu'il occupait est le domaine des aquilons, la terreur habite dans les ouvertures désertes des fenêtres, et les nuages du ciel planent sur les décombres.

«L'homme jette encore un regard sur le tombeau de sa fortune, puis il prend le bâton de voyage. Quels que soient les désastres de l'incendie, une douce consolation lui est restée; il compte les têtes qui lui sont chères: ô bonheur! il ne lui en manque pas une.

«La terre a reçu le métal, le moule est heureusement rempli; la cloche en sortira-t-elle assez parfaite pour récompenser notre art et notre labeur? Si la fonte n'avait pas réussi! si le moule s'était brisé! Hélas! pendant que nous espérons, peut-être le mal est-il déjà fait!

«Nous confions l'œuvre de nos mains aux entrailles du sol. Le laboureur leur confie ses semences, espérant qu'elles germeront pour son bien, selon les desseins du Ciel. Nous ensevelissons dans le sein de la terre des semences encore plus précieuses, espérant qu'elles se lèveront du cercueil pour une meilleure vie.

«Dans la tour de l'église retentissent les sons de la cloche, les sons lugubres qui accompagnent le chant du tombeau, qui annoncent le passage du voyageur que l'on conduit à son dernier asile. Hélas! c'est une épouse chérie, c'est une mère fidèle que le démon des ténèbres arrache aux bras de son époux, aux tendres enfants qu'elle mit au monde avec bonheur, qu'elle nourrit sur son sein avec amour. Hélas! les doux liens sont à jamais brisés, car elle habite désormais la terre des ombres, celle qui fut la mère de famille. C'en est fait de sa direction assidue, de sa vigilante sollicitude, et désormais l'étrangère régnera sans amour à son foyer désert.

«Pendant que la cloche se refroidit, reposons-nous de notre rude travail; que chacun de nous s'égaye comme l'oiseau sous la feuillée. Quand la lumière des étoiles brille, le jeune ouvrier, libre de tout souci, entend sonner l'heure de la joie; mais le maître n'a pas de repos.

«À travers la forêt sauvage le voyageur presse gaiement le pas pour arriver à sa chère demeure. Les brebis bêlantes, les bœufs au large front, les génisses au poil luisant se dirigent en mugissant vers leur étable. Le chariot chargé de blé s'avance en vacillant. Sur les gerbes brille la guirlande de diverses couleurs, et les jeunes gens de la moisson courent à la danse. Le silence règne sur la place et dans les rues, les habitants de la maison se rassemblent autour de la lumière, et la porte de la ville roule sur ses gonds. La terre est *couverte* d'un voile sombre; mais la nuit, qui tient éveillé le méchant, n'effraye pas le paisible bourgeois; car l'œil de la justice est ouvert.

«Ordre saint, enfant béni du Ciel, c'est toi qui formes de douces et libres unions; c'est toi qui as jeté les fondements des villes; c'est toi qui as fait sortir le sauvage farouche de ses forêts; c'est toi qui, pénétrant dans la demeure des hommes, leur donnes des mœurs paisibles et le bien le plus précieux, l'amour de la patrie.

«Mille mains actives travaillent et se soutiennent dans un commun accord, et toutes les forces se déploient dans ce mouvement empressé. Le maître et le compagnon poursuivent leur œuvre sous la sainte protection de la liberté. Chacun se réjouit de la place qu'il occupe et brave le dédain. Le travail est l'honneur du citoyen, la prospérité est la récompense du travail. Si le roi s'honore de sa dignité, nous nous honorons de notre travail.

«Douce paix, heureuse union! restez, restez dans cette ville! Qu'il ne vienne jamais le jour où des hordes cruelles traverseraient cette vallée, où le ciel, que colore la riante pourpre du soir, refléterait les lueurs terribles de l'incendie des villes et des villages!

«À présent, brisez le moule; il a rempli sa destination. Que le regard et le cœur se réjouissent à l'aspect de notre œuvre heureusement achevée! Frappez! frappez avec le marteau jusqu'à ce que l'enveloppe éclate; pour que nous voyions notre cloche, il faut que le moule soit brisé en morceaux.

«Le maître sait d'une main prudente et en temps opportun rompre l'enveloppe; mais malheur! quand le bronze embrasé éclate de lui-même et se répand en torrents de feu. Dans son aveugle fureur il s'élance avec le bruit de la foudre, déchire la terre qui l'entoure, et, pareil aux gueules de l'enfer, vomit la flamme dévorante. Là où règnent les forces inintelligentes et brutales, là l'œuvre pure ne peut s'accomplir. Quand les peuples s'affranchissent d'eux-mêmes, le bien-être ne peut subsister.

«Malheur! lorsqu'au milieu des villes l'étincelle a longtemps couvé; lorsque la foule, brisant ses chaînes, cherche pour elle-même un secours terrible! Alors la révolte, suspendue aux cordes de la cloche, la fait gémir dans l'air et change en instrument de violence un instrument de paix.

«Liberté! égalité! voilà les mots qui retentissent. Le bourgeois paisible saisit ses armes; la multitude inonde les rues et les places, des bandes d'assassins errent de côté et d'autre. Les femmes deviennent des hyènes et se font un jeu de la terreur. De leurs dents de panthères elles déchirent le cœur palpitant d'un ennemi. Plus rien de sacré; tous les liens d'une réserve pudique sont rompus. Le bon cède la place au méchant, et les vices marchent en liberté. Le réveil du lion est dangereux, la dent du tigre est effrayante; mais ce qu'il y a de plus effrayant c'est l'homme dans son délire. Malheur à ceux qui prêtent à cet aveugle éternel la torche, la lumière du ciel! Elle ne l'éclaire pas, mais elle peut, entre ses mains, incendier les villes, ravager les campagnes.

«Dieu a béni mon travail. Voyez! du milieu de l'enveloppe s'élève le métal, pur comme une étoile d'or. De son sommet jusqu'à sa base il reluit comme le soleil, et les armoiries bien dessinées attestent l'expérience du mouleur. Venez! venez, mes compagnons! formez le cercle! baptisons la cloche, donnons lui le nom de Concorde. Qu'elle ne rassemble la communauté que pour des réunions de paix et d'affection!

«Qu'elle soit, par le maître qui l'a formée, consacrée à cette œuvre pacifique. Élevée au-dessus de la vie terrestre, elle planera sous la voûte du ciel azuré. Elle se balancera près du tonnerre et près des astres. Sa voix sera une voix suprême, comme cette des planètes, qui, dans leur marche, louent le Créateur et règlent le cours de l'année. Que sa bouche d'airain ne soit occupée qu'aux choses graves et éternelles! Que le temps la touche à chaque heure dans son vol rapide! Que, sans cœur et sans compassion, elle prête sa voix au destin et annonce les vicissitudes de la vie! Qu'elle nous répète que rien ne dure en ce monde, que toute chose terrestre s'évanouit comme le son qu'elle fait entendre et qui bientôt expire!

«Maintenant, arrachez avec les câbles la cloche de la fosse; qu'elle s'élève dans les airs, dans l'empire du son! Tirez! tirez! Elle s'émeut, elle s'ébranle; elle annonce la joie à cette ville. Que ses premiers accents soient des accents de paix.»

XIV

Le seul défaut d'un pareil poëme c'est d'être à la fois pensé, décrit et chanté. Le véritable enthousiasme ne pense pas, ne décrit pas; il chante. Mais, ce genre mixte une fois admis, le poëme de Schiller est digne de tinter éternellement dans l'oreille des hommes. Nous n'avons rien de pareil en France.

Ce fut une de ses dernières œuvres; il n'avait que quarante-sept ans, et il se laissait déjà atteindre par la mort. C'était une de ces organisations frêles et maladives qui ne résistent pas, comme celle de Goethe ou de Voltaire, organisations de chêne robuste, aux secousses de leur âme et aux secousses de la vie. Il écrivit sa profession de foi désormais philosophique en ces termes:

«Heureux temps, jours célestes où, les yeux fermés, je suivais avec abandon le cours de la vie! Je me nourrissais de mes songes, et j'étais heureux; j'ai appris à penser, et je suis tenté de pleurer d'avoir vu le jour. On m'a enlevé la foi qui me donnait le calme; on m'a enseigné à dédaigner ce que j'adorais. Quand je voyais le peuple se rendre en foule à l'église, quand j'entendais les membres d'une nombreuse communion de croyants confondre leurs voix dans une même prière: Oui, me disais-je, elle est divine cette loi que les meilleurs des hommes professent, qui dompte l'esprit et console le cœur. La froide raison a éteint cet enthousiasme; il n'y a rien de véritablement sacré que la vérité et ce que la raison reconnaît comme vérité. Ma raison maintenant est le seul guide qui me reste pour me porter à Dieu, à la vertu, à l'éternité..... Toutes les perfections de la nature sont réunies en Dieu. *La nature est Dieu divisé à l'infini* (profession de foi de son maître Goethe). Là où je découvre un corps, je pressens une intelligence; là où je remarque un mouvement, je devine une pensée motrice. Ce que nous nommons amour est le désir d'un bonheur hors de nous; l'amour est la boussole aimantée du monde intellectuel; c'est l'amour qui nous attire à Dieu. Si chaque homme aimait tous les hommes, il posséderait le monde entier!»

C'est dans ces pensées qu'il expira peu de temps après, en serrant la main de sa femme, en bénissant son enfant, et regardant, comme J.-J. Rousseau, le soleil du soir jouer comme un crépuscule du jour éternel sur les rideaux de son lit.

XV

Goethe, ferme comme un bloc de marbre jusqu'à ses derniers moments, jouait encore comme un jeune homme avec les illusions et avec l'amour. Ses liaisons littéraires avec *Bettina d'Arnim* ressemblent à une de ces aurores boréales de l'amour que les vieillards, dont l'imagination survit à l'âge, aiment à voir briller sur leur horizon quand le soleil de l'amour juvénile est déjà couché depuis longtemps dans leur ciel. Les amours de l'homme d'État célèbre allemand, M. de Gentz, pour la jeune et célèbre Fanny Elssler, sont comme une répétition, à peu de distance, des amours de Goethe et de Bettina: seulement M. de Gentz aimait du cœur, et Goethe n'aima jamais que de l'imagination. Il se plaisait à jouer le rôle d'un Anacréon allemand couronné de roses, et voulant mourir la coupe des illusions encore pleine à la main.

Un mot sur cet épisode très-curieux de la vieillesse du grand homme.

Nous n'avons pas connu nous-mêmes Bettina d'Arnim, mais nous avons connu sa fille, et, si l'on doit juger des charmes de physionomie, d'âme et d'esprit de la mère, par la figure de la fille, Bettina fut bien digne d'être l'Hébé de ce Jupiter mourant.

Son nom de fille était Bettina Brentano; sa famille était italienne. Sa beauté portait l'empreinte du climat, son esprit avait la flamme de son ciel. Goethe, dans sa première adolescence, avait été épris de sa grand'mère, Sophie Laroche, femme illustre par ses talents littéraires en Allemagne.

Cette jeune fille avait dans son imagination précoce un foyer d'enthousiasme qui demandait un aliment réel ou imaginaire; elle entendait souvent accuser la froideur et l'égoïsme de Goethe dans sa famille; elle se figura que Goethe n'était resté insensible que faute d'avoir rencontré dans sa longue vie une âme à la proportion de la sienne. Elle voulut le venger de l'injustice des hommes pour un homme plus grand que l'humanité. Elle ne connaissait de Goethe que ses œuvres; elle s'en fit une image selon son cœur, et de cette image elle se fit une idole: l'adoration naquit dans son cœur de l'enthousiasme. Ces phénomènes de jeunes filles, répandant, comme Madeleine, leur urne de parfum sur les cheveux blancs d'un homme illustre, sont plus fréquents qu'on ne pense. Qui de nous ignore combien de jeunes cœurs se prodiguaient en pensée et jusqu'en amour à l'auteur de *René* et d'*Atala*, descendant déjà l'autre côté de la vie? La beauté est la tentation de l'homme, la gloire est la séduction de la femme. À force de rêver de Goethe, la jeune Bettina finit par l'aimer. Il y a un âge où les songes ne s'évanouissent pas avec la nuit.

XVI

Une ombre tragique jetée tout à coup sur la jeunesse de Bettina accrut son amour en nourrissant sa mélancolie. Elle avait pour amie une femme poëte, Caroline de Gunderode, chanoinesse d'un des chapitres d'Allemagne.

Caroline de Gunderode, ce Werther féminin, s'exalta jusqu'à la folie, et finit par se tuer par dégoût d'une vie prosaïque en contraste avec une âme de feu.

Bettina resta seule, et se réfugia d'autant plus dans le sein de ce fantôme adoré qui portait pour elle le nom de Goethe. Elle alla à Weimar pour l'adorer de plus près; elle enivra le poëte, elle ne le fléchit pas. Goethe se souvint de son âge, et se contenta du feu et de l'encens, sans toucher au vase fragile d'où cet enivrement montait à lui.

Cette réserve augmenta et fit durer l'amour dans l'âme de la jeune Italienne. Goethe plus sensible lui aurait paru un homme; il ne se montra qu'en divinité. Cet amour dura sept ans. Une correspondance assidue entre la jeune fille et le majestueux poëte nourrit ces deux imaginations de rêves brûlants d'un côté, tièdes de l'autre. Pendant ces délicieuses années, Bettina, après sept ans de culte, finit par se marier au comte d'Arnim, gentilhomme d'une illustre maison de la Prusse et poëte d'un nom déjà distingué dans son pays. Les rapports épistolaires entre Bettina d'Arnim et Goethe se détendirent et s'interrompirent même complétement de 1814 à 1833; mais, peu de mois avant la mort de Goethe, Bettina vint se réconcilier avec son idole négligée et recevoir ses derniers regards et son dernier soupir.

Quelque temps avant sa propre mort, Bettina publia elle-même cette correspondance amoureuse entre la jeune fille et le vieillard. Nous la possédons tout entière en deux volumes; cette correspondance étincelle plus qu'elle ne touche; c'est un feu éblouissant, mais c'est un feu d'artifice; une lettre d'Héloïse à Abélard contient plus de chaleur de passion que ces deux volumes de lettres entre Bettina et l'auteur de *Werther*. Une palpitation du cœur a plus de passion que mille élans d'imagination. Malheur aux amours chimériques! on les regarde, on ne les ressent pas. Une des lettres de M. de Gentz à Fanny Elssler attendrit plus que toute la correspondance de Goethe avec Bettina. On sent que l'homme d'État, quoique sénile, souffre et adore; sa sénilité même fait compatir à sa passion. Quant à Goethe, il joue; il charme, il n'émeut pas.

Voici deux ou trois de ces lettres devenues un monument de l'Allemagne littéraire, un bas-relief du tombeau de Goethe.

«Vous vous imaginez facilement, écrit Bettina à la mère de Goethe, dont elle avait fait sa confidente et son amie à Francfort pendant que son fils vivait et trônait à Weimar; vous vous imaginez facilement ce que je pense à l'heure solitaire où le crépuscule cède à la nuit, maintenant je l'ai vu!... (C'était après son voyage pour voir son idole à Weimar.) Maintenant je l'ai vu, je connais son sourire et le son de sa voix calme et pourtant vibrant d'amour, et ses exclamations qui résonnent comme un chant! Je sais comme il approuve ou comme il blâme ce qu'on dit dans le tumulte de la passion. L'année passée, quand je me trouvai inopinément avec lui, j'étais hors de moi; je voulus parler, mais la voix me manqua; il posa la main sur ma bouche et il me dit: «PARLE DES YEUX, JE COMPRENDS TOUT!» Et quand il s'aperçut que mes yeux étaient remplis de larmes, il les ferma et il ajouta: «DU CALME! DU CALME! C'EST CE QUI VOUS CONVIENT A TOUS DEUX.» Oui, chère mère, ce fut comme si la paix descendait sur moi! N'avais-je pas tout ce que j'avais uniquement désiré depuis plusieurs années? Ô vous, sa mère, je vous remercierai éternellement d'avoir mis au monde celui que j'aime!...

«Il m'est impossible ici, sur les bords du Rhin, continue-t-elle, de ne pas vous écrire sur mon amie, la jeune Caroline Gunderode. Hier j'ai été visiter l'endroit où elle s'est tuée; les saules ont tellement grandi qu'ils couvrent la place. C'est ici, pensai-je, qu'elle erra désespérée et qu'elle enfonça le terrible fer dans sa poitrine. Ce projet l'avait occupée pendant bien des jours, et moi, qui lui étais si près du cœur, moi qui suis maintenant seule ici dans ce lieu fatal, je parcours ce même rivage, ne pensant qu'à mon bonheur!... Je lui fais des reproches d'avoir quitté cette belle terre. Elle s'est mal conduite à mon égard; elle s'est enfouie loin de moi, au moment où j'allais la faire participer à mon bonheur.

«Elle était pleine de timidité, cette belle chanoinesse; elle s'effrayait d'avoir à réciter tout haut le *bénédicité*; elle me disait souvent qu'elle avait peur parce que son tour approchait de le prononcer devant les chanoinesses assemblées. Notre vie commune était belle; c'était l'époque à laquelle je commençais à avoir la conscience de moi-même. Ce fut elle qui vint me chercher à Offenbach; elle me prit par la main et me pria de venir la trouver à la ville. Plus tard nous nous voyions tous les jours; elle m'apprit à lire avec réflexion; elle voulait aussi m'enseigner l'histoire, mais elle s'aperçut bientôt que j'étais beaucoup trop occupée du présent pour que le passé eût le pouvoir de m'enchaîner pendant longtemps. Que j'aimais à aller la trouver! Je finis par ne plus pouvoir me passer d'elle pendant un seul jour. Je courais la voir tous les après-midi. Quand j'arrivais à la porte du chapitre, je regardais à travers le trou de la serrure jusqu'à ce qu'on m'eût ouvert. Son petit appartement était au rez-de-chaussée, donnant sur le jardin; un peuplier blanc était devant sa fenêtre; je grimpais dessus en lui faisant la lecture; à chaque chapitre je montais sur une branche plus élevée. Elle m'écoutait, appuyée à la fenêtre, et me disait de temps en temps: «Bettina, ne tombe pas!» Maintenant je vois combien j'étais heureuse alors, car tout, la moindre des choses même, s'est empreint en moi comme une jouissance. Ses traits étaient doux et mous comme ceux d'une blonde; pourtant elle avait des cheveux bruns, mais des yeux bleus abrités par de longs cils. Elle ne riait pas haut; c'était plutôt un doux roucoulement sourd, dans lequel la joie et la sérénité s'exprimaient parfaitement. Elle ne marchait pas, elle *glissait*; vous comprendrez ce que j'entends par ce mot. Sa robe semblait l'entourer de plis caressants; cela venait de la douceur de ses mouvements. Sa taille était élevée et pour ainsi dire trop coulante pour l'appeler élancée. Elle était timidement gracieuse et trop dépourvue de volonté pour avoir jamais cherché à se faire remarquer en société. Un jour qu'elle était chez le prince primat avec toutes les chanoinesses, portant le costume de son ordre, une robe à queue, un col blanc avec la croix d'ordonnance, quelqu'un fit la remarque qu'elle ressemblait à une apparition au milieu des autres dames, à un esprit qui allait s'évanouir dans l'air.

«Elle me lisait ses poésies, et se réjouissait de mon approbation comme si j'avais été un grand public; c'est qu'aussi je témoignais un vif désir de les entendre: non pas que je comprisse ce que j'entendais; c'était plutôt pour moi un élément inconnu, et ses doux vers agissaient sur moi comme l'harmonie d'une langue étrangère qui vous flatte sans qu'on puisse la traduire. Nous lisions *Werther*, et nous discutions beaucoup sur le suicide. Elle disait toujours: «Beaucoup apprendre, beaucoup comprendre par l'esprit, et mourir jeune! Je ne veux pas voir la jeunesse m'abandonner.»

Puis enfin s'adressant, après ce récit funèbre, à Goethe qui se refusait à nourrir sa passion d'un retour complet, Bettina s'écrie:

«Ô toi qui lis ceci, tu n'as pas de manteau assez doux pour envelopper mon âme blessée! Tu ne me récompenseras jamais, tu ne m'attireras jamais sur ton cœur! Je le sais, je serai seule avec moi-même comme je me suis trouvée seule aujourd'hui sur le rivage où mourut Gunderode; seule sous les tristes saules où la mort frissonne encore, sur cette place où l'herbe ne croît plus; c'est là qu'elle a meurtri son beau corps! ô Jésus! Marie!!!

«Toi, mon seigneur vivant! toi, génie flamboyant qui es au-dessus de moi, j'ai pleuré, non pas sur celle que j'ai perdue, non, j'ai pleuré sur moi avec moi-même. Il faut que je devienne froide et dure comme l'acier; je dois être impitoyable pour ce cœur passionné qui n'a pas, hélas! le droit de rien demander. Mais tu es doux, ô Goethe! tu me souris, et ta main fraîche me caresse et tempère l'ardeur de mes joues; cela doit me suffire!»

XVII

Bettina revient ici à la pensée de son amie Gunderode.

«Lorsque je revins visiter sa tombe, j'y trouvai de pauvres gens qui cherchaient leurs vaches; je les suivis; ils devinèrent que je venais du tombeau de la dame; ils me dirent que Gunderode leur avait souvent parlé et fait l'aumône, et que chaque fois qu'ils passaient près de l'endroit fatal ils récitaient un *Pater*. Moi aussi j'ai prié son âme et pour son âme; je me suis fait purifier par la lumière de la lune, et je lui ai dit tout haut que je la désirais, que je regrettais ces heures où nous échangions ici-bas nos pensées, nos sentiments.

«Un jour elle vint joyeusement à ma rencontre, et elle me dit: «Hier j'ai causé avec un médecin, et il m'a appris qu'il était très-facile de se tuer.» Elle entr'ouvrit sa robe et me montra une place sur son beau sein; ses yeux resplendissaient de joie. Je la regardai fixement; pour la première fois je me sentis mal à l'aise; je lui demandai: «Eh bien! que ferai-je quand tu seras morte?—Oh! répondit-elle, alors je te serai devenue indifférente; nous ne serons plus aussi liées; je me brouillerai d'abord avec toi!» Je me dirigeai vers la fenêtre pour cacher mes larmes et contenir les battements de mon cœur irrité; elle s'était mise à l'autre fenêtre et ne disait mot. Je la regardais de côté; ses yeux étaient levés vers le ciel, mais le regard en était brisé comme si tout leur feu s'était concentré à l'intérieur. Après l'avoir considérée pendant quelque temps, je ne pus me contenir: j'éclatai en sanglots, je me jetai à son cou, je la forçai à s'asseoir, je m'assis sur ses genoux, je répandis bien des larmes, je l'embrassai pour la première fois, j'ouvris sa robe et je baisai la place où elle avait appris à atteindre le cœur. Je la suppliai en pleurant amèrement d'avoir pitié de moi; je me jetai de nouveau à son cou, et je baisai ses mains froides et frissonnantes. Ses lèvres tremblaient; elle était roide et pâle comme la mort, et ne pouvait élever la voix; elle me dit tout bas: «Bettina, ne me brise pas le cœur!» Afin de ne pas lui faire de mal, je cherchai à surmonter ma douleur. Je me mis à sourire, à pleurer, à sangloter tout à la fois; mais sa frayeur augmenta; elle se coucha sur le canapé. Je m'efforçai alors de lui prouver que j'avais pris tout cela pour une plaisanterie.»

XVIII

Toute cette longue *passion* de la chanoinesse Gunderode est décrit par son amie *Bettina* en pages de *Werther*; on sent que le génie de Goethe a déteint sur ces jeunes amies.

Goethe parut sensible à cet amour moitié naïf, moitié fantastique de la belle enthousiaste. Un sonnet de lui fait foi de cette émotion contenue, mais forte.

«*La date du vendredi-saint*, dit-il dans ce sonnet, *était gravée en lettres de feu dans le cœur de Pétrarque*; dans mon cœur à moi c'est la date d'avril mil huit cent sept qu'on trouvera en traces profondes de feu, gravée par le jour où je t'ai connue!

«Ce jour-là je commençai, non, je continuai à aimer celle qu'enfant je portais déjà dans mon cœur, etc.»

La passion idéale de Bettina prend chaque jour des teintes plus chaudes dans sa correspondance.

«J'ai dû partir après un dernier embrassement, moi qui croyais rester éternellement suspendue à ton cou. La maison que tu habites avait disparu déjà dans le lointain; je me rappelais tout alors: comment, la nuit, tu t'étais promené avec moi dans le jardin; comment tu souriais quand je t'expliquais les formes fantastiques des nuages et mes beaux rêves; comment tu écoutais avec moi le murmure des feuilles au vent de la nuit.»

On croit véritablement entendre les confidences de *Daïamanti* au dieu son amant, dans une scène des drames indiens; l'imagination allemande est teinte des eaux du Gange.

«Tu m'as aimée, je le sais; quand tu me conduisais par la main, je l'ai senti à ton haleine, au son de ta voix; oui, j'ai senti à quelque chose, comment dirai-je? qui m'enveloppait, qui respirait autour de moi, que tu me recevais dans l'intimité de la pensée. Qui m'enlèvera ce souvenir? J'ai éprouvé un grand calme. Qu'est-ce que cela veut dire: *s'endormir dans le Seigneur*? Je sais maintenant ce que c'est... Il a fait cette nuit un terrible ouragan; je suis sortie pour voir le soleil qui réparait tout. Ô cher ami! quelle joie de savourer la brume du matin, de respirer le frais du vent qui s'apaise, le parfum des plantes qui pénètre la poitrine et monte à la tête, de sentir battre ses tempes et rougir ses joues, et de secouer les gouttes de rosée de ses cheveux!... Je me reposai sur le tronc d'un arbre à demi renversé pendant la nuit. Sous ses branches touffues je découvris une multitude de nids d'oiseaux; il y avait une famille de petites mésanges à tête noire et à gorge blanche; elles étaient sept dans le même nid; puis des pinsons et des chardonnerets; les pères et les mères volaient sur ma tête, cherchant à donner la becquée à leurs petits. Ah! pourvu qu'ils parviennent à les élever dans cette situation critique! Si un de ces petits oiseaux, précipités du nid par terre, et suspendus au-dessus d'un ruisseau rapide, allait y tomber, il se noierait infailliblement à l'instant même! Pour comble de malheur, tous les nids pendent de travers. Puis, si tu avais vu la vie, le mouvement de ces milliers d'abeilles et de mouches qui bourdonnaient autour de moi! En vérité, il n'y a pas de marché si populeux et si animé; tout le monde semblait fort bien s'y reconnaître; chacun allait chercher sous les fleurs une petite auberge où se retirer, puis on en ressortait; on rencontrait le voisin; on passait les uns à côté des autres en bourdonnant, comme si on eût voulu se dire où se trouve la bonne bière. Mais voilà longtemps que je bavarde sur ce tilleul, et pourtant je n'ai pas encore fini. Le tronc tient encore à la racine. Je considérai la partie de l'arbre qui est restée, condamnée maintenant à traîner l'autre moitié de sa vie par terre, et je pensais qu'elle mourrait cet automne. Cher Goethe! je suis enfermée dans mon amour pour toi comme dans une cabane solitaire; ma vie se passe à t'attendre!...»

Goethe répond par des sonnets froids et compassés comme des politesses allemandes à ces rêves de jeune cœur. Le rêve se poursuit aussi coloré et aussi tendre pendant deux volumes. Les billets de Goethe en réponse à ce torrent de passion idéale sont de la neige sur des fleurs d'avril.

XIX

C'est dans cette naïve et amusante correspondance avec Bettina et avec d'autres jeunes enthousiastes de son génie que Goethe laissait décliner son heureuse vie. La vie se retirait peu à peu de lui comme le rayon du soir, dans la galerie du Vatican, se retire d'abord des pieds, puis du buste, puis de la tête de l'Apollon de marbre, rougi par les roses des plus hautes clartés du soleil couchant.

Impassible jusqu'au dernier moment comme un dieu de marbre, il expira en contemplant avec ravissement le soleil, et en demandant *de la lumière, plus de lumière encore*! Weimar ne le pleura pas comme un mortel, mais lui fit une apothéose comme à un immortel.

On lui a beaucoup reproché, faute de le comprendre, de n'avoir pas été assez homme par la sensibilité qui fait aimer davantage Schiller. Il est beau d'être un homme, il est plus beau peut-être d'être plus qu'un homme. La prétendue impassibilité de Goethe n'est que sa supériorité; certes, on ne peut soupçonner l'auteur de *Werther*, de *Charlotte*, de *Mignon*, de *Marguerite*, de n'avoir pas eu dans l'âme toutes les puissances, et même les plus délicates, de sentir, d'aimer, de souffrir; celui qui fait pleurer ne fait que prêter ses propres larmes à ceux qui le lisent; il en a donc lui-même une source chaude, amère et abondante dans son propre cœur.

Mais la faculté de sentir, d'aimer, de souffrir, qui est la plus belle des facultés du cœur, n'est pas la plus forte des qualités de l'esprit: la preuve en est que la plus simple des femmes sent, aime et pleure; mais le génie seul pense et plane au-dessus de ses propres impressions pour les contempler et pour les juger avec la sublime impassibilité d'un dieu. Cette divine impassibilité du grand artiste, qui se sépare pour ainsi dire en deux êtres, l'être sentant et l'être impassible, est supérieure à la sensibilité vulgaire, car elle l'élève au-dessus de la région des sensations jusqu'à la région de la pure intellectualité.

C'est à cette hauteur que l'homme cesse pour ainsi dire d'être homme pour devenir artiste. L'homme souffre encore en lui, mais l'artiste ne souffre plus, semblable au martyr qui jouit dans sa foi pendant qu'il gémit dans son corps.

Le grand artiste se dissèque intrépidement lui-même pour peindre, pour sculpter ou chanter les palpitations les plus douloureuses de ses fibres sans les sentir pendant qu'il les dénude à tous les yeux. C'est ce qui constitue précisément le beau dans l'art, c'est ce qui fait que le pathétique le plus tragique ne dégénère jamais en torture ou en grimace dans l'œuvre des véritables artistes souverains. C'est ce qui fait que, dans les ouvrages en marbre ou en vers qui nous restent de l'antiquité, la statue ou le personnage dramatique reste toujours beau, même sous les tortures de la douleur physique ou de la douleur morale. C'est ce qui fait que le Laocoon expire avec beauté sous les nœuds et sous les morsures du serpent; que Niobé meurt belle sur les cadavres de ses enfants percés par les traits du dieu de l'arc; que le Christ de Michel-Ange rayonne sur la croix d'une divinité morale pendant que les clous transpercent ses mains et ses pieds; son sang ruisselle de ses blessures, mais son âme ne sent que la sainte beauté de son sacrifice.

Conserver la beauté dans la douleur, ne dégrader jamais l'homme intellectuel par le déchirement de ses sensations, montrer toujours l'intelligence impassible survivant au cœur torturé, voilà le comble de l'art antique, voilà la loi du beau; c'est cette loi du beau dans l'art que quelques grands artistes de notre époque ont voulu nier et renverser en cherchant l'expression dans la seule vérité imitative, en peignant le laid avec autant de recherche que le beau, et en inventant ce paradoxe artistique et littéraire qu'ils ont appelé *l'art pour l'art*! Notre théorie, à nous, comme la théorie des anciens, *c'est l'art pour le beau*; c'était la théorie d'Homère, la théorie de Platon, la théorie de Virgile, de Cicéron, celle de Milton, de Corneille, de Racine, de Voltaire, du Tasse, de Pétrarque, de Byron, de Chateaubriand, d'Hugo, dans les premières splendeurs matinales de leurs beaux génies. La théorie du laid est la parodie de la nature; la théorie de l'art pour l'art ravale l'art en ne lui donnant pour objet que lui-même. Qu'est-ce que l'art si vous le séparez du bon et du beau? C'est un jeu d'esprit au lieu de la plus sainte aspiration de l'âme, un matérialisme de mots au lieu du divin spiritualisme des pensées.

Telle était aussi la pensée de Goethe: c'était l'idolâtrie du beau. Élever l'homme au beau, c'était, selon lui, élever l'homme à la vertu.

Voilà pourquoi il se tenait soigneusement lui-même très-haut, loin de terre, au-dessus de sa propre sensibilité, comme sur un isoloir de toute chose humaine, dans la région supérieure de la sublime indifférence. Voilà pourquoi il fut accusé d'insensibilité et de personnalité dans sa vie. Mais voilà pourquoi aussi il se soutint toujours, pendant sa longue et heureuse vie, dans cette philosophie de calme et de lucidité qui caractérise son génie.

XX

S'il est permis de comparer la littérature et la politique, Goethe rappela à ce point de vue un homme supérieur auquel les moralistes peuvent refuser leur estime, mais auquel les historiens observateurs et philosophes ne pourraient contester l'admiration: le prince de Talleyrand. Le prince de Talleyrand fut en France dans ces derniers temps le Goethe de la politique; Goethe fut le prince de Talleyrand de l'Allemagne en littérature; tous les deux très-supérieurs au vulgaire, très-dédaigneux des événements, peu soucieux de ces doctrines soi-disant immuables que les partis appellent des principes et que l'histoire appelle des circonstances. Ils n'avaient foi l'un qu'à la nature, l'autre qu'aux faits. Tous les deux aussi, voyant les idées et les hommes du haut de leurs dédains pour les engouements passagers, pour les erreurs et pour les passions de la foule, ils dominaient d'autant plus l'humanité qu'ils la méprisaient davantage. Le mépris est une mauvaise puissance, mais c'est une puissance réelle sur les hommes; cela prouve qu'on ne partage pas leurs petitesses, leurs enthousiasmes et leurs versatilités. Ce mépris est la base de l'indifférence philosophique ou politique; cette indifférence laisse à la sensibilité son calme, à l'esprit son sang-froid et sa clarté. Ce mépris même est une grandeur de l'intelligence. Ces hommes ne sont jamais dévoués, mais ils sont habiles. Si c'est dans l'ordre philosophique et littéraire, comme Goethe ils conservent leur indépendance de pensée et leur originalité de conception à travers toutes les vagues passagères de la médiocrité subalterne et toutes les aberrations du mauvais goût; si c'est dans l'ordre politique, comme le prince Talleyrand ils conservent et grandissent leur haute influence à travers tous les événements secondaires et tous les écroulements du siècle; ils se servent des vagues pour exhausser, pour gouverner leur navire au lieu de s'y noyer avec l'équipage. Hommes dont le temps se moque quelquefois faute de les comprendre, mais qui se moquent du temps; ils vivent à part des sottises et des vertus vulgaires; solitaires de l'esprit, l'avenir les remarque d'autant plus qu'ils lui apparaissent plus isolés dans leur majestueux égoïsme.

Tel fut Goethe, homme aussi peu compris en Allemagne que M. de Talleyrand est encore peu compris en France: grands par leur souverain mépris pour les axiomes de la politique populaire ou pour les médiocrités de l'esprit humain. Cela ne veut pas dire que ces hommes fussent pervers, cela veut dire qu'ils étaient supérieurs. Hélas! quand on a beaucoup vécu, beaucoup pratiqué les idées, les passions, les rois, les peuples, le dédain superbe et tranquille n'est-il pas la dernière forme de la sagesse humaine? Remarquez que nous ne disons pas de la vertu.

XXI

La mort de Schiller, de Goethe, du grand Frédéric, de Klopstock, de Herder, de Wieland, de Kant et de leurs contemporains les plus rapprochés par l'âge, tels que les Stolberg, les Guillaume de Humboldt, les Schlegel, les Jacob, etc., etc., laissa l'Allemagne littéraire et philosophique vide, froide et inanimée comme une terre épuisée qui a perdu sa vigueur et qui a besoin de renouveler sa séve par le temps avant de produire de nouvelles moissons de grands hommes. Le génie a ses saisons comme la nature; après la récolte, la stérilité.

Ce phénomène d'une stérilité relative après des époques de merveilleuse fécondité n'est pas seulement spécial à l'Allemagne après la clôture du dix-huitième siècle, il est remarquable dans toute l'Europe. Voyez l'Angleterre; après que Chatham, le second Pitt, Gibbon, Fox, Canning, Byron, Walter Scott, eurent disparu, sa littérature, à l'exception du roman, de l'histoire et de l'éloquence, languit; sa tribune même, cette littérature de la liberté, s'affaisse. L'Angleterre a oublié sa grande parole, l'Italie a perdu sa grande poésie, l'Espagne sa grande gaieté comique; la France elle-même se sent, malgré les jactances de sa jeunesse littéraire, dans une sorte de décadence orgueilleuse qui l'attriste elle-même. Son printemps ne vaut pas les hivers que nous avons traversés et qui ont blanchi nos fronts. Nous avons vu les Staël, les de Maistre, les Chateaubriand, les Villemain, les Cousin, les Bonald, les Lamennais, les Hugo, les Balzac, et leurs égaux et leurs émules dans tous les genres. Les grands écrivains, les grands orateurs, les grands philosophes, les grands poëtes, les grands critiques, où sont-ils? Dans la tombe ou dans le silence. *Les dieux s'en vont*, mais les moqueurs restent; la littérature du sarcasme remplace la littérature du génie. C'est un mauvais signe quand l'esprit humain se moque de lui-même; la dérision est le sacrilége de l'enthousiasme. Dieu frappe de stérilité ceux qui rient de ses dons.

C'est un Anglais, lord Byron, qui a commencé cette décadence morale par *Don Juan*; c'est un Allemand, le poëte satirique Heyne, mort récemment à Paris, qui a aggravé le sacrilége par une série de facéties en vers et en prose qui sont les libelles du génie contre le génie; c'est le charmant fantaisiste de la poésie en France, *A. de Musset*, qui a tantôt raillé, tantôt adoré l'enthousiasme et l'amour, tantôt mené à la bacchanale ces deux chastes divinités des vrais adorateurs du vrai beau. Ces trois hommes ont eu des imitateurs trop tentés par les succès faciles du ricanement spirituel; ils règnent aujourd'hui sur la jeunesse au cœur léger; ils la mènent en chantant et en titubant, comme des ménétriers ivres dès le matin, aux fêtes d'un carnaval éternel de l'esprit. Je ne veux pas les nommer, leurs œuvres les nomment; ils s'annonçaient, avec la jactance de l'orgueil, comme les régénérateurs de la littérature française; le monde intellectuel semblait n'avoir pas existé avant eux; ils ne se reconnaissaient ni antécédents, ni modèles, ni ancêtres, ni égaux dans le monde de l'esprit. Cette impertinence envers le génie des siècles passés leur a porté malheur, la nature a répondu à leur défi par l'impuissance; qu'ont-ils produit et que produisent-ils, depuis dix ans, que des sarcasmes et des bulles de savon? Ils sont à l'art divin de la pensée ce que les parodistes de nos petits théâtres sont aux chefs-d'œuvre de la scène, ce que les grotesques des ballets italiens sont aux statues de Phidias ou aux grâces chastes de la Vénus antique. Nous tournons au grotesque; c'est le symptôme le plus certain de la décadence de l'art. Il n'y a plus de jeunesse, comment y aurait-il une maturité féconde? Il n'y a plus de printemps, comment y aurait-il un été?

XXII

Cette lacune actuelle de génie en Allemagne est-elle définitive? Cette grande époque des Goethe, des Klopstock, des Schiller, est-elle l'apogée de la grande littérature allemande? Nous sommes loin de le penser, sans doute; nous ne pensons pas non plus que la nature produise souvent, et même produise deux fois un homme supérieur en puissance de tête à Goethe. On ne monte pas plus haut que certaines pages extatiques de *Faust*: plus haut, l'air raréfié ne porte plus l'homme; mais il y a de grandes raisons de penser que, si la nature n'enfante pas souvent une individualité poétique de la force de Goethe, la littérature allemande dans son ensemble retrouvera une période de splendeur égale à la période qui porte le nom de Goethe. Nos motifs pour penser ainsi son ceux-ci:

L'Allemagne est encore en grande partie une terre vierge, et, par conséquent, susceptible d'une culture littéraire qui produira des fruits inconnus. Le caractère éminemment pensif de cette race germanique lui donne le temps de mûrir ses idées; elle est lente comme les siècles et patiente comme le temps; jamais cette race pensive et même rêveuse n'a été assimilée aux idées et aux langues de ces races grecques et latines comme l'Italie, l'Espagne, le Portugal et nous, qui dérivons d'Athènes ou de Rome; l'Allemagne dérive de l'Inde et du Gange; elle parle une langue consommée, savante, circonlocutoire, mais d'une construction et d'une richesse qui la rendent propre à exprimer toutes les images et toutes les idéalités de la poésie ou de la métaphysique. La philosophie du monde futur couve là dans son berceau; il en sortira quelque Platon.

Quant à l'histoire, à l'éloquence, au drame, qui demandent un langage clair comme le fait, évident comme le regard, rapide et foudroyant comme le coup du verbe humain sur l'âme, la France, l'Angleterre, l'Italie, l'Espagne, le Portugal paraissent plus aptes à ces trois fonctions de la parole que l'Allemagne. Mais la poésie méditative, la poésie épique, la poésie lyrique, la théologie mystique ont un instrument mieux façonné à leurs usages dans l'allemand. Novalis, Goethe, Klopstock, l'ont déjà merveilleusement démontré, d'autres viendront qui le démontreront mieux encore.

La primauté littéraire fait lentement le tour du monde comme la primauté politique. Le génie des lettres a ses vicissitudes comme l'épée. Cette primauté passe des Indes en Égypte, de l'Égypte en Grèce, de la Grèce en Arabie, de Bagdad en Perse, de la Perse et de l'Orient des califes dans la grande Grèce d'Italie; de la grande Grèce d'Italie, illuminée par Pythagore, à Rome; de Rome à Florence et à Ferrare, de Florence et de Ferrare en Espagne, en France, en Angleterre, où elle fleurit aujourd'hui. Il ne manque à cet avénement de la langue allemande qu'une chose, l'unité nationale de ces quarante millions d'hommes qui parlent et qui écrivent la langue de Goethe et de Kant. L'absence de cette unité politique, qui rend l'Italie impropre jusqu'à présent à conquérir et à garder la possession d'elle-même, rend l'Allemagne impropre à conquérir une primauté littéraire. Le génie allemand est individuel et non national. Il n'y a pas une Allemagne, il y en a dix. La gloire littéraire, ce stimulant du génie, y est démembrée comme le territoire; chaque capitale y a son foyer, ses talents, mais il n'y existe pas un foyer *commun*.

On déclame beaucoup en France depuis quelques années contre la centralisation. Je ne voudrais que deux exemples sous nos yeux pour combattre par les faits ce paradoxe en vogue de nos jours. Ces deux exemples sont l'Italie en politique, l'Allemagne en littérature. Que manque-t-il à l'Italie pour devenir indépendante et pour rester libre? Une seule capitale souveraine au lieu des sept ou huit capitales secondaires qui se disputent le rang de centre italien. Que manque-t-il à l'Allemagne pour régner à son tour par les lettres sur l'esprit européen? Une seule capitale où viennent briller et rayonner les grands talents épars dont ses diverses capitales sont pleines. Malheur aux peuples à plusieurs têtes! Il y a du feu, il n'y a point de foyer.

Cependant cette décentralisation, fatale jusqu'ici à l'Italie, nuisible à l'Allemagne, n'empêche pas le génie germanique d'influer puissamment depuis quelques années sur la littérature nouvelle de l'Europe dans ce que l'on appelle romantisme, c'est-à-dire dans cette tendance heureusement novatrice du génie français, italien, britannique, à sortir de la servile imitation des anciens; à émanciper nos langues en tutelle, et à les rendre enfin originales et libres comme la pensée spontanée du monde moderne; dans le romantisme il y a une propension évidente à germaniser la littérature moderne. Plus nous nous éloignons des Grecs et des Latins, plus nous nous rapprochons de l'Allemagne, fille de l'Inde; on dirait que le génie littéraire veut aussi faire le tour du monde comme le fil électrique, et revenir à cet Orient d'où tout est parti. La science des langues orientales, dans lesquelles les Allemands ont été nos précurseurs et nos maîtres, développe de plus en plus chez nous cet attrait vers l'Orient; que sera-ce quand nos communications qui s'ouvrent seulement avec la Chine, cette école lettrée de quatre cents millions d'hommes, nous auront initiés dans la philosophie et dans la littérature de ce mystérieux sanctuaire du dernier Orient? L'histoire est le grand révélateur du monde pensant; les révélations d'idées vont sortir en foule des langues primitives que nous allons lire et écouter dans ces régions de la première civilisation humaine. Ce sera la gloire de l'Allemagne de nous y avoir introduits par sa langue toute pleine des témoignages étymologiques de sa filiation orientale. De cette reconnaissance de l'Occident avec l'Orient par l'Allemagne, un grand prodige s'opérera dans l'univers intellectuel: l'identité des idées retrouvée par l'identité des langues. Les fils dépaysés reconnaîtront leurs ancêtres; les philosophies, dépouillées des vêtements divers qui les déguisent, s'embrasseront au grand jour de la science dans l'unité des langues, témoignage de l'unité des idées.

Les fils de nos fils verront ces merveilles; il n'y aura plus ni Orient ni Occident intellectuels; il n'y aura qu'une littérature, comme il n'y a qu'une humanité. L'homme est sorti par l'ignorance d'un état plus parfait qu'on a appelé un Éden, il y rentrera par la science. L'Allemagne aura été un de ses guides vers cette glorieuse rapatriation des esprits.

Lamartine.

XLIIᵉ ENTRETIEN.

VIE ET ŒUVRES
DU COMTE DE MAISTRE.

I

Virgilium vidi tantum; ce qui veut dire ici: J'ai connu personnellement ce grand écrivain qu'on nomme le comte de Maistre; je l'ai connu homme, et je l'ai vu passer prophète. C'est un grand avantage pour parler d'un écrivain que d'avoir vécu dans sa familiarité, car il y a toujours beaucoup de l'homme dans l'auteur. Vos portraits du comte de Maistre sont des portraits d'imagination; le mien est un portrait d'après nature.

Je vous disais donc que je l'avais connu homme, et que je l'avais vu avec le temps passer prophète. C'est un étrange phénomène que cette transformation, avec l'aide du temps, d'un homme de style, d'un homme d'esprit ou d'un homme de génie, en prophète, par les enfants de ceux qui l'ont connu simple mortel comme vous et moi.

Voici comment ce phénomène s'opère.

Un écrivain remarquable, original, téméraire de vérité et de paradoxe, surgit dans un coin du monde. Il faut que ce soit loin de Paris, à cause du prestige de la distance, du *major e longinquo reverentia*: le lointain donne à tout de la majesté. Et puis, si cet écrivain surgissait à Paris, l'envie le dénigrerait à sa naissance et l'étoufferait longtemps dans son berceau; il aurait à subir, comme nous tous, la comparaison avec d'autres hommes égaux ou supérieurs à lui; il serait mesuré à la toise de la jalouse médiocrité; on ne lui rendrait sa véritable taille qu'à sa mort, quand il faudrait mesurer son cercueil à sa stature. Il faut donc que cet écrivain prédestiné à devenir prophète naisse et vive dans l'éloignement; il faut de plus qu'il naisse et qu'il vive dans un temps de grande dissension de l'esprit humain, époque où chaque parti a besoin de champions éclatants pour embrasser, fortifier, diviniser sa cause.

Ces deux conditions admises, c'est-à-dire la distance et l'esprit de parti, qu'arrive-t-il?

Le grand homme inconnu écrit ou pérore dans son coin du monde; pendant qu'il vit on fait peu d'attention à lui; on ne le regarde que comme une curiosité littéraire; ses volumes s'entassent sans beaucoup de bruit les uns sur les autres; quelques esprits éminents et cosmopolites s'aperçoivent seuls qu'il y a quelque part on ne sait quelle voix qui rend des oracles dans la solitude. Ces oracles sont d'autant plus recueillis dans l'élite qu'ils se répandent moins dans la foule. L'auteur de ces oracles meurt sans avoir atteint la grande célébrité européenne; un silence de quelques années se fait sur sa tombe; mais tout à coup un des deux partis d'idées en lutte dans le monde intellectuel, religieux, politique, éprouve le besoin de confondre, d'éblouir, de foudroyer le parti contraire par l'éclat d'un génie solidaire qui lui prête un style, des armes, des idées et de l'audace contre ses adversaires. On exhume les livres du mort récent de la poussière où ils dormaient, on les réimprime, on les exalte, on fait un bruit immense autour de son nom.

Le parti opposé crie au scandale, lit ces livres, y cherche et y trouve des excès d'esprit et des paradoxes qui vont jusqu'aux défis du bon sens et jusqu'à la justification du supplice comme argument de controverse. Le parti du grand inconnu s'irrite de cette contradiction; il s'acharne à l'admiration, il adopte jusqu'aux excentricités de son auteur favori, il prend à la lettre jusqu'à ses plaisanteries et à ses sarcasmes pour en faire des articles de foi, il divinise sa nouvelle école, il en fait un saint. Le parti adverse en fait un fou ou un scélérat. Le nom longtemps inconnu est lancé et relancé à la tête des combattants; criblé tour à tour d'auréoles ou d'invectives, ce nom se répand dans le combat; les livres se popularisent dans la dispute; l'un y cherche des ridicules, l'autre des oracles; tout le monde y découvre un prodigieux style et une forte vertu.

La génération suivante croit que cet homme dont on parle avec tant de haine ou tant d'amour était quelque géant d'un autre âge dépassant la taille humaine. Un grand respect la saisit, un grand prestige la subjugue; les phrases de l'écrivain font texte, ses opinions font loi, ses rêveries mêmes font miracle pour ses fidèles; et voilà l'homme prophète.

II

C'est ainsi que le comte de Maistre nous apparaît aujourd'hui, à trente-sept ans de distance du temps où nous nous promenions ensemble sous les châtaigniers de la vallée de Chambéry, lui me récitant ses vers sur le *Caucase* et sur le *Phâse*, deux excellentes rimes pour un vieux poëte revenant de Russie, moi lui récitant les premières stances des *Méditations*, sans penser qu'un jour il serait divinisé et moi lapidé pour de la prose ou pour des vers. Ô plaisante vicissitude des choses humaines qui s'amuse à faire jouer aux hommes les rôles les plus inattendus de tous et d'eux-mêmes! Voilà un jeune homme et un vieillard qui se donnent la main en jouant du bout du pied avec les cailloux polis du torrent desséché de l'*Aisse* dans le bassin de Chambéry, et qui causent nonchalamment après dîner de choses et d'autres, comme deux voyageurs en attendant le départ sur le banc de l'hôtellerie; et à trente-sept ans de là le vieillard sera devenu prophète, et le jeune homme, après avoir été arbitre momentané presque du monde, jugera le vieillard pour gagner sa vie, en intéressant ses lecteurs dans un entretien littéraire! Étonnez-vous donc des volte-faces de la destinée, et respectez donc quelque chose après cela!

Eh bien! dès cette époque je respectais beaucoup l'éloquent et le majestueux vieillard avec lequel je m'entretenais au bord du ruisseau ou à table, sans soupçonner cependant que je causais avec un demi-dieu. Je vous ferai son portrait physique comme s'il était là sous ma plume, mais laissez-moi vous transcrire avant le cadre de ce portrait, aussi original et aussi pittoresque que la figure. Ce que je vous peins là, je l'ai vu.

III

On a fait un grand seigneur féodal du comte de Maistre. Ce n'est pas cela; c'était un simple gentilhomme savoyard de peu de fortune et sans illustration jusqu'à lui.

C'est une existence bien naïve et bien pastorale que celle du gentilhomme campagnard des vallées de Savoie, et surtout de la vallée véritablement arcadienne de Chambéry. Qui peut, après Jean-Jacques Rousseau et Chateaubriand, essayer de décrire cette oasis de lumière, d'ombre, de prairies en pente, de châtaigniers en groupes, de chaumières éparses, de lacs encaissés et dormants dans le demi-jour, sous l'abri majestueux des montagnes dentelées de sapins et de neige? Mais on peut décrire la vie du gentilhomme savoyard de ces vallées quand on a eu, comme moi, le hasard et le bonheur de vivre avec eux et de leur vie dans sa jeunesse.

Sur le penchant le plus incliné vers le torrent ou vers le lac qui forme le lit de ces vallées; sur quelque colline arrondie et grasse de gazon; au sommet d'un petit promontoire avancé vers les eaux et qui y laisse pendre et tremper les branches de ses châtaigniers; au bord d'une grève exposée au soleil du levant ou du midi et où brille de loin une marge de sable fin lavé d'écume; dans le creux d'une anse, au sommet d'un monticule boisé, semblable à une île sur un océan de roseaux, on voit luire au soleil un petit nombre de maisons à toits aigus et bleuâtres, couverts d'ardoises, sur lesquels des nuées de pigeons blancs en repos sèchent leurs plumes et becquettent le grain volé dans la cour.

Ces maisons, en général carrées et basses, n'ont rien qui les distingue trop des maisons de la petite bourgeoisie, qu'une ou deux tourelles qui flanquent les angles, et qui ressemblent plus à des colombiers qu'à des bastions. Elles sont bordées d'un côté de quelques petites terrasses en étages qui dominent la plaine ou les eaux; de larges figuiers y étendent leurs branches, qui ont la contorsion et la couleur de grosses couleuvres endormies. De l'autre côté, une basse-cour entourée de métairies et d'étables couvertes en chaume sert de portique à la maison. Au-dessus et au-dessous, un bois de châtaigniers, des groupes de noyers, une vigne presque inculte rampant sur le grès, un champ de maïs aux régimes d'or, un autre de froment, de blé noir ou de raves, enfin une prairie marécageuse tachetée de la verdure suspecte des joncs, forment tout le domaine, et avec le domaine tout le patrimoine de la famille.

Il faut y ajouter une maison noire de vétusté et d'abandon, meublée de meubles antiques, dans quelque rue sombre et serpentante de Chambéry, à l'ombre des rampes aristocratiques qui montent au château du gouverneur de Savoie.

IV

Là vivent, de leurs récoltes en nature, que leurs bœufs et leurs mules transportent pendant les derniers jours d'automne à la ville, un certain nombre de familles qu'on appelle, les unes par authenticité, les autres par courtoisie, la noblesse de Savoie. Leurs titres sont leur uniforme et leur épée consacrée héréditairement au service militaire de la maison de Savoie. Ces familles ont, en général, cinq ou six enfants par génération. Les fils entrent, les uns dans la magistrature de Chambéry et deviennent sénateurs du sénat de Savoie, comme fit le comte de Maistre; les autres entrent dans l'Église, et ils deviennent évêques de quelque diocèse plus ou moins éloigné, de Sardaigne, de Piémont, de Maurienne ou de Tarantaise; les autres entrent dans l'armée, et ils deviennent de valeureux officiers, et quelquefois des lieutenants-colonels ou des colonels dans la brigade de Savoie, composée de trois à quatre mille braves paysans de leurs montagnes; quelques-uns, les plus opulents ou les plus ambitieux, entrent à la cour de Turin, deviennent écuyers ou chambellans, et s'élèvent, si la faveur ou le mérite les secondent, jusqu'au rang de gouverneur de province.

Parmi les filles, un très-petit nombre se marient, parce que la loi ne leur accorde qu'une parcelle du patrimoine de la famille; les unes entrent dans des couvents, ces sépulcres de la jeunesse et de la beauté qui étouffent souvent les gémissements secrets de la nature; les autres restent dans la maison, y vieillissent avec une inclination cachée dans leur cœur, contractent une physionomie de résignation et de mélancolie douce qui fait monter les larmes aux yeux quand on les regarde, puis s'accoutument à leur sort, se font les providences de la maison, reprennent leur gaieté et deviennent *tantes*, cette seconde maternité de la famille, plus touchante encore que l'autre, parce qu'elle est plus désintéressée et plus adoptive. Ces tantes font le charme de ces intérieurs; ce sont les cariatides gracieuses et vivantes de la maison: elles ne la supportent pas, mais elles la décorent.

V

Les mœurs de ces familles de gentilshommes sont, d'un côté, simples et rurales comme les paysans au milieu desquels ils vivent; de l'autre, chevaleresques et militaires comme la cour et l'armée, qu'ils fréquentent pendant leur jeunesse. Le contact avec l'Italie, où ils ont leur gouvernement, leur donne l'élégance et l'urbanité des cours d'au delà des Alpes; leur séjour à la campagne leur laisse la cordiale bonhomie des champs; le voisinage de la France, la communauté de langue laissent infiltrer chez eux nos livres, nos journaux, nos doctrines et nos controverses d'esprit. Cette superficie de littérature française donne aux plus lettrés d'entre eux le goût et quelquefois l'émulation d'écrire. Mais l'esprit de nation, l'esprit de corps, l'esprit d'Église et l'esprit d'aristocratie, héréditaires et obligés dans leur caste, leur défendent la liberté de penser autrement qu'on ne pense à la cour de Turin, dans le palais de l'évêque ou dans le château du gouverneur de Savoie.

Ceux qui veulent écrire ne peuvent, sous peine de faillir à leur ordre, à leur Église ou à leur trône, écrire qu'une de ces deux choses: des badinages d'esprit ou des traditions du moyen âge. C'est ce qui explique peut-être pourquoi les deux écrivains les plus charmants et les plus éloquents de Savoie, le comte de Maistre et Xavier de Maistre, son frère, ont écrit, l'un de si sublimes platonismes mêlés de contre-vérités, l'autre de si légers et de si pathétiques opuscules de pur sentiment et opuscules neutres comme le sentiment.

VI

Le hasard me les a fait connaître familièrement l'un et l'autre; mais, avant de parler de l'un et de l'autre, on ne peut s'empêcher de remarquer que, par un phénomène littéraire qui doit avoir sa raison cachée dans les choses, c'est la même petite vallée de Savoie qui a donné au dix-huitième et au dix-neuvième siècle les deux plus magnifiques écrivains de paradoxes du monde moderne: Jean-Jacques Rousseau et le comte de Maistre; l'un, le paradoxe de la nature et de la liberté poussé jusqu'à l'abrutissement de l'esprit et à la malédiction de la société et de la civilisation; l'autre, le paradoxe de l'autorité et de la foi sur parole, poussé jusqu'à l'anéantissement de la liberté personnelle, jusqu'à la glorification du bourreau, et jusqu'à l'invocation du glaive du souverain et des foudres de Dieu contre la faculté de penser.

Un hasard m'a fait connaître familièrement, à la fleur de mes jours, les trois frères de Xavier de Maistre, l'auteur du *Lépreux* et du *Voyage autour de ma chambre*, et, plus tard, Joseph de Maistre lui-même. En voyageant en Savoie, et en visitant un ami d'enfance qui était le neveu des de Maistre, alors justement estimés, mais encore ignorés de la gloire, je tombai par accident dans le nid champêtre qui avait vu naître cette couvée d'hommes extraordinaires.

C'était une maisonnette toute semblable à celles que j'ai décrites plus haut comme la demeure ordinaire des gentilshommes peu opulents de la Savoie. On l'appelait Bissy. Je l'ai célébrée dans mes premiers vers par une épître familière insérée sous le titre de *Méditation poétique*, et adressée au colonel de Maistre, propriétaire de cet ermitage. La maison est située sur le flanc septentrional de la vallée qui court, à travers des prairies et des bocages, de Chambéry au lac du Bourget. La haute muraille noire du *Mont-du-Chat* étend et gonfle ses fondements jusque dans cette vallée; ses ruisseaux, ses cascades, ses longues ombres s'y versent dans le torrent large et rocailleux de l'Aisse.

Tout y est retentissant de leurs murmures et de leur fraîcheur. C'est sur un de ces renflements des racines du Mont-du-Chat qu'est assise la maison de Bissy. Un petit bois de châtaigniers sauvages toujours jeunes, parce qu'on les coupe toujours pour le chauffage de la métairie, la domine et la protége du vent du nord; une petite cour pavée de cailloux de deux couleurs roulés par l'Aisse et arrosée d'une fontaine, comme dans les cours de village en Suisse ou dans le Jura, y coule, à petits filets, d'un tronc d'arbre creusé et verdi de mousse. Un corridor, une cuisine, une salle à manger, quelques chambres basses pour les provisions, les lingeries, les domestiques, composent le rez-de-chaussée. On monte par un escalier de pierres grises au premier étage, où l'on trouve un petit salon et cinq ou six chambres de maîtres ou d'hôtes.

Le sapin, lavé et poli par le sable fin des servantes, y répand, comme en Suisse, sa saine odeur de résine. Des fenêtres du salon le regard descend d'abord sur un petit parterre entouré d'un mur à hauteur d'appui, planté de légumes domestiques et d'arbres fruitiers, plus animé, selon moi, que des pelouses monotones et des fleurs stériles; de là le regard s'étend sur une prairie en pente bordée d'immenses noyers, ces oliviers gigantesques du Nord, qui distillent une huile moins limpide, mais plus parfumée que celle de l'Attique. Le torrent de l'Aisse, avec ses cailloux roulés, coupe la plaine par une ligne blanchâtre que ses eaux, souvent débordées, laissent à sec pendant l'été. Au delà se relève un plateau verdoyant et boisé, sur lequel blanchissent les tourelles du petit manoir de Servolex, qui appartient aujourd'hui à mes neveux, et qui appartenait alors aux neveux des de Maistre. Puis la vallée se ferme et s'accidente par les murailles à pic et semblables à des falaises de la montagne de *Nivolet*.

VII

C'est là que vivait, à cette époque, l'aimable et respectable famille. Elle se composait du comte de Maistre, ambassadeur de Sardaigne à Pétersbourg, rentrant après une longue absence dans sa patrie, et prêt à publier ses grands et étranges livres qui gonflaient son portefeuille, et qui sont devenus la controverse d'aujourd'hui; de sa femme et de ses filles, retrouvées à cette halte après une longue séparation. Elle se composait du colonel de Maistre, propriétaire du domaine de Bissy; de sa femme, toujours souriante, et de quelques nièces aussi enjouées et aussi avenantes que cette tante. Elle se composait enfin de l'abbé de Maistre, autre frère qui devait bientôt devenir évêque d'Aoste; et enfin de Xavier de Maistre, dont on regrettait l'absence, et qu'on attendait aussi de Pétersbourg, où un heureux et riche mariage avait fixé son sort errant.

L'abbé de Maistre était à la fois très-pieux, très-enjoué, très-semblable par son originalité inattendue à un *Sterne* savoyard ou à un doyen de *Saint-Patrick*. Il était au moins l'égal de ses deux frères par l'esprit, par l'étrangeté, par la séve locale. Il écrivait des sermons, pour la cathédrale de Chambéry ou de Turin, du style élégant, succulent et onctueux de nos grands prédicateurs. Il nous en lisait, à son neveu et à moi, des passages le matin; le soir il écrivait, sur un gros livre blanc qu'on appelait le *livre du fou rire*, les anecdotes les plus niaises et les plus bouffonnes recueillies de la vie ou de la bouche de tous les sots d'Italie ou de Savoie pour dérider innocemment les plus austères soirées. Il va sans dire que le cynisme et l'indécence étaient soigneusement écartés de ce recueil. Il y avait un abîme de vices et un abîme de vertus entre Rabelais et l'abbé de Maistre; la bêtise seule, la bêtise pure, la bêtise qui s'ignore, qui s'enfle et qui jouit naïvement d'elle-même, était enregistrée dans ces pages; le rire qui en sortait était franc, mais point méchant: l'abbé de Maistre mettait de la charité même dans le ridicule. Sa personne répondait à son caractère: il était d'un âge déjà mûr, de taille moyenne, d'épaisse corpulence, à figure fine d'expression, quoique un peu lourde de joues. La prière et la méditation, auxquelles il consacrait ses matinées, répandaient une ombre de recueillement et de concentration d'esprit sur ses traits; mais le sérieux et l'enjouement étaient fondus à doses si égales dans sa nature que l'on voyait toujours le rire éclatant prêt à trahir la gravité sur ses lèvres. Il retenait longtemps le mot gai avant de le laisser échapper. Ce sont toujours les visages graves qui décochent mieux le rire communicatif, parce qu'il est plus inattendu.

VIII

Quant au colonel de Maistre, il n'écrivait pas, mais il jouissait de ses trois frères, ses aînés, comme un père aurait joui de la supériorité de ses fils. Il avait passé sa jeunesse dans les camps; il passait son âge mûr dans sa douce retraite, qui servait de halte et d'asile à tous les parents, et là il savourait l'amour d'une cousine adorée et adorable qu'il avait épousée tard et qu'il possédait avec délices, comme les bonheurs longtemps suspendus. Ce bonheur se lisait sur son visage épanoui sous ses cheveux blancs comme un soleil d'automne sur la neige; il était gai, content, reposé sans prétention et nullement sans charme, toujours prêt à fournir l'occasion de la réplique à ses frères pour les faire briller en s'éclipsant, parlant du comte comme d'un ancien, de l'abbé comme d'un saint, de Xavier comme du Benjamin absent et regretté de la tribu. Le colonel n'en était pas lui-même la moindre grâce ni le moindre mérite, car il en était par excellence la bonté.

Ce Benjamin de la tribu, ce Xavier de Maistre, l'auteur du *Lépreux de la cité d'Aoste*, je ne le connaissais pas alors; je l'ai connu depuis. Le connaître, c'était l'aimer.

L'homme délicat et sensible qui a écrit ce livre du *Lépreux* passe pour le second dans sa famille! Erreur et préjugé que le temps rectifiera. Cet homme n'est le second de personne; il est le premier des naïfs, et la naïveté dans le sublime est le plus naturel des génies, car c'est le génie qui s'ignore, l'innocence baptismale du talent.

Sans doute son frère est un merveilleux jouteur de plume; nous avons nous-même subi l'éblouissement de son style dans la première jeunesse, à cet âge où l'on reçoit sur parole les admirations et les cultes de famille, et où l'audace du paradoxe passe pour l'intrépidité de la raison. L'écrivain en lui est sans modèle et sera peut-être sans imitateur; mais le philosophe savoyard ressemble trop à un sophiste grec de la décadence. Ce qu'il y a de plus majestueux en lui c'est l'attitude et de plus miraculeux c'est l'écrivain.

Mais tant qu'une larme chaude demandera à couler délicieusement du cœur de l'homme sensible, ému des souffrances de ses semblables, on relira *le Lépreux* de Xavier de Maistre, et l'on appellera l'auteur son ami. C'est lui alors qui sera grand, car il n'y a de grand dans le talent que l'émotion. Gloire aux larmes!

IX

Voilà le charmant cadre de famille dans lequel éclatait alors la figure du comte Joseph de Maistre. Il portait gravement, mais légèrement, son âge de soixante à soixante-dix ans. Sa stature, sans être élevée, paraissait grandiose par la dignité un peu exagérée avec laquelle il portait la tête en arrière. Un certain air de représentation caractérisait son attitude: après avoir représenté devant les cours il représentait encore dans sa famille. Sa taille était forte sans embonpoint. Ses pieds posaient à terre avec le poids et la fermeté d'une statue de bronze. Ses gestes pittoresques rappelaient l'homme semi-italien qui avait beaucoup causé avec les Piémontais et les Sardes. Son costume, très-soigné dès le matin, tenait de l'homme de cour: cravate blanche, décoration au cou, grande croix pendante sur la poitrine, plaque sur le cœur, habit de cérémonie, chapeau toujours à la main; il ne voulait pas être surpris en déshabillé par le plus humble paysan en sabots de la montagne qui apportait sur sa mule les fagots de bois du Mont-du-Chat à la maison de ses frères.

Ses cheveux, d'un blanc de neige et d'une finesse de soie, étaient accommodés sur sa tête comme ceux de nos pères, en deux ailes rebroussées sur les tempes, enduits de pommade et saupoudrés de poudre; puis, divisés sur le derrière de la tête en une troisième natte, ils allaient se resserrer dans une queue flottante sur l'habit. La tête, quoique naturellement forte, paraissait ainsi plus grosse encore que nature; son front large et haut sortait plus ample de ce nuage de frisure et de poudre. De grands beaux yeux bleus pleins de lumière, encadrés dans des sourcils encore noirs, un nez carré, des joues fermes, une bouche large et façonnée à plaisir par la nature pour l'éloquence, un menton solide, relevé, presque provoquant, une expression hardie, un demi-sourire moitié de bienveillance, moitié de sarcasme, complétaient cette figure.

L'ensemble était d'un homme qui sent sa valeur et qui, sans l'imposer par trop d'orgueil, veut la faire sentir aux autres par quelque emphase dans l'attitude. Sa politesse, quoique parfaite, retenait à distance plus qu'elle ne familiarisait avec lui. Il aimait à se laisser contempler plus qu'à se laisser approcher. Le dialogue n'allait pas à son caractère; sa conversation était un inépuisable monologue. Il causait avec abondance sans jamais s'épuiser d'idées; il jouissait d'être bien écouté; pendant la réplique il s'endormait, puis se réveillait trente fois par heure, reprenant le fil de l'entretien comme si ses courts sommeils avaient seulement reposé ses yeux sans endormir sa pensée.

Sa vie était régulière comme un cadran dont les chiffres romains divisent en minutes égales les heures. Il se levait avant le jour. Il commençait par la prière et par la lecture des psaumes le cours nouveau du temps. Souvent il allait à la messe à l'heure où les servantes pieuses y vont avant que les maîtres soient levés; il écrivait ensuite jusqu'au dîner. On dînait alors au milieu du jour. Après le dîner, seul ou en compagnie de l'un ou l'autre d'entre nous, il prenait en main sa canne à pommeau d'or cueillie parmi les joncs dans quelque marais du Caucase, et il faisait de longues promenades sur les collines ou dans la vallée de ses pères. Il s'arrêtait à chaque pas pour faire une remarque ou pour conter une anecdote de sa vie de Sardaigne ou de Russie. Il aimait passionnément les beaux vers; il en avait composé beaucoup dans ses loisirs, il nous en récitait des strophes dont les lambeaux sont restés dans ma mémoire. Après ces longues promenades, où l'esprit et les pas s'égaraient délicieusement à sa suite, il rentrait à la maison; quelquefois il s'arrêtait encore un moment à l'église du faubourg ou du village; puis la conversation reprenait jusqu'au souper, aussi diverse, aussi enjouée et quelquefois aussi étincelante qu'en plein soleil.

X

Cette conversation, ravivée par ses frères et par ses neveux, hommes d'un esprit au niveau de ce génie de famille, roulait en général sur ses ouvrages. Ces ouvrages étaient presque tous encore en portefeuille. Il consultait tout le monde, et même moi, malgré le disparate de mon extrême jeunesse avec ses années. Il me donnait rendez-vous le matin dans sa chambre pour me lire ses volumes et pour écouter les observations très-inexpérimentées que j'aurais à lui faire sur son style. Il craignait beaucoup Paris, cette Athènes de l'Europe, dangereuse, disait-il, pour un Scythe comme lui. «Que diraient-ils de cela à Paris?» me répétait-il à chaque instant avec un sourire moitié triomphant, moitié défiant, qui attestait à la fois sa confiance dans le succès et son appréhension du ridicule.

Je lui répondais avec une affectueuse liberté: il l'autorisait par son indulgence. Que de phrases malsonnantes, que d'expressions risquées jusqu'au grotesque napolitain, que de constructions russes ou savoyardes ne lui ai-je pas fait effacer avec la docilité du génie!

Quelquefois il résistait avec une obstination impénitente à raturer un mot ou une image. «Non, non, disait-il en persistant, cela les amusera à Paris; il faut scandaliser un peu cette pruderie de leur langue!»

Je cédais, quoique à regret, à ce petit désir d'effet par l'audace de la phrase. Ce que je lui conseillais alors d'effacer, je l'effacerais encore aujourd'hui de ses pages: toutes les excentricités de style ne sont pas des bonheurs d'expression. Ses sauvageries de style étaient des appâts tendus à la curiosité. Il n'avait pas besoin de ces artifices.

Quelque temps après je fus chargé d'apporter moi-même à Paris un de ses principaux ouvrages en manuscrit pour le faire imprimer. Le manuscrit était adressé à M. Martainville, rédacteur en chef du *Drapeau blanc*, journal en sympathie de doctrine et d'exagération avec le comte de Maistre. C'est ainsi que je connus accidentellement Martainville, homme provoquant et intrépide. J'avais eu occasion de le voir un an avant dans un duel où il avait été héroïque; il ne me connaissait que de visage; il ne savait pas mon nom, quoique j'eusse pris parti pour lui dans sa querelle.

Il craignait en ce moment d'être assassiné par les nombreux ennemis que lui suscitaient ses invectives mordantes contre les adversaires des Bourbons. Il me fallut insister longtemps, donner le nom du comte de Maistre, être reconnu comme par des sentinelles à travers des guichets pratiqués dans des couloirs, pour parvenir avec mon dépôt jusqu'à lui.

Une fois cette glace rompue, je trouvai dans Martainville un brave et jovial combattant de l'épée et de la plume, qui adorait dans le comte de Maistre un étranger de la même religion politique que lui. Chateaubriand, Bonald, Lamennais (intolérant au nom du Ciel et absolutiste au nom des hommes alors), étaient à Paris, à cette époque, avec Martainville, les correspondants et les patrons de ce grand écrivain, dont on veut faire aujourd'hui, à Turin et à Paris, un agitateur de l'Italie, précurseur de M. de Cavour, et, qui sait? peut-être un destructeur du pouvoir temporel des papes. Ô pauvre imagination humaine! tu ne vas jamais si loin que la bouffonnerie des partis! Si les ombres rient dans l'éternité, l'âme beaucoup trop rieuse de celui qui fut ici-bas le comte de Maistre doit bien rire en voyant son nom servir d'autorité à une révolution.

Mais maintenant que nous avons le portrait de cet homme devenu l'entretien du monde, voyons en peu de mots sa vie, et mêlons-y ses œuvres; car l'homme, la vie et l'œuvre se tiennent indissolublement dans le philosophe, dans le politique et dans l'écrivain.

Nous avons une excellente abréviation de la vie du comte de Maistre écrite par son fils. C'est le fils qui connaît le mieux le père; la piété filiale est le génie d'un biographe. Nous ne jugerions pas les œuvres du père sur les paroles du fils, mais, quant aux circonstances de la vie domestique, il n'y a pas de plus sûrs et de plus honnêtes témoins que les enfants.

Nous faisons toutefois nos réserves sur deux ou trois actes de la vie publique du comte de Maistre, actes que nous caractériserons tout autrement que ne les caractérise son fils. Si la piété filiale a son culte, elle a aussi son fanatisme; nous nous en défendrons: c'est le droit de la postérité.

XI

Le comte Joseph de Maistre était né à Chambéry en 1754. Son père, président de ce qu'on appelait le *sénat de Savoie*, eut dix enfants. Joseph de Maistre était le premier-né. Élevé à Chambéry et à Turin, sa naissance le prédestinait à la magistrature provinciale dans son pays. D'abord substitut, puis sénateur (c'est-à-dire juge) à Chambéry, il y épousa mademoiselle de Morand, fille d'une condition égale à la sienne.

Trois enfants qui vivent encore, portés tous les trois à de hautes fortunes en France par la renommée paternelle dans l'aristocratie européenne, furent le fruit de ce mariage. Ces fortunes attestent la vigueur des opinions aristocratiques et religieuses, solidaires depuis Chambéry jusqu'à Paris et à Pétersbourg. Les opinions ennoblissent, les orthodoxies deviennent parentés entre les petites et les grandes noblesses. Une des filles du modeste gentilhomme de Chambéry se nomme la duchesse de Montmorency en France.

M. de Maistre exerçait honorablement ses fonctions de magistrature provinciale dans sa petite ville au moment où la Révolution française éclata. Son fils prétend qu'il était libéral; peut-être?

En 1793, après l'invasion de la Savoie par M. de Montesquiou, le comte de Maistre se retira à Turin avec ses frères, qui servaient dans l'armée sarde. Revenu peu de jours après à Chambéry, il y vit naître, dans les angoisses de l'invasion française, sa troisième fille, Constance de Maistre, qu'il ne devait pas revoir avant vingt-cinq ans. Il laissa sa femme à Chambéry, pour y préserver leur petite fortune, et il émigra à Lausanne. Ses biens paternels, très-modiques, furent séquestrés, mais il portait avec lui une meilleure fortune; ce fut à Lausanne qu'il écrivit, comme un pamphlet de guerre contre la Révolution française, l'ouvrage qui commença sa réputation parmi les émigrés de toute date dont la Suisse, l'Allemagne et l'Angleterre se remplissaient alors. C'était une captivité de Babylone pour toutes les aristocraties de l'Europe, un peuple dans un peuple, qui avait ses doctrines, ses passions, sa langue à part.

M. de Maistre parla dès les premiers jours cette langue de l'émigration avec une habileté magistrale, une vigueur et une originalité qui créèrent son nom. Ses *Considérations sur la France* éclatèrent de Lausanne à Turin, à Rome, à Londres, à Vienne, à Coblentz, à Pétersbourg, comme un cri d'Isaïe au peuple de Dieu. Le style de Bossuet était retrouvé au fond de la Suisse. Le début seul annonce un philosophe dans le publiciste. Quelle théorie de la monarchie!

«Nous sommes tous attachés au trône de l'Être suprême par une chaîne souple qui nous retient sans nous asservir.

«Ce qu'il y a de plus admirable dans l'ordre universel des choses, c'est l'action libre des êtres libres sous la main divine. Librement esclaves, ils agissent tout à la fois volontairement et fatalement. Ils font réellement ce qu'ils veulent, mais sans déranger les plans généraux. Chacun de ces êtres occupe le centre d'une sphère d'activité dont le diamètre varie au gré de l'éternel Géomètre qui sait étendre, restreindre ou diriger sans contraindre la nature.

«Dans les ouvrages de l'homme, tout est pauvre comme l'ouvrier; les vues sont bornées, les moyens roides, les ressorts inflexibles, les résultats monotones. Dans les ouvrages de Dieu, les richesses de l'infini se montrent à découvert jusque dans le moindre élément. Sa puissance opère en se jouant; entre ses mains tout est souple, rien ne lui résiste; pour lui tout est moyen, même l'obstacle, et les irrégularités produites par l'opération des êtres libres viennent se ranger dans l'ordre général.»

Cela continue ainsi pendant plusieurs pages, pages plus semblables à une ode d'Orphée célébrant la Divinité dans ses lois qu'à un pamphlet de publiciste dépaysé contre la révolution qui l'exile. Les pages de l'*Histoire universelle* de Bossuet n'ont pas plus de cette moelle de grand sens dans les choses. C'est un Bossuet laïque.

XII

À l'instant le monde de l'émigration et des cours fut attentif et saisi; tout le monde lettré se dit: «Écoutons! Voilà un prophète de consolation qui nous vient des montagnes.»

Il continue, il console ses coexilés par une magnifique théorie de l'irrésistible puissance de la Révolution qui broie tout devant elle, ses amis comme ses ennemis. Il y voit un de ces fléaux divins auxquels il est presque impie de résister, tant ils sont divins dans leur force. C'est une pierre qui roule d'en haut; sa loi est d'écraser ce qui l'arrête. Il disait plus vrai qu'il ne croyait dire. La Révolution avait une mission qu'elle ignorait elle-même; mais cette mission n'était pas tant de renverser le passé que de courir vers un avenir nouveau de la pensée et des choses. C'était une marée équinoxiale de l'océan humain; de Maistre n'y voyait qu'un accès de fureur et de crime. Fureur et crime y prévalurent, en effet, trop inhumainement de 1791 à 1794; la Révolution en a été punie par la stérilité. La fureur et le crime ne sèment pas, ils ravagent; mais, une fois le sang-froid revenu à l'esprit révolutionnaire, il reprenait un grand sens humain que le philosophe du passé ne pouvait ni ne voulait comprendre.

«La Révolution, ajoute-t-il, mène les hommes plus que les hommes ne la mènent.» Quelle admirable intuition! et quelle preuve plus sensible qu'elle est menée elle-même par une force occulte vers un but inaperçu encore par ses amis et par ses ennemis!

«Les révolutionnaires, dit-il, réussissent en tout contre nous parce qu'ils sont les instruments d'une force qui en sait plus qu'eux.» Quelle était donc cette force omnisciente? pouvait-on répondre au publiciste. Si ce n'était pas la fatalité, que vous répudiez avec raison comme un blasphème, c'était donc un dessein supérieur à l'intelligence humaine; une force supérieure à l'intelligence humaine, qu'est-ce autre chose que Dieu?

«Votre Mirabeau, ajoute-t-il, n'est au fond que le *roi des halles*. Il a prétendu en mourant qu'il allait refaire, avec ses débris, la monarchie, et, quand il a voulu seulement s'emparer du ministère, il en a été écarté par ses rivaux comme un enfant.»

Cela était vrai de Mirabeau vicieux, factieux et populaire; mais combien faux de Mirabeau philosophe, orateur et législateur, quand il avait dépouillé ses vices avec son habit de tribun! Il était alors le prophète inspiré de la vraie Révolution, comme le comte de Maistre était le prophète inspiré de la contre-révolution. Aussi, ce qu'il y a à admirer dans ce premier ouvrage de Joseph de Maistre, ce ne sont pas les vérités, ce sont les vues. Du haut de ses rochers il a le regard de l'aigle; il voit plus loin que le vulgaire, mais il ne voit pas toujours vrai. Il commence sa vie par un magnifique sophisme, comme Jean-Jacques Rousseau, son compatriote. Le sophisme de de Maistre devait aboutir à la servitude, mensonge à la dignité morale de l'homme, comme le sophisme de liberté de Jean-Jacques Rousseau devait aboutir à l'anarchie, mensonge de la société politique.

Ce fut un malheur pour Joseph de Maistre d'avoir commencé sa course au milieu de l'émigration et sur son terrain; il ne voulut plus revenir sur ses pas. Il mourut le plus honnête et le plus éloquent des hommes de parti, au lieu de vivre et de mourir le plus honnête et le plus éloquent des philosophes chrétiens. La vérité pure ne lui plaisait pas assez; il lui fallait le sel de l'exagération pour l'assaisonner au goût de sa caste. *Inde labes!*

XIII

Le livre, à partir de là, devient foudroyant contre les révolutionnaires quels qu'ils soient, savants, lettrés, modérés, régicides, justement enveloppés, s'écrie-t-il, dans le nuage de la vengeance céleste contre ceux qui attentent à la souveraineté. C'est un dithyrambe à la *Némésis* révolutionnaire, la hache excusée de tout pourvu qu'elle frappe! «Il y a eu, dit-il, des nations condamnées à mort, comme des individus coupables, et *nous savons pourquoi.*»

Tout à coup il se tourne inopinément contre les royalistes qui demandent la contre-révolution, la conquête de la France, sa division, son anéantissement politique. Il fulmine contre cette idée à son tour. «Si la Providence efface, c'est pour écrire,» dit-il. Il veut que la réaction de la France contre la France vienne d'elle-même, de la France; et en cela il se montre à la hauteur des pensées d'en haut. Il finit par une prophétie qui n'était que de la logique en comptant sur la versatilité des peuples et surtout des Gaulois, en annonçant la restauration des Bourbons sur le trône. Seulement, s'il était prophète pour l'événement, il n'était pas prophète pour le temps; car ce qu'il annonçait pour demain est arrivé à vingt-cinq ans de distance, et, avant de restaurer les Bourbons, la France a relevé un trône militaire et absolu pour un des généraux qui l'aidèrent à vaincre l'Europe.

Tel est le livre, nul comme prophétie, violent comme philosophie, désordonné comme politique (relisez le chapitre sur la glorieuse fatalité et sur la vertu divine de la guerre; cela est pensé par un esprit exterminateur et écrit avec du sang). Mais ce livre est un éclair de foudre parti des montagnes des Alpes pour illuminer d'un jour nouveau et sinistre tout l'horizon contre-révolutionnaire de l'Europe encore dans la stupeur. Ni Vergniaud, ni Mirabeau lui-même n'avaient eu de pareils éclairs dans la parole ni de pareilles vigueurs dans l'esprit. M. de Maistre regardait le premier face à face l'écroulement du monde religieux et politique avec le sang-froid d'un esprit partial, sans doute, mais surhumain. Le style, nouveau aussi par sa sculpture lapidaire, était à la hauteur de l'esprit. Ce style bref, nerveux, lucide, nu de phrases, robuste de membres, ne se ressentait en rien de la mollesse du dix-huitième siècle, ni de la déclamation des derniers livres français; il était né et trempé au souffle des Alpes; il était vierge, il était jeune, il était âpre et sauvage; il n'avait point de respect humain, il sentait la solitude, il improvisait le fond et la forme du même jet; il était, pour tout dire en un mot, *une nouveauté*. La nouveauté, c'est le symptôme des gloires futures. Cet homme était *nouveau* parmi les enfants du siècle.

XIV

Ce fut le sentiment de l'Europe en le lisant. Un vengeur nous est né! s'écrièrent l'ancien régime, l'ancienne politique, l'ancienne aristocratie, l'ancienne foi. Mais ce vengeur rajeunissait par la jeunesse de son style la vieillesse des choses.

Ce livre, répandu comme un secret parmi l'émigration, fit du gentilhomme savoyard le favori sérieux de la contre-révolution, des camps et des cours. On dit au roi de Sardaigne: «Comment négligez-vous ce prodige que Dieu vous envoie pour vous illustrer et pour vous sauver? Les grandes puissances seraient jalouses de ce don du Ciel. Hâtez-vous d'en décorer vos conseils.» On l'appela, en 1797, à Turin. La faible monarchie sarde fut écrasée dans les guerres de 1799 entre la France et l'Autriche. Le roi de Sardaigne se réfugia dans son île, sur un débris de trône. Le comte de Maistre, qui n'avait rien à espérer de l'Autriche que l'abandon et de la France que la proscription, suivit le roi en Sardaigne. On lui donna, sous le titre de régent de la chancellerie, la direction très-insignifiante des tribunaux de cette petite île.

Bientôt l'homme parut trop grand pour l'emploi. Cet écrivain qui embrassait le monde d'un regard ne pouvait se résigner à l'étroitesse d'horizon d'une petite cour insulaire sur un écueil de la Méditerranée, peuplé d'habitants presque sauvages. Il fatiguait la cour et les ministres des secousses de son imagination. Son génie oratoire et inquiet froissait la routine et la médiocrité de la cour de *Cagliari*. On le voit clairement dans sa correspondance, il importunait les Sardes et les Piémontais favoris de la cour. Ne pouvant nier son mérite, on l'envoya pérorer ailleurs. Lui-même étouffait dans cette bourgade décorée du nom de capitale. La Sardaigne anéantie et ruinée ne pouvait avoir une diplomatie sérieuse en Europe; un peu d'intrigue et quelques supplications aux grandes cours étaient sa seule politique. Le roi, évidemment importuné lui-même des imaginations trop grandioses du comte de Maistre, le nomma son ministre plénipotentiaire à Pétersbourg.

C'était un honneur dans la forme, au fond c'était un exil. Son fils présente comme un sacrifice douloureux à la monarchie l'acceptation du comte de Maistre de ce poste; on peut croire cependant que l'ambition très-haute du comte de Maistre fut heureuse de cette mission à une telle cour. Il lui fallait les grandes scènes, les grands auditoires; il avait besoin d'espace comme tout ce qui veut rayonner de loin. Les appointements (vingt mille francs), conformes à la pénurie de cette pauvre cour de Cagliari, étaient insuffisants sans doute, mais ils étaient cependant bien au-dessus du traitement d'un sénateur de Chambéry.

XV

Le comte arriva à Pétersbourg plein de pensées vagues pour son roi, pour la Russie, pour lui-même. Sa tête fermentait de restauration; il voulait relever la maison de Savoie par les Russes, peut-être même par les Français. On va voir bientôt dans sa correspondance qu'il savait au besoin s'accommoder avec la Révolution pourvu qu'elle rétablît et qu'elle agrandît le trône de son monarque.

L'empereur Alexandre et l'aristocratie russe l'accueillirent, non pour son titre, mais pour son nom. Les *Considérations sur la France* avaient popularisé ce nom jusqu'à la cour de Russie. Il devint en peu de temps le favori des salons de Pétersbourg. Il y était gracieux, enjoué, souple, éloquent, étrange et sérieux à la fois. Son éloquence à chaînons rompus et à brillantes fusées de génie était surtout, comme celle de madame de Staël, une éloquence confidentielle de coin du feu; il n'avait pas assez de gravité et de solidité pour une tribune, il avait assez d'inspiration, de grâce et de décousu pour un tête-à-tête. De plus, son rôle à Pétersbourg était de plaire et de flatter. Les Savoyards naissent courtisans par la situation subalterne de leur province à Turin. Le grand Savoyard plaisait généralement et flattait à merveille. Les ministres étrangers, même les ministres de France en Russie, ne voyaient en lui qu'un représentant du malheur et du détrônement. On ne craignait pas l'ascendant de Cagliari sur le monde; on admirait l'esprit de son représentant. Son existence, un peu amère sous le rapport de la fortune, était très-douce sous le rapport de la société. De plus, quoi qu'il en dise çà et là dans ses lettres à sa cour et dans ses lettres familières, il était loin d'être insensible aux rangs, aux titres, aux décorations, aux faveurs de cour. Le titre d'ambassadeur d'un roi à la cour de Russie, bien que ce roi ne fût plus qu'un naufragé du trône sur un îlot d'Italie, caressait agréablement son orgueil. Je l'ai assez vu pour ne pas croire à ce désintéressement d'amour-propre. Cet amour-propre n'enlevait rien à sa vertu, mais il transpirait souvent dans sa correspondance.

J'en eus un jour une preuve bizarre qui ne s'effacera jamais de mon souvenir. Les petites circonstances sont quelquefois les meilleures révélations du caractère.

À l'époque de mon mariage, qui fut célébré à Chambéry, le comte Joseph de Maistre fut choisi par mon père absent pour le représenter au contrat et pour me servir ce jour-là de père. Le contrat se signait dans une maison de plaisance nommée Caramagne, à quelque distance de la ville, chez la marquise de la Pierre, centre de la société aristocratique de Savoie. Le comte d'Andezenne, général piémontais, gouverneur de Savoie, servait de père à ma fiancée. Une nombreuse réunion de parents et d'amis remplissait le salon. On lut le contrat, et on appela les témoins à la signature. Le gouverneur de la Savoie fut appelé le premier par sa qualité de père de la fiancée et par son rang de représentant du souverain dans la province. Il signa et chercha à passer la plume à la main du comte de Maistre.

Le comte, que nous venions de voir dans le salon, tout couvert de son habit de cour et de ses décorations diplomatiques, avait disparu. On le chercha en vain dans le château et dans les jardins; nul ne savait par où il s'était éclipsé. On fut obligé de laisser en blanc la place de sa signature; mais, une fois le contrat signé, il reparut, sortant d'un massif de charmille où il s'était dérobé pendant la cérémonie. Nous lui demandâmes confidentiellement la raison de cette disparition, qui avait contristé un moment la scène.

«C'est, dit-il, qu'en qualité d'ambassadeur du roi et de ministre d'État je ne voulais pas inscrire mon nom au-dessous du nom d'un gouverneur de Savoie. Demain j'irai signer seul et à la place qui convient à ma dignité.» Et il alla, en effet, le lendemain signer le registre. Les uns admirèrent cette grandeur de respect pour soi-même, les autres cette politesse. Quant à moi, j'admirai cette force du naturel qui place l'étiquette plus haut que le cœur.

XVI

Sa correspondance avec sa famille et ses amis, à dater de son arrivée à Pétersbourg, ne laisse rien dans l'ombre de son âme et de son esprit, de sa vie publique et de sa vie domestique. Le comte de Maistre, qui était autant homme de conversation qu'homme de plume, était par conséquent un correspondant exquis, car les lettres ne sont au fond que la conversation écrite. Ces deux volumes de correspondance, tantôt intime comme les soupirs d'un exilé vers sa patrie, sa femme, ses enfants, ses frères, tantôt politique, sont une des meilleures parties de ses œuvres. Elles ont été complétées récemment par la publication indiscrète de ses dépêches à la cour de Sardaigne. L'homme se trahit quelquefois dans ces trois volumes. On a dit qu'il n'y avait point de grand homme pour son valet de chambre; on peut dire, après avoir lu ces innombrables lettres, qu'il n'y a point de secret pour la postérité. Le comte de Maistre s'y met à nu tout entier à son insu, et, bien que l'homme y soit toujours brillant et charmant dans sa nature, il disparaît souvent sous le diplomate de peu de scrupule. L'adorateur inflexible de l'ancien régime n'y disparaît pas moins sous l'adorateur de la victoire révolutionnaire, quand la victoire révolutionnaire donne une chance à la fortune de son parti. Il est toujours honnête homme, sans doute, mais il n'est rien moins que l'homme d'une seule pièce qu'on a voulu nous faire de lui. Il sait très-bien se retourner quand la roue tourne. Il sait très-bien aussi donner à la fortune le nom majestueux et divin de Providence. Quand la Providence tourne la page du livre du destin, lui aussi il tourne la page, comme un traducteur obéissant du texte sacré. Il continue à prophétiser, sans se troubler des contradictions qu'une si haute prétention de confident et de commentateur de la Providence fait encourir à son don de prévision. Dangereux métier que celui d'augure! Malgré sa piété très-sincère, il y a une certaine impiété à se mettre au niveau de l'Infini et à parler sans cesse au nom de Dieu. Il avait trop lu la Bible; le ton d'oracle avait vicié en lui l'accent modeste de ce grain de poussière pensant qu'on appelle un homme de génie.

Nous en trouvons une preuve étonnante dès les premières pages de sa correspondance. Il vient de fulminer, ainsi qu'on l'a vu, contre la Révolution, ses œuvres, ses hommes. La légitimité est son principe, l'ancien régime est son dogme; les Bourbons, solidaires, selon lui, de la maison de Savoie, sont ses dieux terrestres; il a un culte pour leurs malheurs, il a une correspondance avec leur chef Louis XVIII. Il croit et il espère en eux comme dans la

Providence des trônes et des peuples; il est l'ami de leurs représentants ou de leurs favoris, le comte d'Avaray et le comte de Blacas. Une pensée contraire à la restauration du principe de la légitimité serait une trahison de sa religion politique, une apostasie de son cœur.

Tout à coup Bonaparte s'assied sur un trône de victoires; les puissances européennes le reconnaissent, l'usurpation se fait dynastie, l'avenir paraît s'aplanir et s'étendre sans limites devant la fortune d'un soldat heureux. Les royalistes sont consternés. Écoutez M. de Maistre dans ses lettres à Madame de Pont, émigrée désespérée à Vienne.

«Tout le monde sait qu'il y a des révolutions heureuses et des usurpations auxquelles il plaît à la Providence d'apposer le sceau de la légitimité par une longue possession. Qui peut douter qu'en Angleterre Guillaume d'Orange ne fut un très-coupable usurpateur? et qui peut douter cependant que Georges III, son successeur, ne soit un très-légitime souverain?» (Quelle doctrine que celle en vertu de laquelle l'usurpation de la veille est la légitimité du lendemain! Quelle morale que celle où le temps transforme le crime en vertu!)

Il continue:

«Si la maison de Bourbon est décidément proscrite, il est bon que le gouvernement se consolide en France. J'aime bien mieux Bonaparte roi que simple conquérant. Cela tue la Révolution française, puisque le plus puissant souverain de l'Europe (Bonaparte) aura autant d'intérêt à étouffer cet esprit révolutionnaire qu'il en avait besoin pour parvenir à son but. Le titre légitime, même seulement en apparence, en impose à un certain point à celui qui le porte. N'avez-vous pas observé, Madame, que dans la noblesse, qui n'est, par parenthèse, qu'un prolongement de la souveraineté, il y a des familles usées au pied de la lettre? La même chose peut arriver dans une famille royale. Il n'y a certainement qu'un usurpateur de génie qui ait la main assez ferme et même assez dure pour rétablir... Laissez faire Napoléon... Ou la maison de Bourbon est *usée* et condamnée par un de ces jugements de la Providence dont il est impossible de se rendre raison, et, dans ce cas, il est bon qu'une race nouvelle commence une succession légitime, etc.»

On voit avec quelle souplesse de logique le fidèle de l'ancien régime se convertit aux volontés de la Providence et les justifie même contre son propre dogme. «Il n'y a, écrit-il quelques lignes plus bas, qu'une bonne politique comme une bonne physique: c'est la politique expérimentale!» Quelle amnistie à toutes les infidélités!

XVII

À quelques jours de là on trouve dans une lettre à son frère ces délicieuses mélancolies du regret des temps passés:

«Moi qui mettais jadis des bottes pour aller à *Sonaz* (château près de Chambéry), si je trouvais du temps, de l'argent et des compagnons, je me sens tout prêt à faire *une course* à Tobolsk, voire au Kamtschatka. Peu à peu je me suis mis à mépriser la terre; elle n'a que neuf mille lieues de tour.—Fi donc! c'est une orange. Quelquefois, dans mes moments de solitude, que je multiplie autant qu'il est possible, je jette ma tête sur le dossier de mon fauteuil, et là, seul au milieu de mes quatre murs, loin de tout ce qui m'est cher, en face d'un avenir sombre et impénétrable, je me rappelle ces temps où, dans une petite ville de ta connaissance (Chambéry), la tête appuyée sur un autre dossier, et ne voyant autour de notre cercle étroit (quelle impertinence, juste ciel!) que de petits hommes et de petites choses, je me disais: «Suis-je donc condamné à vivre et à mourir ici comme une huître attachée à son rocher?» Alors je souffrais beaucoup; j'avais la tête chargée, fatiguée, *aplatie* par l'énorme poids du *rien*. Mais aussi quelle compensation! je n'avais qu'à sortir de ma chambre pour vous trouver, mes bons amis. Ici tout est grand, mais je suis seul; et, à mesure que mes enfants se forment, je sens plus vivement la peine d'en être séparé. Au reste, je ne sais pas trop pourquoi ma plume, presque à mon insu, s'amuse à te griffonner ces lignes mélancoliques, car il y a bien quelque chose de mieux à t'apprendre.

«Je ne puis écrire autant que je le voudrais, mais jamais je ne vous perds de vue. Vous êtes tous dans mon cœur; vous ne pouvez en sortir que lorsqu'il cessera de battre. À six cents lieues de distance, les idées de famille, les souvenirs de l'enfance me ravissent de tristesse. Je vois ma mère qui se promène dans ma chambre avec sa figure sainte, et en t'écrivant ceci je pleure comme un enfant.» Délicieux!

XVIII

Ces sensibilités de cœur contrastent toujours en lui avec les duretés de l'esprit. L'écrivain était acerbe, l'homme était bon; c'est le contraire de tant d'autres, tels que Jean-Jacques Rousseau, hommes très-humanitaires dans leurs écrits, très-personnels dans leur conduite. M. de Maistre n'aurait pas jeté un chien de sa chienne à cette voirie vivante où Jean-Jacques Rousseau jetait ses enfants.

Ses lettres suivent pas à pas les événements et les commentent à sa manière.

«Après la bataille d'Iéna, dit-il, j'avais écrit à notre ami, M. de Blacas: *Rien ne peut rétablir la puissance de la Prusse.* J'ai eu, depuis que je raisonne, une aversion particulière pour le grand Frédéric, qu'un siècle frénétique s'est hâté de proclamer *grand homme*, mais qui n'était au fond qu'un grand Prussien. L'histoire notera ce prince comme un des plus grands ennemis du genre humain qui aient jamais existé. Sa monarchie était un argument contre la Providence. Aujourd'hui cet argument s'est tourné en preuve palpable de la justice éternelle. Cet édifice fameux, construit avec du sang et de la boue, de la fausse monnaie et des feuilles de brochures, a croulé en un clin d'œil, et *c'en est fait pour toujours*!»

Voyez le danger des oracles! un demi-siècle après cet anathème la Prusse balançait l'empire en Allemagne et prospérait insolemment malgré les vices très-réels de son origine, et malgré, qui sait? peut-être à cause du machiavélisme de son fondateur et de ses cabinets.

Ceci s'adressait au comte d'Avaray, favori de Louis XVIII, alors réfugié à Milan sous la protection de la Russie.

Tournez la page; vous lirez sur Bonaparte les lignes suivantes pour justifier la paix conclue par la Russie avec l'usurpateur du royaume de Louis XVIII.

«Je sais tout ce qu'on peut dire contre Bonaparte: il est *usurpateur*, il est *meurtrier*; mais, faites-y bien attention, il est *usurpateur* moins que Guillaume d'Orange, *meurtrier* moins qu'Élisabeth d'Angleterre. Il faut savoir ce que décidera le temps, que j'appelle le premier ministre de la Divinité au département des souverainetés; mais, en attendant, Monsieur le Chevalier, nous ne sommes pas plus forts que Dieu. Il faut traiter avec celui à qui il lui a plu de donner la puissance.»

Allez plus loin, vous lirez des lettres à Louis XVIII lui-même, roi bien digne par son esprit d'un tel correspondant.

Allez encore, vous arrivez bien inopinément à une des plus étranges péripéties de caractère et d'imagination qui puissent confondre le don de prophétie dans un homme assez hardi pour se l'arroger. Nous voulons parler de la tentative d'un rapprochement personnel du comte de Maistre avec Bonaparte.—Pour quel but? Il est facile de le conjecturer quand on a lu ses lettres familières et les lettres officielles plus récentes destinées à excuser sa démarche auprès de la cour de Sardaigne; et enfin par quel intermédiaire? par l'amitié du duc de Rovigo (Savary), accusé alors, à tort ou à droit, de l'exécution sanglante du duc d'Enghien. Le comte de Maistre, qui venait, deux lettres plus haut, d'anathématiser le meurtre du duc d'Enghien, se rapprochant avec déférence de Savary qui venait d'assister à l'exécution de la victime! Et le ministre du roi de Sardaigne se concertant, à l'insu de son maître, avec le ministre de Bonaparte pour opérer un rapprochement intime et secret entre l'homme de Vincennes et le roi de Cagliari!

La plume tombe des doigts. Laissons le comte de Maistre faire lui-même cette étonnante confession. «Ne vous fiez pas aux princes,» dit l'Écriture. Ne vous fiez pas aux prophètes politiques, dit cette correspondance. Lisez, car, si vous ne lisiez pas, vous ne croiriez pas.

XIX

On a vu, par les lettres précédentes, que l'envoyé oisif du roi de Sardaigne à Pétersbourg flottait entre la résistance et l'acquiescement à la fortune de Napoléon, et qu'il commençait à prendre au sérieux cette fortune qu'il avait d'abord prise en moquerie ou en haine.

On a vu de plus que l'envoyé du roi de Sardaigne s'ennuyait de son oisiveté. Qu'avait-il à faire en effet à Pétersbourg qu'à recevoir de loin les rumeurs des champs de bataille, des négociations, des congrès, des entrevues d'Erfurt ou de Tilsitt entre les princes, et à transmettre à sa cour les mille et mille commérages politiques des salons de Pétersbourg, commérages vagues, souvent faux, sur lesquels il échafaudait des dépêches, des plans, des combinaisons plus propres à amuser sa cour de Cagliari qu'à la servir?

L'envoyé de Sardaigne n'avait en réalité là qu'un seul rôle: écouter aux portes et faire de l'esprit sur ce qu'il avait entendu par le trou de la serrure. Le métier n'allait pas à une tête si forte et si active. Il rêvait un rôle plus conforme à sa stature; il n'aspirait à rien moins qu'à rendre à son ombre de gouvernement un trône réel sur le continent, *per fas et nefas*. On va le voir. Il voulait imposer son nom à la reconnaissance de la maison de Savoie par un de ces services officieux, éclatants, qui font d'un sujet le restaurateur de son prince; ou plutôt il ne savait pas bien précisément encore ce qu'il voulait à cet égard, car la résurrection du Piémont lui paraissait radicalement impossible tant que Napoléon serait sur le trône, et cependant c'était désormais à Napoléon qu'il allait s'adresser pour relever la monarchie de Sardaigne sur le continent. Il s'agissait donc dans sa pensée d'un de ces desseins confus, chimériques, équivoques, qui ont besoin du succès pour être avoués. Or, puisqu'à ses propres yeux il était impossible, Napoléon vivant, de rendre Turin, le Piémont et la Savoie au roi de Sardaigne, c'était donc un autre royaume qu'il fallait obtenir de Napoléon en indemnité pour cette cour. Mais, pour que cette indemnité d'un royaume détaché par Napoléon lui-même de ses conquêtes pût être donné au roi de Sardaigne, il fallait deux choses: d'abord consentir à être l'obligé et pour ainsi dire le complice du conquérant distributeur d'empires. Que devenait l'honneur de la maison de Savoie?

Il fallait de plus accepter, après l'avoir sollicité, un de ces royaumes arrachés par le conquérant à une autre maison régnante pour en gratifier la maison de Savoie devenue usurpatrice à son tour. Que devenait la légitimité?

On voit que tout cela n'était ni très-digne, ni très-logique, ni très-moral. Les politiques n'ont pas de scrupules, mais les prophètes, qui parlent sans cesse au nom de la morale divine, sont tenus d'en avoir. M. de Maistre en manquait ici.

Quoi qu'il en soit, le comte de Maistre inventa dans sa féconde imagination, une belle nuit, un plan de restauration, ici ou là, de la cour de Sardaigne. Ce plan, il se garda bien de l'avouer à personne, de peur qu'on ne soufflât sur sa chimère: les aventureux craignent les conseils.

Ce plan consistait à séduire Savary, l'envoyé de Napoléon en Russie, par les empressements de sa politesse et par les agréments de son esprit; puis, après avoir séduit l'envoyé, de séduire le maître, de convertir Napoléon à la contre-révolution par la puissance d'un entretien tête à tête avec le vainqueur du monde, de l'éblouir, de le fasciner, de le magnétiser, de le dompter à force d'audace et d'éloquence, de le convaincre de la nécessité de rétablir la maison de Savoie dans quelque grand établissement monarchique sur le continent; puis, après ce triomphe du génie sur Napoléon, de revenir à la cour de Cagliari en apportant à son souverain un royaume ou un autre.

XX

On comprend, sans qu'il soit besoin de le dire, que l'envoyé du roi de Sardaigne en Russie se garda bien de consulter sa cour sur une si étrange hallucination de sa propre politique; la cour proscrite, mais scrupuleuse, de Cagliari aurait, au premier mot, désavoué et rappelé son ministre. Comment, en effet, la maison proscrite de Savoie aurait-elle avec dignité mendié un trône à son proscripteur? et comment cette maison royale, représentant dans son île la fidélité malheureuse à la légitimité des trônes, aurait-elle pu se démentir en expulsant elle-même une autre maison royale de ses possessions, par la main de Napoléon, pour se déshonorer en acceptant ses dépouilles?

Or, nous l'avons dit, on ne pouvait prendre cette indemnité de la maison dépouillée de Savoie que sur d'autres dépouilles. Et, de plus, comment le roi de Sardaigne, allié et protégé de la Russie, de l'Angleterre, de l'Espagne, de l'Autriche, de la Prusse, parent enfin de la maison de Bourbon, aurait-il justifié aux yeux de ces alliés naturels ses relations secrètes avec Napoléon, le jour où cette négociation ou cette intrigue viendrait à transpirer du cabinet de M. de Maistre dans le monde?

C'était là une de ces manœuvres équivoques qui perdent plus que la fortune d'une cour, qui perdent son caractère. Le comte de Maistre en eut le pressentiment sans doute, car il garda un profond silence, silence très-répréhensible, envers sa cour sur ces aventures de diplomatie très-compromettantes pour ceux dont il était censé être le diplomate. Quand un homme représente son souverain, l'homme disparaît sous le ministre. Il ne lui est pas permis de dire: J'agis, comme homme privé, dans un sens inverse de mon rôle et de mon devoir comme ministre de ma cour. Si l'on veut agir comme homme privé et d'après ses propres inspirations au lieu d'agir selon ses instructions, il faut commencer par donner sa démission de son titre d'envoyé de sa cour. Alors on est libre, on n'engage que soi; mais en restant ministre, et en agissant comme homme, on engage sa cour et on forfait à sa mission. Voilà les principes.

Le comte de Maistre les faussait en prétendant agir comme homme et rester revêtu de son caractère d'envoyé de son roi.

On conçoit l'étonnement et la juste colère qui saisirent les ministres et le roi à Cagliari quand les ministres et le roi apprirent avec stupeur cette incartade de zèle et cette folie de fidélité dans leur ministre à Pétersbourg. De ce jour data, pour M. de Maistre, réprimandé et mal pardonné, une défiance et un éloignement de sa cour à son égard qui ne lui permirent jamais de monter jusqu'où son génie pouvait prétendre en Piémont.

Lisons de sa propre main le récit de cette incroyable échauffourée de zèle.

XXI

«Au moment ou je m'occupais de ces idées, écrit-il plus tard au ministre des affaires étrangères à Cagliari pour s'excuser, il arrive ici un *favori* de Napoléon (Savary). Cet homme se prend de quelque intérêt pour moi. Il est présenté dans une maison où je suis fort lié, M. de Laval, Français résidant à Pétersbourg et chambellan de l'empereur Alexandre. Je me demande s'il n'y aurait pas moyen de tirer parti des circonstances en faveur du roi. Les hommes extraordinaires (Napoléon) ont tous des moments extraordinaires; il ne s'agit que de savoir les saisir.

«Les raisons les plus fortes m'engagent à croire que, si je pouvais aborder Napoléon, j'aurais des moyens d'adoucir le lion et de le rendre plus traitable à l'égard de la maison de Savoie. Je laisse mûrir cette idée, et plus je l'examine, plus elle me paraît plausible. Je commence par les moyens de l'exécuter, et à cet égard il n'y a ni doute ni difficulté. Le chambellan, M. de Laval, dont il est inutile que je parle longuement, était, comme je vous le disais tout à l'heure, *fait exprès*. Il s'agissait donc uniquement d'écarter de cette entreprise tous les inconvénients possibles, et de prendre garde avant tout de ne pas choquer Napoléon. Pour cela je commence par dresser un Mémoire écrit avec cette espèce de coquetterie qui est nécessaire toutes les fois qu'on aborde l'autorité, surtout l'autorité nouvelle et ombrageuse, sans bassesse cependant, et même, si je ne me trompe, avec quelque dignité. Vous en jugerez vous-même, puisque je vous ai envoyé la pièce. Au surplus, Monsieur le Chevalier, j'avais peu de craintes sur Bonaparte. La première qualité de l'homme né pour mener et asservir les hommes, c'est de connaître les hommes. Sans cette qualité il ne serait pas ce qu'il est. Je serais bien heureux si l'empereur me déchiffrait comme lui. L'empereur Alexandre a vu, dans la tentative que j'ai faite, un élan de zèle, ct, comme la fidélité lui plaît depuis qu'il règne, en refusant de m'écouter il ne m'a fait cependant aucun mal. Le souverain légitime intéressé dans l'affaire (le roi de Sardaigne) peut se tromper sur ce point; mais l'usurpateur est infaillible.

«Tout paraissant sûr de ce côté, et m'étant assuré d'ailleurs de l'approbation de la cour de Russie, et même de la protection que les circonstances permettaient, il fallait penser à l'Angleterre.» Il confie son idée à l'ambassadeur d'Angleterre en Russie; celui-ci, évidemment embarrassé de la confidence, la lui déconseille aussi poliment qu'il peut.

«Je comptais commencer la conversation avec Bonaparte, continue-t-il, à peu près de cette manière: *Ce que j'ai à vous demander, avant tout, c'est que vous ne cherchiez point à m'effrayer, car vous pourriez me faire perdre le fil de mes idées, et fort inutilement, puisque je suis entre vos mains. Vous m'avez appelé, je suis venu; j'ai votre parole. Faites-moi fusiller demain, si vous voulez, mais écoutez-moi aujourd'hui.*

«Quant à l'épilogue que j'avais également projeté, je puis aussi vous le faire connaître. Je comptais dire à peu près: *Il me reste, Sire, une chose à vous déclarer: c'est que jamais homme vivant ne saura un mot de ce que j'ai eu l'honneur de vous dire, pas même le roi mon maître; et je ne dis point ceci pour vous; car que vous importe? Vous avez un bon moyen de me faire taire, puisque vous me tenez. Je le dis à cause de moi, afin que vous ne me croyiez pas capable de publier cette conversation. Pas du tout, Sire! Regardez tout ce que j'ai eu l'honneur de vous dire comme des pensées qui se sont élevées d'elles-mêmes dans votre cœur. Maintenant, je suis en règle; si vous ne voulez pas me croire, vous êtes bien le maître de faire tout ce qu'il vous plaira de ma personne; elle est ici.*

«Comment donc cette idée a-t-elle été si mal accueillie à Cagliari? Je crois que vous m'en dites la raison, sans le savoir, dans la première ligne chiffrée de votre lettre du 15 février, où vous me dites que la mienne *est un monument de la plus grande surprise.* Voilà le mot, Monsieur le Chevalier; le cabinet est surpris. Tout est perdu. En vain le monde croule, Dieu nous garde d'une idée imprévue! et c'est ce qui me persuade encore davantage que je ne suis pas votre homme; car je puis bien vous promettre de faire les affaires de S. M. aussi bien qu'un autre, mais je ne puis vous promettre de ne jamais vous surprendre. C'est un inconvénient de caractère auquel je ne vois pas trop de remède. Depuis six mortelles années, mon infatigable plume n'a cessé d'écrire chaque semaine que S. M., *comptant absolument sur la puissance ainsi que sur la loyauté de son grand ami l'empereur d'Autriche, et ne voulant pas faire un pas sans son approbation,* etc. C'est cela qui ne surprend pas! Dieu veuille bénir les armes de M. de Front plus que les miennes! Quand j'ai vu qu'elles se brisaient dans mes mains, j'ai fait un effort pour voir si je pourrais *rompre la carte.* Bonaparte n'a pas voulu m'entendre; si vous y songez bien, vous verrez que c'est une preuve certaine que j'avais bien pensé. Il a jugé à propos, au reste, de garder un silence absolu sur cette démarche; car je n'ai nulle preuve qu'il en ait écrit à son ambassadeur ici, et je suis sûr qu'il n'en a pas parlé au comte Tolstoï à Paris.

«Je n'ai demandé, ajoute-t-il, qu'une simple conversation avec Napoléon *comme simple particulier*. (Nous avons montré que le simple particulier n'existait pas dans le ministre, à moins qu'il n'eût donné sa démission.) Il n'y avait que moi de compromis, dit-il encore, car on était maître de m'emprisonner ou de m'étrangler à Paris.»

XXII

Nous venons de retrouver dans les *Dépêches* publiées récemment à Turin des traces plus explicites de cette affaire. Elle fut la grande faute de la vie publique du comte de Maistre. Écoutez son entretien secret avec Savary, et lisez quelques phrases du Mémoire que le comte de Maistre adresse à cet aide de camp de Napoléon pour être communiqué à Napoléon lui-même. On ne croirait pas, avant d'avoir lu, que la confiance dans la toute-puissance de son propre génie eût porté si loin un homme de tant de sens. Il faut croire en soi quand on est une intelligence supérieure, mais il ne faut pas y croire jusqu'à la folie, sous peine de tenter des choses folles.

«2 octobre 1807.

«Mardi je vis le général Savary chez M. de Laval. Après les premières révérences, je lui dis que j'étais extrêmement mortifié de ne pouvoir me rendre chez lui, mais que la chose n'était pas possible, vu l'état de guerre qui subsistait en quelque manière entre nos deux souverains.

«En effet, lui dis-je, le vôtre chasse les représentants ou les agents du roi, et il refuse expressément de le reconnaître pour souverain.

«Il me répondit poliment:—C'est vrai.

«Il engagea d'abord la conversation sur les émigrés, sur la justice et l'indispensable nécessité des confiscations, etc.; car il croyait que je voulais parler pour moi, et la veille il avait dit à M. de Laval qu'il ne voyait pas quelles espérances je pouvais avoir pour mon maître, mais qu'il en avait de très-grandes pour moi.

«Il me semble, lui dis-je, Général, que nous perdons du temps, car il ne s'agit nullement de moi dans cette affaire. Supposez même que je n'existe pas. Je n'ai rien à demander au souverain qui a détruit le mien.

«Il parut un peu surpris. Alors il tomba sur le Piémont.—Pourriez-vous concevoir, Monsieur, l'idée d'une restitution? etc. Ce fut encore une tirade terrible. Je le laissai dire, car il ne faut jamais arrêter un Français qui fait *sa pointe*. Quand il fut las, je lui dis:—Général, nous sommes toujours hors de la question, car jamais je ne vous ai dit que je voulusse demander la restitution du Piémont.

«—Mais que voulez-vous donc, Monsieur?

«—Parler à votre empereur.

«—Mais je ne vois pas pourquoi vous ne me diriez pas à moi-même...

«—Ah! je vous demande pardon, il y a des choses qui sont personnelles.

«—Mais, Monsieur le Comte, quand vous serez à Paris, il faudra bien que vous voyiez M. de Champagny.

«—Je ne le verrai point, Monsieur le Général, du moins pour lui dire ce que je veux dire.

«—Cela n'est pas possible; Monsieur, l'Empereur ne vous recevra pas.

«—Il est bien le maître, mais je ne partirai pas, car je ne partirai qu'avec la certitude de lui parler.

«Il en revint toujours à sa première question:—Mais qu'est-ce que vous voulez? Enfin, Monsieur, la carte géographique est pour tout le monde; vous ne pouvez voir autre chose que ce que j'y vois. Voudriez-vous Gênes? la Toscane? Piombino? Il courait toute la carte.

«—Je vous ai dit, Monsieur le Général, qu'il ne s'agit que de parler tête à tête à votre empereur, oui ou non.

«Je vous exprimerais difficilement l'étonnement du général, et vraiment il y avait de quoi être étonné. Cette conversation mémorable a duré, avec une véhémence incroyable, depuis sept heures du soir jusqu'à deux heures du matin. Un seul ami présent mourait de peur que l'un des deux interlocuteurs ne jetât l'autre hors des gonds; mais je m'étais promis à moi-même de ne pas gâter l'affaire, et, pourvu que l'un des deux ait fait ce vœu, c'est assez.

«Le général Savary m'a dit en propres termes:

«*On ne l'inquiétera point dans sa Sardaigne; qu'il s'appelle même roi s'il le juge à propos; ce sera à son fils de savoir ensuite ce qu'il est.*

«Voilà une des gentillesses que j'ai entendues. Je ne vous détaille point cette conversation; il faudrait un volume, et le livre serait trop triste. Ce que je puis vous dire, c'est que je me suis avancé dans la confiance du général, car en sortant il dit au chambellan qui l'accompagnait: Je suis vif; si par hasard j'ai dit quelque chose qui ait pu affliger le comte de Maistre, dites-lui que j'en suis fâché.

«Le résultat a été qu'il se chargerait d'un Mémoire que je lui remis peu de jours après. Dans ce Mémoire je demande de m'en aller à Paris avec la certitude d'être admis à parler à l'empereur sans intermédiaire; je proteste expressément que jamais ne dirai à aucun homme vivant (sans exception quelconque) rien de ce que j'entends dire à l'empereur des Français, pas plus que ce qu'il pourrait avoir la bonté de me répondre sur certains points; que cependant je ne faisais aucune difficulté de faire à monsieur le général Savary, à qui le Mémoire était adressé, les trois déclarations suivantes:

«1° Je parlerai sans doute de la maison de Savoie, car je vais pour cela; 2° je ne prononcerai pas le mot de *restitution*; 3° je ne ferai aucune demande qui ne serait pas provoquée.

«Si je suis repoussé, je suis ce que je suis, c'est-à-dire rien, car nous sommes dans ce moment totalement à bas. Si je suis appelé, j'ai peine à croire que le voyage ne produira pas quelque chose de bon, plus ou moins.»

Savary montre, dans cette entrevue, la rudesse, mais le bon sens d'un soldat. Il ne flatte pas le rêve, mais il écoute l'homme. Il expédie même son Mémoire à Napoléon.

«Mon Mémoire est parti, dit plus bas le comte. Le vent de l'opinion l'a emporté, accompagné, favorisé plus qu'il ne m'est permis de vous le dire. Si j'ai vécu jusqu'à présent d'une manière irréprochable, j'en ai recueilli le prix dans cette occasion. Malheureusement tout s'est borné à la personne, à l'exclusion de l'objet politique.»

XXIII

Ce Mémoire, que nous avons sous les yeux, est en tout une aberration de zèle. Qu'on en juge par quelques citations.

«Je n'ai point la prétention de déployer à Paris un caractère public; le roi mon maître ignore même (je l'assure sur mon honneur) la résolution que j'ai prise. La grâce que je demande est donc absolument sans conséquence. Arrivé en France, je n'ai plus de titre; le droit publie cesse de me protéger, et je ne suis plus qu'un simple particulier comme un autre sous la main du gouvernement. Il semble donc que dans cette circonstance la politique ne gêne aucunement la bienfaisance. Sa Majesté Impériale appréciera d'ailleurs mieux que personne le mouvement qui m'entraîne.

«Au reste, quoique je connaisse les formes et que je sois très-résolu à m'y soumettre, quoique j'aie la plus grande idée des ministres français et que la confiance qu'ils ont méritée les recommande suffisamment à celle de tout le monde, néanmoins je dois répéter ici à M. le général Savary ce que j'ai eu l'honneur de lui dire de vive voix: c'est que mon ambition principale, en me rendant à Paris, serait, après avoir rempli toutes les formes d'usage, d'avoir l'honneur d'entretenir en particulier Sa Majesté l'Empereur des Français. Pour obtenir cette faveur, rien ne me coûterait; mais, si je ne puis y compter, le courage m'abandonne. Si l'on peut voir au premier coup d'œil quelque chose de trop hardi dans cette ambition, la réflexion prouvera bientôt que le sentiment qui m'anime ne peut s'appeler audace ni légèreté, et que l'homme qui prend une telle détermination y a suffisamment pensé. Je sens d'ailleurs et je proteste que c'est une grâce, et que je n'y ai pas le moindre droit; mais, pour la rendre moins difficile, ou pour rendre au moins la demande moins défavorable, je ne fais aucune difficulté de faire à M. le général Savary les trois déclarations suivantes:

«1° Si l'Empereur des Français avait l'extrême bonté de m'entendre, j'aurais sans doute l'honneur de lui parler de la maison de Savoie;

«2° Je ne prononcerais pas le mot de *restitution*;

«3° Je ne ferais aucune demande qui ne serait pas provoquée.

«J'ose croire que ces trois déclarations excluent jusqu'à l'apparence de l'inconsidération, et, quand même mon désir serait repoussé, j'ose croire encore que Sa Majesté l'Empereur des Français n'y verrait rien qui choque les convenances, rien qui ne s'accorde parfaitement avec la juste idée qu'il doit avoir de lui-même.»

XXIV

L'empereur Napoléon ne répondit même pas à une demande d'audience si extraordinaire et qui ne pouvait que l'embarrasser. Il ne pouvait sacrifier ses départements du Piémont incorporés à l'empire à une conversation éloquente avec un homme d'excentricité. Il ne pouvait improviser un trône pour M. de Maistre sans détrôner ou un autre souverain des vieilles races, ou un nouveau souverain de sa propre maison. Le rêve eut un triste réveil.

Tout fut connu. La cour de Cagliari, de plus en plus surprise, ne ménagea pas les termes dans sa réprimande à son ministre en Russie. Nous voyons le contre-coup de ces mécontentements très-graves de la cour de Cagliari à l'amertume des répliques du comte de Maistre dans une de ses lettres, du 2 juin, au chevalier *Rossi*, qui lui avait transmis avec une rudesse mal mitigée le mécontentement du roi.

«Il y a une expression de votre lettre, répond M. de Maistre au chevalier Rossi, qui m'inspire à moi les réflexions les plus profondes et les plus tristes. *Ce qui peut vous arriver de plus heureux pour vous*, m'écrivez-vous, *c'est que*, etc., etc. (Sans doute *qu'on oublie à Cagliari une telle aventure.*)

«Vous m'obligeriez beaucoup de me dire ce qui pourrait m'arriver de plus malheureux. Entrez dans cette triste analyse, examinez de tous les côtés où il est possible de blesser et de punir un homme; vous verrez que tout est fait déjà, et qu'il n'y a plus moyen de tuer un cadavre et de frapper sur *rien*.... Vous saisissez votre plume massive, et vous m'écrivez comme à un jeune homme qui débuterait dans le monde et qui chercherait une réputation, je pourrais même ajouter: comme à une espèce de mauvais sujet. Vous souhaitez pour mon bien *que je ne sois pas parti pour Paris, et vous m'apprenez même que le roi veut bien ne pas donner une interprétation sinistre à ma démarche!*—Était-ce donc pour mon plaisir que je voulais aller à Paris?...»

À la suite de ces reproches et de ces récriminations, le comte de Maistre accusait très-injustement sa cour d'ingratitude et même de persécution envers lui. L'humeur ici manquait, non de fierté, mais de justice. Le peu de biens, dans la Savoie, dont il avait craint un moment d'être dépouillé en qualité d'émigré lui avait été rendu; le modeste emploi de sénateur au tribunal de Chambéry, emploi aussi peu rétribué que peu imposant, n'étaient pas de grands sacrifices comparés au rang d'ambassadeur à une des premières cours de l'Europe, aux titres, aux dignités éminentes, aux décorations, au traitement dont il était honoré par le trésor si pauvre de Sardaigne, et enfin aux faveurs très-utiles dont il jouissait, lui, son frère et son fils, par l'amitié de l'empereur de Russie. Les plaintes dépassaient évidemment ici les griefs. Nous avons vu un autre grand écrivain politique, comblé de dons et d'honneurs par les princes de la maison de Bourbon, remplir également le monde de ses plaintes mal fondées contre leur prétendue ingratitude. Il est plus aisé d'être exigeant envers les autres que juste envers soi-même. Seulement ce grand écrivain racontait ses griefs à l'univers, et M. de Maistre ne publiait ses amertumes que dans ses dépêches confidentielles à sa cour.

Il manifeste déjà à demi-mot, dans ses dépêches un peu récriminatoires, l'intention de chercher une plus solide base de sa vie auprès de l'empereur Alexandre. Il obtient, en attendant, du roi de Sardaigne, l'autorisation d'attacher son fils au service de Russie. Cette autorisation lui est accordée; le roi y ajoute une pension de quatre-mille francs pour ce jeune homme. Des commérages politiques sur la cour de Russie remplissent en partie le reste de ces dépêches.

Le général Caulaincourt, ambassadeur de France après Savary, le traitait dans ses lettres avec une dédaigneuse brutalité de style. Le silence de Napoléon aux avances du grand écrivain avait aigri l'encre du comte de Maistre. Quelques-uns de ces commérages sont peu dignes d'une plume sérieuse. Les amours de l'empereur Alexandre avec la belle princesse Maria-Antonia, que nous avons connue nous-mêmes sur le déclin encore rayonnant de sa beauté, sont racontés avec une légèreté qui étonne.

«Ce n'est point une Montespan, dit-il; c'est une la Vallière, hormis qu'elle n'est pas boiteuse et que jamais elle ne se fera carmélite.»

Son rôle d'ambassadeur courtisan fait fléchir son rigorisme. Il va chez la beauté en crédit et se vante de sa faveur auprès d'elle.

«Dimanche dernier, 3 septembre, il y eut une fête superbe chez la favorite, à la campagne: bal, feu d'artifice magnifique sur la rivière et souper de deux cents couverts. Nous ne fûmes pas peu surpris de n'y voir ni l'ambassadeur de France ni aucun Français. Tous les appartements étaient ouverts et illuminés. Dans le cabinet de la belle dame, décoré avec la plus somptueuse élégance, nous vîmes au-dessus du sopha, devinez quoi? le portrait du prince Schwarzenberg. Tout le monde se touchait du coude:

Allez, allez voir! Depuis plus d'une année je n'allais plus dans cette maison, et j'ai su qu'on m'en a loué comme d'un trait de politique, parce qu'on a cru que je m'étais retiré pour n'avoir pas l'air d'intriguer et de m'attacher à cette ancre pour me tenir ferme. Certes, on me faisait beaucoup d'honneur. Je n'entends rien du tout à cette tactique; je n'y allais plus par indolence, et aussi parce que quelque chose m'avait déplu là. Mais cette fois j'ai été invité en personne par le maître de la maison; je lui dis en riant: *Mais, Monsieur, il faudra que vous ayez la bonté de me présenter de nouveau à madame comme un homme qui arrive;* ce qui fournit la matière à un badinage aimable lorsque j'entrai. La belle Maria-Antonia recevait son monde avec sa robe blanche et ses cheveux noirs, sans diamants, sans perles, sans fleurs; elle sait fort bien qu'elle n'a pas besoin de tout cela. *Le negligenze sue sono artifici.* Le temps semble glisser sur cette femme comme l'eau sur la toile cirée. Chaque jour on la trouve plus belle. Je comprends que la sagesse pourrait éviter ce filet, mais je ne comprends guère comment elle pourrait en sortir. Elle a d'ailleurs, à ce qu'il paraît, complétement deviné le grand secret de sa position: *Ne faites pas attention aux distractions.* Moyennant cela je la crois invincible, ou, si vous aimez mieux, inébranlable. On s'était imaginé certaines choses, mais tout s'en est allé en fumée.»

Quelques dépêches confidentielles à sa cour vont même au delà; telles sont les lettres semi-plaisantes, semi-sérieuses, dans lesquelles il demande, pour épier les secrets diplomatiques des maris, un secrétaire d'ambassade jeune, beau, séduisant, propre à s'insinuer dans le cœur des femmes. Nous savons bien que c'était là une affectation d'habileté diplomatique à tout prix, une jactance de légèreté qui ne portait point atteinte à la sévérité de ses vrais principes et à la pureté de ses mœurs; mais un rigoriste ne doit pas même badiner avec ces vices de cour, de peur de perdre dans des badinages l'autorité morale avec laquelle il aura à les flétrir comme écrivain.

XXV

Quant à ses vues politiques sur les destinées du Piémont, elles sont parfaitement caractérisées dans une de ces dépêches. Il comprend l'existence importante, mais nécessairement secondaire, de cet État.

«Nous sommes *grain* de sable, écrit-il, et notre intérêt évident est de nous maintenir *grain*. Pourquoi agrandirais-je cette maison? dira l'Autriche. Est-ce pour lui livrer une partie de mes possessions en Italie et pour exposer l'autre? Pourquoi l'agrandirais-je? dira la France. Est-ce pour lui donner les moyens de bâtir quelques citadelles de plus sur les Alpes, et de donner à l'Autriche, quand le roi de Sardaigne jugera à propos de s'allier avec elle, un poids décisif contre moi?—Donc tout le monde est intéressé à nous tenir bas.

«Faites encore, ajoute-t-il, une autre réflexion. Supposez que notre souverain de Piémont, n'ayant qu'un titre de prince ou de duc, se contente de régner à la manière des Médicis de Florence, par exemple: vous ne trouverez pas en Europe de pays supérieur au nôtre; mais si le pays est obligé de supporter une couronne royale et si on y bat le tambour, la chose change de face, et le voilà tout de suite trop petit pour être une planète et trop grand pour être un satellite. Nouvelle cause de médiocrité, nous étions trop grands pour être protégés et trop faibles pour agir seuls.»

(Correspondance, page 73.)

Et voilà l'homme que ses commentateurs de Turin d'aujourd'hui veulent représenter comme un ennemi implacable de l'Autriche et comme un zélateur de la conquête de l'Italie par le Piémont! Il déclamait à voix basse contre l'Autriche, en effet, dans ses lettres confidentielles à la cour sarde; mais que reprochait-il à l'Autriche? De trop complaire à la France en lui laissant convertir sans protestation la Savoie, géographiquement française, et le Piémont, embouchure des Alpes, en départements français.

Quelle que fût sa partialité pour la maison de Savoie, le comte de Maistre avait trop de sens pour imaginer que l'Autriche permettrait jamais à un roi de Sardaigne, avec sa brave mais petite armée savoyarde, sarde et piémontaise, de se substituer à l'empire et de conquérir l'Italie, que l'empire lui-même, avec ses six cent mille hommes sous les armes, n'avait jamais pu posséder. Il avait trop de sens aussi pour s'imaginer que la France permettrait impunément à cette maison de Savoie de constituer contre elle, sur les Alpes et au pied des Alpes, à nos portes, une puissance équivoque de quinze ou vingt millions d'hommes, qui, en s'alliant, comme elle l'a toujours fait, avec l'Autriche, formerait une masse de soixante millions d'hommes pesant par leur réunion sur notre frontière de l'Est et du Midi d'un poids qui nous écraserait en se réunissant. Une telle politique serait une témérité envers la France; car les cabinets de Turin et de Vienne auraient la clef des Alpes dans leurs mains unies. Les traités de 1814, même après le reflux victorieux de l'Europe contre nous, avaient tellement compris cette nécessité, pour la France, de ne pas agrandir démesurément la maison ambitieuse de Savoie, que ces traités de 1814 nous avaient laissé en souveraineté française les trois quarts de la Savoie. Les traités de 1815 nous reprirent la Savoie tout entière et agrandirent sans prévoyance et sans justice la maison de Savoie, en lui octroyant, du droit de sa convoitise, la république de Gênes. Les Génois, violentés dans leur nationalité, murmurèrent et se soulevèrent en vain contre cette confiscation de leur indépendance. La légitimité trouva cette fois la confiscation très-légitime.

Le comte de Maistre n'aurait pas conseillé cette usurpation de la république de Gênes à son pays. Il était si peu illusionné sur la convenance et sur la possibilité de la domination du Piémont sur l'Italie qu'il écrit, presque à la même date, au ministre de son roi à Cagliari, en parcourant les hypothèses d'une restauration encore bien douteuse:

«Les considérations morales sont encore plus fortes. Je ne connais point de nation plus véritablement *nation* et qui ait plus d'unité nationale que la piémontaise; mais cette unité tourne contre la nation, ou, pour mieux dire, contre la maison régnante, en s'opposant à tout amalgame politique. Ne perdez jamais de vue cet axiome: *Aucune nation n'obéit volontairement à une autre.* Présentez la maison de Savoie à tous les peuples d'Italie qui ont perdu leurs souverains; tous lui prêteront serment avec joie *si elle s'établit parmi eux*; mais, si elle devait toujours siéger à Turin, tous diraient non. Soumettez les Génois et les Lombards à nos souverains; ils vous diront tous *qu'ils sont tous gouvernés par les Piémontais.* Allez ensuite en France; demandez à un habitant de Dunkerque ou de Bayonne par qui il est gouverné; il vous répondra: *Par le roi de France* (j'aime à supposer qu'il est toujours à sa place); jamais il ne lui viendra en tête de vous dire *qu'il est gouverné par les habitants de l'Île-de-France, que tous les emplois sont pour ces messieurs, qu'ils viennent faire les maîtres chez les autres, qu'ils veulent tout mener à leur manière*, et autres chansons des nations sujettes. Un Français ne comprend pas seulement cela; l'habitant de Dunkerque est Français, celui de Paris est Français; le roi gouverne les Français par les Français: ils n'en savent pas davantage. La Providence, en accordant l'unité nationale à vingt-cinq millions d'hommes, avait fait de la France *le plus beau des royaumes après celui du ciel*, comme l'a dit Grotius; mais si cette unité échoit à un petit rassemblement d'hommes, plus elle est prononcée, plus elle s'oppose à l'agrandissement du souverain de ce pays. Je pourrais donner beaucoup plus de développement à ces idées; mais, pour abréger, j'arrêterai seulement votre pensée sur un phénomène remarquable: c'est que *nulle nation n'a le talent d'en gouverner une autre.* Je ne connais aucun peuple que je mette au-dessus des Piémontais pour ce qui s'appelle bon sens et jugement; mais, lorsqu'ils venaient en Savoie pour y commander, ce bon sens n'était plus le même.»

XXVI

On a vu en 1848 combien le comte de Maistre avait eu le sentiment de ces antipathies intestines qui empêchent tout amalgame durable entre les diverses nationalités italiennes, sous un sceptre italien, et plus peut-être sous un sceptre italien que sous un protectorat étranger. Le jour où le roi de Piémont Charles-Albert laissa transpirer seulement l'ambition de changer la couronne de Sardaigne contre la couronne d'Italie, Milan bondit sous ses pieds contre Turin, et les peuples de la Lombardie désavouèrent leur prétendu libérateur piémontais. La confédération seule est le mode futur de l'indépendance italienne, parce qu'elle laisse, à chacune des nationalités si diverses et si justement fières de la Péninsule, son nom, sa capitale, ses mœurs, sa langue, sa dignité, son poids personnel dans l'ensemble. La conquête et l'unification par le Piémont n'est qu'un rêve. Ce n'est pas le Piémont qu'il faut grandir; c'est l'Italie qu'il faudra constituer libre et diverse comme l'a fait la nature.

L'ambition turbulente de la maison de Savoie est un mauvais auxiliaire. La convoitise d'une cour pressée de s'annexer la Lombardie n'est pas un *casus belli* légitime pour la France. Quand une prétention nouvelle et envahissante de l'Autriche viendra fournir à la France ce *casus belli* légitime, seule excuse qui puisse justifier une guerre européenne, ce n'est pas avec la maison de Savoie qu'il faudra s'allier offensivement et défensivement, c'est avec la Péninsule tout entière. Alors vous aurez délivré la première race d'hommes de la terre pour attester à l'avenir la reconnaissance du monde envers l'Italie, *alma parens*, et votre œuvre subsistera, parce que l'Italie entière aura sa place dans cette nouvelle ligue des Achéens. Autrement vous n'aurez fait qu'agrandir sur votre frontière un ami suspect et un ennemi dangereux, et rien ne subsistera de votre œuvre sanglante et éphémère; car l'Italie veut bien obéir à elle-même, mais elle ne consentira jamais à obéir à ce qu'il y a de moins italien en elle: une monarchie composée de braves montagnards, de rudes insulaires et d'héroïques Cisalpins, propres à la défendre, inhabiles à la dominer. La baïonnette n'est pas un sceptre; une confédération libre doit seule tenir dans ses mains collectives le sceptre de l'Italie. Nous pensons à cet égard comme le comte de Maistre.

XXVII

Voilà, comme homme, le véritable portrait du comte de Maistre, avant l'époque où il devint illustre par sa plume: une famille angélique, un époux irréprochable, un père tendre, une piété de femme sucée avec le lait d'une mère, une vertu antique, sauf quelques égarements d'esprit, une ambition honnête, mais trop active et peu modeste, une fidélité à son roi bien récompensée, mais une fidélité impérieuse forçant la main à son gouvernement, enfin un publiciste très-contestable et très-variable, qui, pour conserver sa réputation d'infaillibilité, corrigeait après coup ses oracles quand la fortune démentait ses prévisions, et qui savait être toujours de l'avis des événements, ces oracles de Dieu.

Voyons maintenant en lui l'écrivain et le philosophe.

Lamartine.

(*La suite au mois prochain.*)

FIN DU SEPTIÈME VOLUME.

Paris.—Typographie de Firmin Didot frères, fils et Cie.

<u>1</u>: Voir l'Entretien précédent.

<u>2</u>: La photographie, contre laquelle j'ai lancé, dans le premier Entretien sur Léopold Robert, un anathème inspiré par le charlatanisme qui la déshonore, en multiplia les copies. La photographie, c'est le photographe. Depuis que nous avons admiré les merveilleux portraits saisis à un éclat de soleil par Adam Salomon, le statuaire du sentiment, qui se délasse à peindre, nous ne disons plus c'est un métier; c'est un art; c'est mieux qu'un art, c'est un phénomène solaire où l'artiste collabore avec le soleil!